COSMOPOLIS

HRAD
v Škótsku

JULIE CAPLINOVÁ

JULIE CAPLINOVÁ

HRAD

v Škótsku

Vydala GRADA Slovakia s.r.o., pod značkou Cosmopolis
Moskovská 29, 811 08 Bratislava 1
www.grada.sk
Tel.: +421 2 556 451 89
ako svoju 212. publikáciu.

The Christmas Castle in Scotland, vydanú vydavateľstvom HarperCollins Publishers Ltd.
v roku 2022, preložila do slovenčiny Jarmila Debrecká.
Jazyková redakcia Anetta Letková
Ilustrácie na obálke Kateřina Brabcová
Grafická úprava a sadzba Zuzana Ondrovičová
Zodpovedná redaktorka Alexandra Janogová

Vydanie 1., 2023
Počet strán 320
Tlač CPI Moravia Books s.r.o.

Originally published in the English language by HarperCollins Publishers Ltd. under the title
The Christmas Castle in Scotland.
Julie Caplin asserts the moral right to be acknowledged as the author of this work.

ISBN 978-80-8090-439-5 (ePub)
ISBN 978-80-8090-438-8 (pdf)
ISBN 978-80-8090-437-1 (print)

Donne – z toľkých dôvodov, že ich nespočítam

1. kapitola

Polovica októbra

Izzy práve vykladala z auta svoj ťažký kufor, keď začula trepotanie vlajky vo vetre – ktovie prečo pirátskej –, sprevádzané rinčaním kovových spôn na stožiari a nariekaním myšiaka hôrneho, ktorý plachtil vo vzdušných prúdoch niekde vysoko nad jej hlavou. Zadívala sa na vlajku spustenú na pol žrde a zakrútila hlavou. *Každý hrad potrebuje pirátsku vlajku.* Ako inak, jej mama hrala podľa vlastných pravidiel.

Izzy vytiahla kufor po kamenných schodoch, ktoré boli uprostred dohladka zošliapané, otvorila ťažké drevené dvere s mohutným železným kovaním a obité nitmi a vstúpila na nerovnú dlažbu, o ktorej bola presvedčená, že v ozvenách krokov rozpráva stovky dávnych príbehov. Tvár jej rozžiaril obrovský úsmev. Práve sa z nej, Izzy McBrideovej, stala oficiálna majiteľka hradu. Z nej! Patril jej hrad Kinlochleven. Čo to, preboha, prastrýkovi Billovi vôbec napadlo? Rozhodne to bol šok. Vždy všetci predpokladali, že hrad dostane jeho bratranec z východného pobrežia. Lenže keď sa s ním stretla na Billovom pohrebe, necítila z neho žiadnu závisť.

Práve teraz potrebovala čaj. Posledných štyridsaťdva hodín strávila na cestách – vracala sa z Írska, kde strávila posledných šesť týždňov v slávnej kuchárskej škole v Killorgally. Potrebovala veľký hrnček čaju a jednu z tých smiešne predražených sušienok, ktoré si vybrala na letisku v Edinburghu. Ako poznala Xanthe, komora bude prázdna. Jej matka nebola kuchárka a o jedlo sa nezaujímala. Prežívala na cigaretách, džine a šaláte.

Keď Izzy vstúpila do hradu, na jej veľké prekvapenie sa z veľkej kuchyne na konci dlhej chodby s dreveným obkladom šírila vôňa jedla. Možno svoju matku predsa len podcenila.

„Ahoj, Xan..." Pri pohľade na široký chrbát skláňajúci sa nad veľkým čiernym sporákom Rayburn zamrzla. Muž sa otočil a Izzy si uvedomila, že stojí zoči-voči tak trochu strapatému chlapíkovi, ktorý mal viac ako meter osemdesiat, na sebe vyblednuté džínsy a hrubý pletený sveter, pričom okolo krku mal niekoľkokrát omotaný vlnený šál. Páni! Mal tie najmodrejšie oči, aké kedy videla! Teda ak nepočítala televíznu obrazovku.

„Dobrý deň," pozdravil a jednou rukou si z čela odhrnul divokú šticu, zatiaľ čo v druhej držal drevenú varechu a niečo miešal na panvici.

„Podarilo sa vám ho spustiť," ukázala Izzy hlavou na to monštrum zvané sporák, ktoré sa jej nikdy predtým nepodarilo zapáliť.

„Áno," usmial sa. „Aj keď som si musel pozrieť návod na YouTube a trochu mi pomohol aj podpaľovač."

Izzy prikývla a priala si, aby to urobila už skôr, ale nejako jej to pripadalo ako podvod. Majiteľka škótskeho hradu by predsa mala vedieť zapáliť drevo vo vlastnom sporáku.

„Prepáčte, ale kto ste?" spýtala sa možno až príliš priamo, ale nestáva sa každý deň, že človek príde domov a v kuchyni nájde cudzieho chlapa, ktorý aj napriek nedbalému strnisku vyzerá ako filmová hviezda. Za jej nevychovanosť zjavne mohli tie fascinujúce modré oči.

Zdvihol jedno obočie. Samozrejme, že to dokázal. Už pri prvom pohľade na neho jej bolo jasné, že je to typ muža, ktorý niečo také vie.

„Som Ross Strathallan. A vy?"

Chvíľu sa na neho pozerala tak trochu vyvedená z miery a snažila sa prísť na to, ako znovu prevziať kontrolu nad situáciou, zatiaľ čo sa jej mozog – ešte stále rozladený únavou z cesty a tými modrými očami – rozpúšťal na kašu. „Som McBrideová… chcem povedať Izzy McBrideová."

Uprene sa na ňu zadíval a jeho obočie vyjadrovalo niečo na spôsob *netuším, o čo tu ide, ale hrám túto hru s vami*. „Teší ma, McBrideová." Otočil sa späť k panvici na sporáku.

„Ehm, prepáčte," vykoktala Izzy, ktorá nechápala jeho absolútny nezáujem o to, kto je. Možno bola šesť týždňov preč, ale toto bol jej domov a ona nemala poňatia, čo Ross Strathallan, nech už to bol ktokoľvek, robí v jej kuchyni.

„Prosím," odvetil, akoby jej ponúkal pomoc. V tejto nezvyčajnej situácii pôsobil uvoľnene a zjavne bol spokojný sám so sebou. Očividne patril medzi nesmierne sebavedomých, pokojných, ale nie arogantných a egoistických mužov, ktorí sa cítia dobre vo svojej koži. Zároveň však z neho bolo cítiť istý odstup, akoby sa držal bokom od celého sveta.

Nechcela, aby to zase vyznelo hrubo, ale… čo tu vlastne hľadá? V *jej* kuchyni. Mala toľko plánov, ktoré sa sústredili na túto miestnosť, srdce hradu. Celý čas, čo bola na kuchárskom kurze v Írsku, sa nemohla dočkať, kedy sa vráti domov, prevezme kontrolu nad svojím panstvom a začne sa pripravovať na príchod platiacich hostí. Mať tu, vo svojom dome, cudzieho človeka sa jej dvakrát nepáčilo.

„Čo tu vlastne robíte?" Tie slová zneli z jej úst neobvykle bojovne. Zvyčajne bola oveľa trpezlivejšia – s mamou, akou bola tá jej, jej ani nič iné nezostávalo.

Opäť zdvihol príťažlivé obočie a uprene sa na ňu zahľadel. „Práve sa chystám večerať." Chytil do ruky lyžicu a ukázal na pečenú fazuľu.

Rozhodla sa, že si neodfrkne, aj keď v Írsku, kde strávila posledných niekoľko týždňov, sa pečená fazuľa nepočítala ako večera. Jej kuchárska mentorka Adrienne Byrneová by bola zdesená.

„A prečo?" chcela vedieť.

„Pretože som hladný," objasnil jej pomaly a starostlivo, akoby hovoril s úplným idiotom.

Strelila po ňom pohľadom. *Snaží sa byť vtipný?* Zámerne podráždene si povzdychla a na revanš mu venovala presladený úsmev. „Tomu rozumiem, ale prečo varíte v tejto kuchyni? V tomto dome? Čo tu robíte?"

„Bývam tu," odvetil, akoby to bolo niečo úplne samozrejmé.

„Nie, nebývate," namietla.

„Ale áno."

„To predsa nemôžete."

„Môžem."

„Odkedy? Nie," zdvihla ruku. „Na to neodpovedajte. Nemôžete tu zostať." Aj keď za iných okolností by ho rozhodne nevyhodila. Mal v sebe niečo dôveryhodné, spoľahlivé a neochvejné, a to bez ohľadu na to, že vyzeral ako hráč ragby. Niežeby sa jej takí muži páčili. Teda nie v reálnom živote. Aj keď o Jamiem Fraserovi z *Cudzinky* mala poriadne divoké fantázie.

„Dovolím si nesúhlasiť. Prečo sa neporozprávate s mojou domácou Xanthe? S majiteľkou."

„S domácou?" Izzin hlas sa vytratil. „Vy ste sa sem nasťahovali? Kedy? Ako?"

„Tak ako sa sťahuje väčšina ľudí. Doniesol som si nejaké škatule a kufre. A tiež izbovú kvetinu, ak si dobre spomínam."

Kútikmi pier mu trhlo od nemiestneho pobavenia, ktoré v nej vyvolávalo chuť udrieť ho, hoci mala podozrenie, že by sa jej od žulovo tvrdej hrude odrazila ruka ako postavičke z kresleného filmu. Niežeby niekedy v živote niekoho udrela, ani nemala tú potrebu, okrem toho jedného prípadu, keď jej Philip oznámil, že je zasnúbený. No na to už viac nechcela myslieť.

„To mi mohlo napadnúť," zamumlala si popod nos. „A ako dlho máte v pláne zdržať sa?"

„Tri mesiace, možno aj dlhšie. Aj keď to vychádzalo z predpokladu, že si platím za pokoj a ticho." Pri tom ostrom výpade prižmúril oči a potom sa vrátil k panvici, zdvihol jeden z dvoch krajcov hrianky, ktoré hnedli na hornej doske sporáka Rayburn, preložil ho na tanier a vyklopil naň niečo, čo vyzeralo ako takmer plná plechovka fazule. Zobral si svoju večeru, prisunul si stoličku a posadil sa k jedlu, pričom si o hrnček s čajom oprel čítačku.

Uprene sa na neho zadívala. „Tri mesiace? To nemôžete. Nechcem byť nezdvorilá, ale naozaj tu nemôžete zostať. Nie sme ani zďaleka pripravení na hostí. Budete musieť odísť."

„Tak znova… Odporúčam vám, aby ste si to vybavili s Xanthe," zopakoval s tým najotravnejším pokojom. Natiahol sa dopredu, aby si zapol čítačku, a pustil sa do čítania. Ignoroval ju.

„To aj urobím," uistila ho a znela ako nahnevané batoľa.

Matku asi zabije! *Čo si to, preboha, zmyslela?* Neboli pripravení na platiacich hostí, a už vôbec nie na takých, ktorí si varia sami. Toto nebola žiadna mládežnícka ubytovňa, nocľaháreň alebo podnájom. Bolo tu treba urobiť veľmi veľa práce, ale v duchu si naplánovala, že – hneď ako príde na to, ako pracovať so sporákom – kuchyňa bude len jej kráľovstvom, oddeleným od zvyšku domu. Miesto oddychu, hlavne od jej matky. Lenže teraz sa zdalo, že tento muž sa tu zabýval a Izzy z toho vôbec nemala radosť.

Bola však hladná a napriek všetkému tá fazuľa voňala dobre. Zavetrila, prešla okolo neho, zobrala si tanier a položila naň zostávajúci krajec hrianky a zvyšok fazule z panvice. Ignorovala, že na ňu zazerá, posadila sa oproti nemu a pustila sa do jedla. Toto bola jej kuchyňa, nenechá sa odtiaľto vyhnať.

„Ponúknite sa," povedal jej s rozzúreným pohľadom na tanier.

„Ďakujem."

„Nechceli by ste ešte jednu plechovku? Nakúpil som ich kopu a môžem si ich strhnúť z účtu, ak chcete."

Izzy s rinčaním pustila vidličku na tanier. Bože. Taký malér. Predpokladala, že nech už jej mame platil za čokoľvek, zahŕňalo to minimálne jedlo. Bola Xanthe naozaj taká nehanebná?

* * *

Bola rozzúrená do nepríčetnosti, no nemalo zmysel konfrontovať Xanthe. Ak by to aj skúsila, krvný tlak by jej stúpol do skutočne nebezpečnej výšky. A tak sa Izzy vyrútila späť na chodbu, prehnala sa okolo parožia a rybárskych prútov zdobiacich steny a dobehla na verandu, kde schmatla jednu z voskovaných búnd, ktoré tam viseli. Potrebovala vypadnúť na čerstvý vzduch. Obliekla si bundu, plecom otvorila ťažké drevené dvere a vyšla na štrkovú príjazdovú cestu. Krátko sa zastavila, aby sa nadýchla a upokojila, a potom sa vydala pomedzi okrasné stromy a kríky v parku smerom k svahom neďalekého vresoviska.

Slnko bolo na oblohe nízko – pravdepodobne jej zostávala už len hodina denného svetla –, mraky sa pomaly farbili doružova, ale jej to bolo jedno. Potrebovala byť vonku. Vďaka pobytu v Írsku sa naučila, že zatiaľ čo jedlo môže vyživovať telo, pobyt na vzduchu, keď ste v súlade s prírodou, živí dušu. A práve to teraz potrebovala. Po dvadsiatich minútach svižnej chôdze sa konečne zastavila, chytila dych a otočila sa, aby sa pozrela dole zo svahu na cestu, ktorou prišla.

Podvečerné svetlo zalievalo scenériu zlatistou farbou ladiacou s jesennou dúhou v gaštanových, oranžových a rubínovočervených tónoch. Do srdca sa jej zabodla prudká radosť a potlačila predchádzajúce podráždenie. So zmesou pýchy, vzrušenia a hrôzy sa dívala na hrubo tesané múry hradu Kinlochleven, ktoré sa týčili medzi stromami ošatenými do jesennej zemitej hnedej, žltej a bledoružovej farby. Za múrmi strážili obzor dohrdzava sfarbené kopce porastené papraďou a pôsobivosť výjavu umocňoval dokonalý zrkadlový odraz na pokojnej hladine jazera Loch Leven.

Škótsky hrad z devätnásteho storočia v škótskom barokovom slohu s nápadnými, šindľom pokrytými kužeľovitými strechami, vežičkami a cimburím pôsobil majestátne a za svoju nádheru vďačil minulej ére romantizmu a bohatstva. Teraz bol aj jej domovom – prinajmenšom v dohľadnej budúcnosti, pokiaľ sa jej podarí zaistiť, aby im nespadla strecha na hlavu. A o to sa bude starať do posledného dychu.

Klesla na padnutý kmeň stromu, podoprela si bradu rukou a zahľadela sa na krásne dedičstvo, ktorého bola teraz strážkyňou. Musela stavbu zachovať pre budúce generácie, ale zároveň zaistiť, aby si na seba hrad zarobil. Premeniť ho na malý súkromný hotel bol jediný spôsob, ako si zabezpečiť príjem, ktorý tak potrebovala.

Jej prastrýko bol neoblomný a nechcel, aby sa čokoľvek z panstva rozpredalo, preto ho odkázal jej, a nie jej matke alebo bratrancovi z východného pobrežia.

Bolo toho treba urobiť veľa a jednou z najťažších úloh bude udržať Xanthe na uzde. Očividne sa už nechala uniesť a ponúkla tomuto úplne cudziemu človeku izbu. Izzina matka bola ten typ človeka, ktorý sa chcel rozbehnúť skôr, ako sa naučí chodiť, a najlepšie rýchlosťou trhajúcou olympijské rekordy. Takmer nikto nechápal, po kom Izzy zdedila zdravý rozum, pretože sa zdalo, že jej dávno mŕtvy otec na tom nebol oveľa lepšie. Zomrel počas smrteľnej nehody, keď mala Izzy päť rokov, pri pretekoch traktorov na ceste pred ich domom.

No dosť už bolo pochmúrnych myšlienok. Pozrela sa na svoj telefón. Skupina na WhatsAppe, ktorú založili v priebehu kuchárskeho kurzu v Írsku, reagovala na jej predchádzajúcu správu.

Izzy: Som doma. Pekelná cesta, ale je fajn byť späť.
Jason: Som späť v práci, šéf už práska bičom. Nemôžem tomu uveriť, ale už teraz mi Killorgally chýba.
Fliss: Dúfam, že ti tvoj nový biznis pôjde dobre, Izzy. Veľa šťastia.
Jason: Daj nám vedieť, keď sa budeme môcť zastaviť, nikdy som na hrade nebýval.
Hannah: Veľa šťastia s varením!

Usmiala sa na mobil. Všetci jej budú chýbať, ale najviac Hannah, Fliss a Jason, ktorí jej boli vekovo najbližší. Zvyšní starší dvaja, Alan a Meredith, sa počas pobytu v Írsku – na veľkú radosť všetkých – dali dokopy. Izzy sa postavila a vydýchla si. Teraz, keď sa konečne upokojila, bolo načase nájsť matku a zistiť, ako je to s Rossom Strathallanom a ako rýchlo sa ho môže zbaviť a získať späť svoju kuchyňu.

2. kapitola

*V*rátila sa a s úľavou zistila, že kuchyňa je prázdna, ale práve keď sa s pocitom vďačnosti prvý raz napila čaju, otvorili sa dvere a dnu vošiel šľachovitý muž s prešedivenými vlasmi, v ktorých ešte zostávalo niekoľko vyblednutých hrdzavých pramienkov.

„Ach, dievča, si späť. Videl som po ceste prichádzať auto."

„Duncan, ako sa máš?" Usmiala sa na neho. Na hrade pracoval viac ako dvadsať rokov. Už dávno mal byť na dôchodku, ale ponúkol sa, že jej pomôže s čímkoľvek, čo bude súvisieť so starostlivosťou o panstvo.

„Ide to, ide to. Ako bolo v Írsku?"

„Dosť dobre," pokývala hlavou. „Už si varením neurobím hanbu." Kedykoľvek prehovorila s Duncanom, jej prízvuk zosilnel.

„Dáš si šálku čaju?"

„*Aye.* Je toho toľko, čo ti musím porozprávať," potriasol hlavou a zacvakal zubami.

„Dobre," pritakala a začala mu chystať šálku.

„Mám tu ponuku od stavbárov na opravu strechy."

„To je skvelé, vďaka, Duncan." Vďačne sa na neho usmiala, ohromená jeho pamäťou. Hovorili o tom už pred šiestimi týždňami, a kým bola preč, nezabudol to zariadiť.

Venoval jej odmeraný úsmev. „Nemyslím si, že mi budeš ďakovať, keď uvidíš odhad. Tá strecha je trochu v horšom stave, než sme si mysleli.“

„O koľko je to horšie?“ spýtala sa Izzy a zovrela v rukách šálku, akoby jej teplo, ktoré z nej sálalo, mohlo poskytnúť útechu.

Duncan chvíľu vykrúcal pery do rôznych komických tvarov.

„Tak von s tým.“

„Vyzerá to na dvadsaťtisíc. Minimálne.“

Čaj jej v žalúdku zavíril a zdvihol vlnu nevoľnosti. „To je dosť veľa peňazí.“

„Najprv by to mohli len trochu opraviť, ale celá tá časť nad východným krídlom potrebuje vymeniť.“

Izzy otupene prikývla a snažila sa, aby jej neprišlo zle.

„Na druhej strane, sliepky stále znášajú.“

„Skvelé,“ usmiala sa zľahka.

„Takže nebudeme hladní,“ venoval jej veselý úsmev. „Som rád, že si späť, dievča.“ Jeho tvár na okamih potemnela. „Je veľmi dobre, že si tu. Xanthe ma posledných niekoľko týždňov nútila behať hore-dole ako blázna. Rád si odpočiniem. Veľmi rád.“

Izzy sa na neho jemne usmiala a premýšľala, čo, preboha, jej mama vyvádzala.

„Radšej ju pôjdem nájsť. Ešte som ju nevidela.“

„Nezmenila sa,“ skonštatoval Duncan a zovrel pery do rovnej linky.

* * *

Keď o niekoľko minút neskôr vyšla na hlavnú chodbu, z poschodia nad ňou sa ozvalo volanie hlasom silným ako lodná siréna. „Izzy, miláčik! Si doma!“

Jej mama sa naklonila ponad drevené zábradlie a začala jej mávať ako jej kráľovská výsosť z kráľovskej jachty Britannia, ktorá mala práve vplávať do prístavu.

„Áno, Xanthe, som doma," zamumlala si Izzy pre seba, zatiaľ čo jej mama veselo hopkala zo schodov, div sa nezamotala do vrstiev orgovánového šifónu vznášajúceho sa okolo jej nôh.

Dole, pod schodmi, stisla Izzy plecia a fialkové pero vsadené do ohnivočervených kučier, pripomínajúce exotického vtáka, Izzy takmer vypichlo oko. „Miláčik, pozri sa na tie tmavé kruhy pod očami. Musíme ti zohnať uhorku."

„Prečo bol v kuchyni ten cudzí chlap?"

Mama si povýšenecky potiahla z cigarety zasadenej do špičky ozdobenej kamienkami a nezbedne sa uškrnula. „Fešák, však? A tie plecia. Má v sebe niečo z Jamieho Frasera. Myslela som si, že by sme si ho mohli nechať."

Izzy vyprskla do smiechu. Jej mama bola úplne šialená, ale nemalo zmysel sa s ňou hádať. Už dávno sa naučila, že je to kontraproduktívne. „Si nenapraviteľná. Čo tu robí? Myslí si, že tu zostane tri mesiace."

„Áno," potvrdila Xanthe a vyzerala spokojná sama so sebou. „Pani McPhersonová, tá žena, ktorá vedie poštu, tá s tými zubami... myslíš si, že tu majú zubára? Zdá sa mi, že mám trochu uvoľnenú plombu."

Izzy si povzdychla. Jej mama vedela vždy dokonale odbočiť od témy.

„Čo tá pani McPhersonová?"

„To ona ho sem pred niekoľkými týždňami poslala. Vedela – samozrejme, že to vedela, robí na pošte, tam vedia vždy všetci všetko –, že plánujeme otvoriť hotel a povedala mu o tom. On chcel bývať niekde v úplnom pokoji, a keďže nemáme žiadnych ďalších hostí, pomyslela som si, že náš hrad sa na to skvele hodí."

„Nemáme žiadnych hostí, pretože na nich nie sme pripravení."

Izzy zaškrípala zubami.

„Pcha, zlatíčko. Máme izby. Mala by si vidieť, čo som urobila s prijímacím salónikom, zatiaľ čo si bola preč. A on sa o seba celkom rád stará sám. Vlastne ho takmer nevídam, čo je škoda – dá sa na neho pozerať."

„O to nejde." Izzy prehltla a desaťkrát stisla ukazovák medzi palcom a prstom druhej ruky.

„Sľúbil, že ani nebudem vedieť, že je tu." Mamin hlas, už aj tak dosť zvučný, zosilnel o ďalších pár decibelov. „Je to spisovateľ. Profesor histórie na prázdninách. Vážne, zlatko, celé dni trávi vo svojej izbe, potom sa ide prejsť a zasa sa tam zavrie na celé noci. Vlastne je to príšerná nuda, aj keď dúfam, že je to jeden z tých vysokých a zádumčivých typov. Tichá voda a tak. Myslíš si, že pod tým pokojným zovňajškom buble nejaká vášeň? Aj keď s ním vážne nie sú žiadne problémy. A teraz sa poď pozrieť, čo som urobila."

Než Izzy stačila vysloviť ďalšie slovo, mama odplávala na svojom fialovom obláčiku. Izzy ju s rozhorčeným povzdychom nasledovala cez halu na severnú chodbu a potom ďalšou chodbou s predraným tartanovým kobercom, miestami prilepeným lesklou sivou lepiacou páskou. Samozrejme, je nevyhnutné vymeniť ho skôr, než niekto o jeden z odrených okrajov zakopne a zlomí si väzy. Ďalší dôvod, prečo ešte nie sú pripravení na hostí. Inšpekcia a hygiena by si tu podávali kľučky.

„A ešte jedna vec. Prečo na veži veje lebka so skríženými kosťami?"

„No nie je to vtipné? Našla som ju v jednom z kufrov na povale a povedala som si, prečo nie. Bude susedom ukazovať, že sme doma."

Izzy sa usmiala. Typická Xanthe.

* * *

„Ta-dá!" zaštebotala Xanthe a otvorila dvere.

Izzy vstúpila do miestnosti, ktorá mala štyri veľké okná s výhľadom na jazero a ďalšie dve na bočnej stene. Svetlo tu bolo vždy nádherné, a to až do tej miery, že, bohužiaľ, zvýrazňovalo vyblednutú maľbu na stenách, bujnú zbierku pavučín na zaprášenej štukovej omietke na strope a od slnka vyblednuté čalúnenie nábytku – ale to všetko bolo preč.

„Panebože!" vykríkla Izzy. „To je teda nádhera."

Mama izbu kompletne zrenovovala. Steny boli vymaľované vkusnou bledozelenou farbou, ktorá pravdepodobne niesla nejaký špeciálny názov ako lesná šalvia alebo vysoká tráva, zložité štuky na strope boli pretreté nabielo a okná po oboch stranách rímskych roliet zdobili závesy z krásnych prepychových látok. Izzy spoznávala niektoré obrazy a starožitnosti z iných častí hradu, ktoré sem preniesli, aby vznikol útulný, štýlový salón.

„Viem," súhlasila Xanthe samoľúbo.

„Ako si to...?" Hoci bola mama nesmierne kreatívna, nebola dostatočne praktická. Na druhej strane, keď sa pre niečo rozhodla, vedela byť neuveriteľne tvrdohlavá a odhodlaná, zvlášť keď chcela niekomu dokázať, že sa mýlil.

„Vyhnala som Duncana z kancelárie a on mi pomohol presťahovať nábytok." Izzy na ňu vyvalila oči. „Máš rada plédy? Skús, aké sú mäkké. Vyrobila som ich zo starých diek, ktoré som našla v niekoľkých kufroch na povale. Je zábavné prehrabávať sa v nich.

Musím povedať, že vtedy sa o domácnosť poriadne starali, všetko bolo zabalené v naftalíne. Záclony som vyrobila z niekoľkých párov závesov z jednej spálne. Na okrajoch už boli vyblednuté, ale väčšina látky sa dala použiť. A tie závesy sú na ozdobu, urobila som ich z pôvodných a odstrihla som všetky časti poškodené od slnka. Pekné, však?"

Izzy musela uznať, že áno. „Veľmi vynaliezavé. Odviedla si skvelú prácu, mami."

„Vynaliezavosť je moje druhé meno a volám sa Xanthe, miláčik," opravila ju.

„Táto izba je ako nová." Izzy sa odmlčala a znovu sa zadívala na vymaľované steny. „Vymaľovala si ty?"

Xanthe sa zasmiala. „Preboha, nie, mám tu chlapa, drahá." Mávla lesklými nechtami. „Na míle ďaleko nie je nikto, kto by mi urobil nechty. Urobil skvelú prácu, aj keď som najskôr musela zohnať niekoho, kto by steny preštukoval."

Izzy zalapala po dychu. „Koľko to stálo?"

Strčila si ruky do vreciek džínsov a zaškrípala zubami v napodobenine úsmevu. Už o tom hovorili. Izzy sa chystala urobiť podobné práce sama, aby ušetrila peniaze – samozrejme, nie štukovanie, ale napríklad vypĺňanie prasklín a podobné opravy.

Mama sa na Izzin vkus usmiala až príliš samoľúbo. „Viem, na čo myslíš. Nemôžeme si to dovoliť, ale…" Poklopala si po nose.

„Dohodli sme sa, že čo najviac práce urobíme samy." Maľovanie bola rozhodne jedna z vecí, ktorú by Izzy zvládla sama.

„Na niečo zabúdaš."

Izzy sa pozrela na matku. „Na čo?"

„Profesor Strathallan zaplatil za prvý mesiac dopredu."

Profesor! Čo sa stalo s mužmi v tvídovom saku so záplatami na lakťoch? Nemali azda profesori vyzerať práve takto nudne? A nie ako Thor na dovolenke.

„Jeho peniaze maľovanie a štukovanie pokryli. A viac než to." Xanthe s nadutou nadradenosťou pokrčila nos. Izzy prekvapilo, že si neodfrkla, aby svoj názor zdôraznila. „A ešte sa toho chystá viac." Izzy zavrela oči. Hrozila sa pomyslenia na to, ako málo si jej mama vypýtala za nájom. O peniazoch nemala ani poňatia, pretekali jej pomedzi prsty rýchlejšie ako voda. Ako poznala Xanthe, pravdepodobne tá suma nepokryje ani náklady na vykurovanie izby. A to je ďalší dôvod, prečo by mala *profesora* požiadať, aby odišiel. Prídu takto o peniaze.

„Koľko si mu naúčtovala?" spýtala sa, akoby ju to len zľahka zaujímalo, namiesto toho, aby sa bála odpovede.

„Päťsto libier."

„Päťsto libier za tri mesiace?!"

„Nebuď hlúpa, miláčik. Čo si to o mne myslíš? Že som padla na hlavu? To je za týždeň."

„Čože?!" vykríkla Izzy a vyvalila oči od šoku.

„Áno, dvetisíc za prvý mesiac, platba vopred. Prišlo mi to fér. Má hrad len pre seba. A..." Xanthe sa chvíľu naparovala, „... tie peniaze potrebujeme, nezabúdaj na to. A tiež som..."

„Lenže my mu ani nedávame najesť!" Izzy sa zrazu rozbúrila krv nad tou trápnosťou.

Xanthe pokrčila plecami. „Nezdá sa, že by mu to prekážalo. Pre neho je najdôležitejšie, že má svoj pokoj a izbu. Na tom trval najviac, preto som ho strčila na koniec zadnej chodby. Vieš, do tej izby s tým hrozným obrazom jeleňov v ruji."

Izzy na chvíľu stratila reč a potom sa začala smiať. Mama ju nikdy neprestávala prekvapovať, a pokiaľ ten muž s takou sumou súhlasil, nebola v tejto chvíli v pozícii, aby jej to mohla vyčítať. Dočerta, bude sa mu musieť ospravedlniť a nechať ho tu aspoň do konca mesiaca, ale v novembri a decembri tu zostať nemôže, vtedy bude mať príliš veľa práce. Prekážal by tu a pri všetkých tých stavebných prácach by v žiadnom prípade nemal pokoj.

„Úprimne, Izzy, neviem, prečo si myslíš, že som taká neschopná." Pierko vo vlasoch sa pohybovalo sem a tam a odrážalo jej rozhorčenie.

Izzy chytila mamu pod pazuchu. „Nie, myslím si, že si skvelá a táto izba vyzerá úplne úžasne. Kde si myslíš, že by sme mali začať nabudúce?"

„No," usmiala sa šibalsky a samoľúbo. „Poď sa pozrieť do jedálne. A chcem ti povedať ešte niečo. Zbavila som sa tej príšernej vypchatej lasičky."

* * *

„Páni!" O chvíľu neskôr sa Izzy rozhliadala po veľkolepej nádhere jedálne, ktorá bola nanovo zrekonštruovaná.

Xanthe sa usmievala a naparovala so samoľúbym uspokojením páva, ktorý predvádza svoje nádherné perie. „Skvelé, však?"

Xanthe nielenže v jedálni zhromaždila vybraný leštený nábytok, ale tiež prestrela dlhý stôl pre dvadsať osôb množstvom lesknúceho sa krištáľu, naleštených strieborných príborov a jemného porcelánu spolu so žiarivými čistými damaskovými obrúskami a s ladiacim obrusom. Veľké špaletové okná rámovali výrazné zelené závesy a Xanthe nechala do každého z okien vyrobiť nové vankúše na sedadlá.

Uprostred stola vytvorila girlandu zo zlatých jedľových šišiek a sviečok, preplietajúcu sa stredom a na oboch stranách zakončenú dvoma obrovskými zlatými sviecami v tvare jeleňov, do parožia ktorých boli umiestnené malé biele sviečky.

„Xanthe, vyzerá to úžasne. Vianoce prišli naozaj skoro."

„Viem, na Instagrame som mala veľa srdiečok. O vianočné rezervácie máme postarané."

Izzy prikývla. „Možno budúci rok. Teraz je na to ešte príliš skoro. Je toho toľko, čo musíme urobiť. Zober si, koľko izieb musíme pripraviť."

„Isabel Margaret Mary McBrideová! Niekedy si myslím, že si zdedila priveľa génov po mojej babičke, ktorá bola tiež taká stará mrzútka."

„Alebo možno mala trochu zdravého rozumu," zagúľala Izzy očami.

„Kde je tvoj zmysel pre dobrodružstvo?"

„Xanthe, nie sme pripravení organizovať vianočný večierok, iba ak by nám zaplatili nehoráznu sumu."

Xanthe rázne prešla miestnosťou a chvíľu sa pohrávala so sviečkou v svietniku, než ju zapálila, a rovnako tak si počínala aj so všetkými sviečkami rozostavenými uprostred stola a ukrytými medzi brečtanom a zeleňou. „A čo keby chceli zaplatiť dvadsaťpäť?"

„Dvadsaťpäť čoho?"

„Tisíc!" vyštekla Xanthe s povýšeneckým podráždením.

„Povedala by som, že im muselo preskočiť." Za také peniaze by ľudia očakávali catering na úrovni a drahý alkohol.

„Či už preskočilo, alebo nie," otočila sa s dramatickým gestom a nebezpečne zamávala zápalkou vo vzduchu, „mám skvelú správu."

Izzy si ešte stále prezerala čerstvo vymaľované steny a nátery. Peniaze profesora Strathallana už zjavne utratili.

„Nechceš to vedieť?" zaštebotala Xanthe a oči jej žiarili takmer horúčkovitým vzrušením.

„Čo či nechcem vedieť?" spýtala sa Izzy, ešte stále rozptýlená počítaním vo svojej hlave. Z jeho peňazí nemohlo predsa zostať vôbec nič.

„Ja," Xanthe si prekrížila ruky na hrudi a vyzerala nadmieru spokojná sama so sebou, čo v Izzy okamžite vyvolalo neblahú predtuchu, „som hrad prenajala na Vianoce."

„Čože?" Izzy sa narovnala. „To nemôžeš."

„Urobila som to."

Izzy zazerala na mamu. „Nehovor mi, že si nejaký miliardár všimol tvoj príspevok na Instagrame a ponúkol nám viac než dvadsaťtisíc libier, aby sem mohol prísť na Vianoce."

Na maminej tvári sa zračilo podráždenie zvádzajúce boj s triumfom a pocitom nadradenosti.

„Vlastne áno, slečna Bystrá."

Izzy prižmúrila oči.

„Je to pravda. Asistent istého pána Cartera-Jonesa mi poslal správu, že hrad Kinlochleven je presne to miesto, ktoré hľadajú. Tak som mu odpovedala," pri tej spomienke jej trhlo kútikmi pier, „že je veľmi exkluzívny a nie je k dispozícii za menej ako dvadsaťtisíc libier na týždeň. Spýtal sa, či sme schopní urobiť to za dvadsaťpäť, a tak som súhlasila."

Izzy ju uprene sledovala. „Dv-dvadsaťpäťtisíc libier. Žartuješ?"

„Nie, nežartujem."

„To však nie je možné, aby sme..."

„Úprimne, Izzy, niektorým ľuďom sa nezavďačíš. Hovoríš, že potrebujeme peniaze. Zariadila som to a ty s tým máš zasa problém. Čo je to s tebou?"

„Ma… Xanthe! Za takú sumu budú chcieť luxusný šesťhviezdičkový, nadštandardný, de luxe pobyt." Izzy zavrtela hlavou.

„A si si istá, že to nie je výmysel?"

„Izzy, určite si počula o Carter-Jonesovom majetku. Vyrába trenky, veď vieš. To sa celkom hodí do Škótska, domova kiltov, pod ktorými väčšina mužov necháva všetko voľne visieť. Jeho žena má vraj škótskych predkov a vždy o tom snívala. Už som mu povedala, že potrebujeme zálohu sedemtisíc libier, aby sme rezerváciu potvrdili."

„No to je niečo," zamumlala Izzy. Lenže čo ak je to jeden z tých falošných instagramových účtov? „Tým sa jeho dôveryhodnosť vyrieši."

„Dnes ráno previedol peniaze na bankový účet."

„Čože?" zažmurkala Izzy na mamu. „Vážne?"

„Ach, vy maloverní. Áno." Odmlčala sa. „Môžeme ich použiť na prípravu izieb. Videla som tie najkrajšie tapety, aké si vieš predstaviť."

„Mami, ale Vianoce budú už o šesť týždňov! To je veľmi málo času."

„Pche, nebuď hlúpa. Kde je vôľa, tam je cesta. Som si istá, že môžeme najať niekoho z dediny, aby nám pomohol s výzdobou a upratovaním, pokiaľ to bude potrebné."

Izzy si zovrela peru medzi zubami a úzkostlivo do nej zahryzla. „Koľko príde ľudí?" Hlavou sa jej už preháňali myšlienky… rozmýšľala nad všetkým, čo bude potrebné urobiť.

„Zatiaľ štyria, ale hovoril, že možno pribudne ešte jeden či dvaja. Nechám ťa o tom chvíľku premýšľať. Čau."

Keď mama odišla zahalená v obláčiku parfumu a spokojnosti, Izzy tam zostala sedieť a pozerať sa na dvere. Dvadsaťpäťtisíc libier. To bolo veľmi veľa peňazí. Dosť na opravu strechy aj na zaplatenie renovácie a opráv, pokiaľ ich Xanthe všetky neutratí za tapety. Mali na to šesť týždňov. Pokývala hlavou. Dalo by sa to zvládnuť. S peniazmi od Carter-Jonesa a profesora Strathallana by to mohla dokázať.

3. kapitola

*I*zzy podupávala nohou a pozerala sa na hodinky. Dúfala, že hneď ráno zastihne profesora Strathallana, ale, bohužiaľ, našla po ňom len teplú panvicu a čistú misku na cereálie v odkvapkávači, z čoho usúdila, že je zrejme ranné vtáča. Zdalo sa, že je tiež tichý, nenápadný a sebestačný, pretože v Izzinej neprítomnosti jej mama nezabezpečovala ustielanie postele ani upratovanie, takže tá premrštená suma, ktorú mu Xanthe naúčtovala, bola celkom trápna. A to bol ďalší dôvod, prečo nemôže zostať. Za tú cenu by mu mali poskytovať lepšie služby, a hoci by ju obsluhovanie jedného hosťa príliš nezaťažovalo, potrebovala sa skôr sústrediť na to, aby hrad zmodernizovala a vymaľovala, než aby sa starala o nejakého profesora a obskakovala ho.

Izzy chvíľu váhala, potom v náhlom záchvate odhodlania odložila zápisník a pero a vystrelila do kuchyne, zľahka vybehla po schodoch a okolo radu portrétov strnulých mužov a ich manželiek, ktorí na ňu prísne hľadeli z pozlátených rámov. Pripomínalo jej to všetkých ľudí, ktorí obývali hrad pred ňou. Keď prechádzala chodbou k Rossovej izbe, spomalila a pri dverách na okamih zaváhala. Najprv ju premohla nervozita, no potom si povedala, že očividne je hore, takže ho nebude budiť ani rušiť.

S nepatrne väčšou sebaistotou dôrazne zaklopala na dvere, kĺbmi zabúšila na leštené drevo. Čakala, ale nikto neodpovedal. Je vôbec tam? Možno sa išiel prejsť. Zaklopala druhý raz a znova čakala na odpoveď. Keď sa žiadnej nedočkala, chcela otvoriť dvere, ale napadlo jej, že to skúsi ešte inak. „Pán Strathallan!" zavolala. Stále žiadna odpoveď. Zaklopala tretí raz a už sa chystala otvoriť dvere, keď začula zreteľnú ranu a hlasné: „Pre lásku Božiu."

Ach. Neznel práve šťastne.

Začala ľutovať, že ho vôbec obťažovala, zvlášť keď sa mu chystala oznámiť, že mu už dlho nebude môcť zaručiť jeho pokoj a že tu nemôže zostať. Dvere z masívneho dreva sa otvorili a zakývali sa v obrovských pántoch. Ross Strathallan pred ňou stál zachmúrený, sršalo z neho napätie a tmavé obočie mal stiahnuté do dvoch zlostných čiar. Takmer cúvla.

„Čo chcete?" spýtal sa a slová z neho vyleteli tak rýchlo, že jej chvíľu trvalo, než ich pochopila. Bola taká prekvapená, až stratila reč.

„Ja... ehm..."

Tmavomodré oči sa do nej znudene vpíjali a ona sa cítila trápne. Prekrížila nohy ako tínedžerka a zasa nevedela, čo s rukami.

„Pracujem. Je to naliehavé?"

„Nie," pípla neisto ako priškrtené morča a líca jej sčervenali v horúcom návale rozpakov a poníženia.

„Slečna McBrideová, dal som vám jasne najavo, že ma nemáte rušiť. Preto som sem prišiel a preto bohato platím za *pokoj* a *ticho*." Nebolo možné nevšimnúť si prudký dôraz, ktorý na tie dve slová položil. So zlostným pohľadom zavrtel hlavou, akoby bol odsúdený baviť sa s idiotmi, a začal zatvárať dvere. Izzy sa ani nezmohla na to, aby niečo povedala, a zostala stáť na mieste, keď jej zavrel dvere pred nosom.

„Dočerta," zamrmlala si pre seba, keď sa konečne spamätala. „To je ale hulvát!"

*   *   *

O desať minút neskôr pochodovala cez dláždené nádvorie a niesla si termohrnček s čajom do hradnej kancelárie. Duncan šálku čaju nikdy neodmietol a ona potrebovala vypadnúť. V duchu si do rytmu podráždených krokov diktovala chladne zdvorilý list so žiadosťou o vysťahovanie, ktorý by rada s veľkým potešením strčila pod jeho dvere ešte dnes.

Vážený pán, s ľútosťou… Nie, vôbec to neľutovala.

Vážený pán, musím vás požiadať, aby ste ku koncu mesiaca vypratali svoju izbu.

Ani toto nie. Ona ho nežiadala, ona mu to oznamovala.

Vážený pán, berte, prosím, tento list ako výzvu, aby ste do konca mesiaca vypratali svoju izbu. Vlastne by to mala urobiť s okamžitou platnosťou, ale to by nebolo veľmi profesionálne, mohlo by to znieť trochu hystericky.

Možno: *Vážený pán, berte, prosím, tento list ako výzvu, aby ste do piatka vypratali svoju izbu.*

Toto bolo lepšie. Potešená, že si to všetko v hlave upratala, otvorila dvere do kancelárie a zastavila sa na prahu, aby nasala slabo zatuchnutý pach. V miestnosti bola poriadna kopa papierov, starých fotografií, kúskov neidentifikovateľného vybavenia a železného haraburdia, o ktorého pôvodnom využití nemala ani potuchy. Hoci to bolo do značnej miery Duncanovo kráľovstvo, milovala ten závan histórie a vecí odovzdávaných z generácie na generáciu, ktorý prestupoval celou miestnosťou. Duncan pracoval na panstve posledných dvadsať rokov, a hoci sa s ním Izzy zoznámila ešte len pred odchodom do Írska, rýchlo si ho obľúbila. Zdalo sa, že on na revanš oceňuje jej túžbu učiť sa a snahu udržať panstvo čo najdlhšie pri živote. Z panstva dostával dôchodok, o čo bolo našťastie postarané, a mohol tak žiť vo svojom domčeku, ako dlho chcel.

„Dobré ráno, Duncan."

„Ach, Isabel, dievča." Vzhliadol od staromódnej účtovnej knihy, do ktorej sliepňal cez lupu. Izzy si pri svojej predchádzajúcej návšteve všimla, že by potreboval okuliare na čítanie, ale to on rázne odmietol s tým, že vidí dosť dobre, a aby Izzy bola spravodlivá, videl mimoriadne dobre na diaľku. Jeleňa skrytého v poraste na úbočí kopca zbadal na míľu ďaleko.

„Dal som ti poslať fajnovú zásielku z farmárskeho obchodu," štuchol do škatule na stole, ktorá pretekala potravinami a zeleninou. „Hovoril som si, že tvojej mame to asi ani nenapadne."

„Vďaka, Duncan, to sa veľmi hodí. Musím sa tam niekedy vybrať a pozrieť sa, čo majú." Vrhla letmý pohľad na zeleninu. S trochou pýchy si uvedomila, že by mohla uplatniť niektoré zo svojich kuchárskych schopností. Nemohla sa dočkať, kedy začne. „Na obed môžem uvariť polievku. Ak chceš, nechám hrniec na sporáku a môžeš si dať, kedykoľvek budeš chcieť."

Mala pocit, že sa o Duncana už dlho nikto nestaral, a celkom sa jej páčila predstava, že by pre neho mohla niečo urobiť.

„Ďakujem, dievča. To je od teba veľmi milé. Už dlho som nemal domácu polievku." Žiarivo sa usmial. Bola rada, že to navrhla. „Kde chceš začať?"

„Od začiatku?" usmiala sa Izzy neisto. „Viem, že to nebudú dobré správy." Pozrela sa na štós papierov vedľa jeho lakťa. „No musím začať pracovať na zariaďovaní izieb. Vedel si, že Xanthe už prijala rezerváciu?"

„Nehovor... V poriadku, upokoj sa. Zvládneme to."

Duncan ju trpezlivo všetkým previedol – vrátane nezaplatených účtov za krmivo pre škótsky náhorný dobytok, ktorý už bol preč, teda až na dva kusy, s ktorými sa Duncan nedokázal rozlúčiť. Dolly a Rebu choval od teliat a pokladal ich skôr za domácich maznáčikov. Keď ju požiadal, aby si ich nechali, Izzy prehliadla jeho nevzrušený pokoj a uvedomila si, aké sú pre neho dôležité. Xanthe zažartovala, že je asi dobré ponechať si dve zvieratá, pretože keby všetko ostatné zlyhalo, vždy by si mohli dať steak. Pri spomienke na pohľad, ktorým ju v tej chvíli Duncan prebodol, sa Izzy priam strhla. Xanthe si ako obvykle ani nevšimla, aká bola jej poznámka nevhodná.

Keď sa Izzy so škatuľou nákupu v náručí otočila, aby sa vrátila do domu, Duncan zavolal: „Ešte niečo! Zabudol som sa o tom zmieniť. Na brehu jazera sa usídlil párik akýchsi táborníkov. Vyzerajú byť celkom milí a usporiadaní. Nenechali po sebe žiadny neporiadok a neškodia, ale myslel som si, že by si to mala vedieť."

„Dobre, vďaka, Duncan. Možno sa tam zájdem pozrieť." Na rozdiel od zvyšku Spojeného kráľovstva bolo v Škótsku takéto táborenie legálne a ľudia mali voľný prístup na akékoľvek nezabezpečené územie. Izzy si pomyslela, že je to celkom pekné – jediné, čo jej na zdedení hradu nebolo príjemné, bolo to, že sa stala vlastníčkou pôdy. Tá by predsa mala patriť všetkým, však? Rovnako ako tvorovia, ktorí sa po nej potulovali. Vlastniť ju jej pripadalo ako ľudská arogancia, predstava správcovstva sa jej páčila oveľa viac. Privilégium, ktoré nikdy nebude považovať za samozrejmosť.

4. kapitola

„Tu si." Hneď ako Izzy vyšla z malej pracovne, ktorú si privlastnila, Xanthe sa na ňu vrhla, akoby na ňu čakala. Popravde, Izzy sa tam skrývala takmer celé dopoludnie. Pozrela sa na svoj telefón, ktorý práve zabzučal, pretože dostala odpoveď na poslednú správu v killorgallskej kuchárskej skupine: *Mám tonu mrkvy. Nejaké návrhy, recepty?*

Fliss: Tu máš recept na polievku z mrkvy a zo zázvoru. Ideálna počas jesenných dní.

Izzy sa nemohla dočkať, kedy sa vráti do kuchyne. „Rozhodla som sa začať s ranným salónikom, hostia budú potrebovať viac ako len jednu obývačku," oznámila Xanthe, akoby šlo o významné vyhlásenie smerom k publiku v zaplnenej sále, a nie k dcére na chodbe.

„A rozhodla som sa, ktorá izba môže byť pre Carter-Jonesovcov hlavnou spálňou."

„Skvelé," prikývla Izzy bez toho, aby tomu venovala pozornosť. Stále myslela na jedlo.

V kuchyni vybrala niekoľko mrkiev na polievku podľa Flissinho receptu. Na prípravu poriadneho vývaru nebol čas, takže kým sa tu viac nezabýva, bude musieť stačiť kocka zeleninového bujónu. Ľahká polievka z mrkvy a zo zázvoru zahreje a bude sa hodiť k chlebu, ktorý upiekla. Stále sa nemohla spamätať z toho, aké ľahké je takmer z ničoho upiecť chlieb. Než šla na kuchársky kurz, bol pre ňu chlieb niečo, čo sa kupuje v supermarkete.

Domáci chlieb chutil oveľa lepšie a chystala sa nakúpiť niekoľko rôznych typov múky, aby mohla experimentovať. Keď bude hotel otvorený, začne hosťom k obedu ponúkať sezónnu polievku dňa spolu s domácim chlebom a miestnym syrom alebo pripravovať obedové balíčky pre turistov chystajúcich sa na výlet.

Pustila si rádio, pohmkávala si pesničku od Proclaimers o ceste dlhej päťsto míľ, sústredene čistila a krájala čerstvú mrkvu a vdychovala bylinkovú vôňu z kocky bujónu, ktorú zaliala vriacou vodou.

Stratená vo svojich myšlienkach sa premávala po kuchyni, zľahka sa pohybovala okolo veľkého stola z voskovanej borovice, ktorý zaberal polovicu miestnosti.

„Niečo tu vonia."

Izzy sa otočila, no nepočula nikoho vchádzať.

„Profesor Strathallan," pokývala rezervovane hlavou. Nebola si istá, ako sa má k nemu po dnešnom nevrlom rannom stretnutí správať. Bohužiaľ, bol to platiaci hosť, takže k nemu nemohla byť hrubá. Nie keď tak nutne potrebovala jeho peniaze.

„Len Ross," zaškeril sa. „Profesor Strathallan znie ako relikt z viktoriánskeho obdobia."

„Ako si prajete," odvetila a znela ako slúžka z *Panstva Downton*. Ešte nikdy v živote nepovedala „ako si želáte"!

Ross zdvihol svoje výrazné obočie. „To je veľmi formálne."

„O nič viac než *slečna McBrideová*."

„Ach, áno. Ráno ste so mnou chceli hovoriť."

Izzy sa k nemu obrátila chrbtom a predstierala, že pripravuje ingrediencie na polievku, zatiaľ čo sa snažila usporiadať si myšlienky. Rozumne zobrané, v žiadnom prípade ho nemohla požiadať, aby odišiel, potrebovala jeho peniaze, ale bolo pre ňu veľmi ťažké byť k nemu zdvorilá. Zhlboka sa nadýchla a nasadila úsmev.

„Vlastne som sa vám chcela ospravedlniť za včerajšok. Xanthe ma neinformovala, že niekomu prenajala izbu. Nemala som tušenia, kto ste."

„Aha, tak tým sa to vysvetľuje, slečna McBrideová."

Pozrela sa na neho a znova sa jej zamotal jazyk, keď sa usilovala opraviť svoje meno: „Som McBrideová Izzy. Teda Izzy McBrideová." Prečo na ňu tak pôsobil?

„Dobre, McBrideová Izzy. Uznávam, že ste nevedeli, kto som a čo robím vo vašej kuchyni."

Izzy si nechala pre seba, aké je to od neho veľkorysé, zatiaľ čo pokračovala: „Xanthe na mňa pôsobí ako impulzívna dáma."

„Hm, dalo by sa to tak povedať."

Izzy našpúlila pery nad jeho obozretným vyjadrením. Mala by sa snažiť získať si ho na svoju stranu a zasa ovládnuť situáciu. „Pozrite, napadlo mi, či by ste nechceli stravu, keď už ste späť. Aj tak budem musieť variť každý deň a…" odmlčala sa a venovala mu rýchly nútený úsmev, „… moja ponuka je o niečo lepšia než pečená fazuľa na hrianke."

„To nie je ťažké. Ide o to, že som sem prišiel pracovať, takže si nechcem robiť v určitom čase prestávky kvôli jedlu. Bez urážky, nemienim tancovať podľa cudzieho rozvrhu." Jeho úsmev bol rovnako nútený. „No som vám za tú ponuku veľmi vďačný. Jesť cestoviny a pečenú fazuľu je na môj vkus až príliš veľký návrat do študentských čias. Skrátka je to rýchle a ľahké."

„Všimla som si, že v koši na triedený odpad je už niekoľko plechoviek."

Uškrnul sa a pokrčil plecami.

Izzy sa zamračila. Hoci bol pomerne nenápadný a upratoval po sebe, nepripadalo jej správne, aby jedol tak jednoducho, keď ona vie variť a potrebuje si precvičiť svoje schopnosti.

„Dobre," navrhla Izzy. „Čo keby som tu nechala jedlo, ktoré si môžete zobrať, keď sa vám to bude hodiť? Na sporáku bude na obed hrniec polievky, ktorú aj tak uvarím, a môžete si ju dať s chlebom. A na večeru vám nechám niečo, čo si môžete ohriať v mikrovlnke. Alebo to nájdete v rúre."

„To je už iná reč."

„Vraví sa predsa, že cesta k mužskému srdcu vedie cez žalúdok," utrúsila Izzy zľahka.

„K môjmu nie," zatváril sa škrobene a vytiahol z vrecka peňaženku. „Koľko chcete za jedlo?"

Tá ponuka ju rozčúlila, ani nedokázala povedať prečo. Koniec koncov, jediný dôvod, prečo tu zostal, bol ten, že potrebovala jeho peniaze. „Nie som taká žgrloška. Myslím si, že už platíte dosť," odvetila trochu napäto.

„To mi hovorte. Xanthe je tvrdá obchodníčka, ale zaručila mi absolútny pokoj. Nemám rád, keď ma niekto ruší pri práci."

„To som pochopila," uistila ho.

Znovu zvraštil tmavé obočie. „Nebudem sa vyhovárať. Za tú výsadu si platím."

Izzy prikývla a premýšľala, či bude chcieť zostať, keď sa pustí do renovačných prác. Niektoré z nich budú určite trochu hlučné.

„Aj keď výhľad z môjho okna stojí za každý cent."

Otočila sa a usmiala sa na neho. „Však že?" Toto je nádherné miesto, zdá sa, že z každého okna je krásny výhľad. Nemôžem sa dočkať, až uvidím, čo prinesú rôzne ročné obdobia."

Prikývol, a keď sa mu pri vrelom úsmeve okolo modrých očí objavili vrásky, Izzy cítila, ako sa jej zrýchlil tep.

„Áno, to svetlo ma niekedy až príliš rozptyľuje, keď mám pracovať."

„Xanthe spomínala, že píšete knihu."

„Áno."

Hoci tón jeho hlasu nesmeroval k ďalším otázkam, aj tak sa spýtala a hovorila si, že sa len správa priateľsky. „O čom píšete?"

„O ničom zaujímavom," odvetil a jeho tvár získala neprítomný výraz, ktorý Izzy okamžite priviedol na myšlienku, že nevraví pravdu. „Historické knihy. Učím na Edinburskej univerzite, ale zobral som si voľno, aby som mohol dopísať tú knihu."

„Z akého obdobia dejín?" chcela vedieť a pri jeho vyhýbavej a tak trochu neurčitej odpovedi zbystrila pozornosť.

„Samozrejme, z jakobínskeho Škótska," doplnil s jemným úsmevom.

„Milý princ Charlie a tak."

„To je ono."

„Som si istá, že prastrýko mi hovoril, že tu kedysi býval. Preto ste prišli sem?"

Ross si odfrkol. „Ak sa dá veriť povestiam, ten človek býval na všetkých škótskych hradoch."

„Takže trochu ako Mária Stuartová."

„*Aye*. Tí dvaja boli pekní svetobežníci."

„To je historický termín?" spýtala sa Izzy.

„Oficiálne nie. A chcel som tu zostať, pretože pani na pošte ma uistila, že je tu prázdno. Vedel som, že tak sa ma nebude stále niekto vypytovať, o čom píšem."

„Teda ja," doplnila Izzy.

„Nie, ja to iba vysvetľujem, McBrideová Izzy." Venoval jej vzácny úsmev, ktorý mu rozžiaril tvár. Znepokojujúce bolo, že tak bol ešte príťažlivejší. Dočerta, keď mu takto iskrili oči a okolo nich sa mu utvoril vejárik vrások, jej hormóny sa zbláznili.

„Keď niekde bývate a ľudia vedia, že ste spisovateľka, pýtajú sa, o čom píšete, hovoria, že si vždy mysleli, že by mali tiež napísať knihu, a nakoniec povedia, že ju môžete napísať za nich a rozdelíte si zisk. Keď mám skutočne šťastie, nežiadajú odo mňa, aby som si ich diela prečítal. Keď poviem, že píšem o zaprášenej histórii, väčšinu to odradí."

„Bystré," poznamenala Izzy. „Polievka bude hotová o niekoľko minút. Počkáte alebo prídete neskôr?" Čakala, kým zmäkne mrkva, aby ju rozmixovala. „Dáte si šálku čaju alebo niečoho iného?"

Chvíľu stál, akoby to zvažoval. „Niečo vám poviem, McBrideová Izzy. Čo keby som to urobil ja? Viem, ako na to."

Usmiala sa a usúdila, že toto je ponuka prímeria a že by to mala využiť.

„Takže keď nie ste tu, kde bývate?"

„V Edinburghu," odvetil a vytiahol zo skrinky hrnčeky.

Mala pocit, že by bola vtieravá, keby sa spýtala, kde presne, lebo nebol príliš ochotný hovoriť o svojich osobných záležitostiach, a hoci ona sama nebola od prírody zvedavá, bola celkom otvorená. „Nejaký čas som žila v Edinburghu. Minulé leto som pracovala na festivale."

Uškrnul sa. „To muselo byť zaujímavé."

„Aj tak sa to dá povedať," povzdychla si mimovoľne a spomenula si na všetok ten čas, ktorý premárnila čakaním, kým si ju Philip všimne. Zámerne sa usmiala. „No festival milujem, nič sa mu nevyrovná. V meste je tak rušno. A rada sa prechádzam po Kráľovskej míli. Všetci mi dávajú letáčiky a snažia sa ma presvedčiť, aby som sa pozrela na ich predstavenie."

„Áno, niektoré predstavenia sú skvelé. Chodím sem a tam a je to liaheň kreativity."

„A nádherné mesto. Veľmi sa mi páčilo bývať tam."

„Odišli ste odtiaľ sem?"

„Nie," odvetila, otočila sa k nemu chrbtom a siahla po mixéri. Nechcela sa mu zverovať, že odišla pred tromi mesiacmi po troch rokoch neopätovanej lásky, keď si konečne uvedomila, že je pre Philipa, ktorý si ju nikdy nechce vziať, len šikovnou barličkou. Kvôli zvuku mixéra sa ďalšieho rozhovoru vzdali a potom sa ukázal vo dverách Duncan.

„Tu to teda vonia! Vidím, že idem práve včas. Z tej ženskej ma porazí. Zniesol som kvôli nej už niekoľko stoličiek cez troje schodísk. Dobré odpoludnie, Ross."

„Aj vám, Duncan."

„Takže vy dvaja ste sa už zoznámili."

„Tento chlap je tu predsa už dva týždne," pripomenul jej Duncan. „A je to veľký prieskumník."

„Rád sa prechádzam, pomáha mi to so zápletkou… keď si môžem vyčistiť hlavu."

Izzy predpokladala, že celý deň sedí vo svojej izbe a píše.

Vtom zazvonil Rossovi telefón. Vytiahol ho z vrecka a zadíval sa naň. „Bethany, ahoj. Áno."

Naklonil hlavu, pritisol si mobil medzi krk a ucho, otvoril zásuvku a vytiahol tri lyžice.

Telefonát bol veľmi jednostranný. Ross občas povedal „áno", „nie", „urobím, čo budem môcť" a nakoniec ukončil hovor. Potom položil na stôl podložky a našiel misku na maslo, aby ju postavil doprostred, a to všetko bez toho, aby mu to niekto prikázal.

Izzy a Duncan si vymenili pohľady, ale ani jeden z nich nič nepovedal. Vo vzduchu bolo cítiť napätie, ktoré tam pred piatimi minútami nebolo. Izzy mlčky nabrala polievku do troch misiek, preniesla ich na stôl a posadila sa oproti Rossovi vedľa Duncana.

„Ospravedlňujem sa za to," poznamenal Ross náhle, akoby si uvedomil, že tým, že zdvihol telefón, pokazil celú atmosféru. „Len ma naháňa redaktorka. Xanthe nebude jesť?" spýtal sa a obozretne sa pozrel na dvere. Izzy s pobavením sledovala, ako ho Duncan napodobnil. Jej matka tak na ľudí pôsobila.

„Nie, nemá rada rutinu. Naje sa, keď bude chcieť," vysvetlila Izzy, pretože vedela, že keď je jej matka naštartovaná, dokáže celkom pokojne vydržať niekoľko dní bez poriadneho jedla. Pokiaľ išlo o jedlo, bola skôr ako náročná perzská mačka, úplne samostatná a odťažitá. Očakávala, že jej ho niekto zabezpečí, ale ak nebolo dosť čerstvé, keď sa ho konečne rozhodla zjesť, ohŕňala nos.

* * *

Po prekvapivo priateľskom obede sa zdalo, že Ross sa trochu rozveselil. Vstal, aby umyl riad, zatiaľ čo Duncan zmizol a cestou trochu brblal na jej veličenstvo, než zamieril hore, aby zniesol posledné stoličky. Izzy dala zvyšok polievky do mrazničky – navarila dvojitú dávku, aby mala zásobu na dni, keď bude mať veľa práce s inými vecami –, a než sa vrátila do kuchyne, Ross odišiel a nechal riad na odkvapkávači.

Pred pustením sa do čistenia maľby v salóniku sa chcela nadýchať čerstvého vzduchu, a tak si obula conversky a priťahovaná nehybnosťou jazera sa vydala pomedzi stromy k jeho brehu. Nad vresovisko za hradom sa zniesli sivé chumáče hmly naťahujúce prsty cez červenohnedé papradie a zlatisté a hrdzavé ostrovčeky borovíc. Tlmili krik vtákov, pôsobiacich takmer ako prízraky, keď sa ich tiene rysovali oproti oblohe.

Jediný ďalší zvuk, ktorý počula, bolo hlučné šušťanie vlastného kabáta a šelestenie nôh medzi krútiacimi sa listami na zemi.

Stromy okolo nej boli tiché a nehybné, mala pocit, že je jediný človek široko-ďaleko. Zhlboka sa nadýchla. Aj keď sa jej v Edinburghu páčilo, milovala toto intenzívne ticho a pocit pokoja a spolunáležitosti so svetom.

Keď sa vynorila z tichého tieňa lesa, uvidela na brehu jazera malý červený stan, ktorý stál na chránenom mieste obklopenom kríkmi útesovca.

„Ahoj!" zavolala, keď sa pred ňou objavil niekto s vlnenou čapicou narazenou na tmavých vlasoch.

„Ahoj," ozvala sa priateľská odpoveď drobnej, takmer elfej ženy, ktorá zoskočila z kmeňa, na ktorom sedela. Bola zabalená do desiatok vrstiev a pripomínala malý vianočný puding na nožičkách.

„Bože, vy máte teda odvahu. Nie je na kempovanie v tomto ročnom období trochu zima?" spýtala sa Izzy a v duchu sa otriasla. Jej by sa to rozhodne nepáčilo, ale ona bola skôr na luxusný štýl kempovania.

Žena pokrčila plecami a zrazu sa zatvárila ostražito. „To je v pohode."

„Zdržíte sa dlho?" bola zvedavá Izzy.

„Máme to dovolené, viete?"

„Viem." Izzy jej venovala opatrný, upokojujúci úsmev. „Je to v poriadku, vôbec mi to neprekáža. Chcem povedať, že keby ste tu dole chceli rozložiť oheň, nebol by to problém."

„Ach, vážne?" V ženiných slovách bolo cítiť veľkú úľavu. „Bože, to by bolo fantastické. V noci je tu dosť zima. Ste si istá, že to majiteľom nebude prekážať? Nechcem, aby nás vyrazili."

Izzy sa odmlčala, cítila sa trochu rozpačito. Nebola oveľa staršia než toto dievča a pripadalo jej trochu snobské vyhlásiť, že to ona je majiteľka. „Nebude im to prekážať. Poznám ich dobre."

„Ďakujem, je to od vás veľmi milé. Poviem to Jimovi, keď sa vráti. To je môj manžel."

„Ja som Izzy."

„Ja som Jeanette." Dievča vyzeralo dosť staré na to, aby bolo vydaté, a vzhľadom na nepatrnú pauzu a ľahko rozpačité použitie slova manžel sa Izzy zamýšľala, ako dlho sú asi manželmi.

„Ste na svadobnej ceste?" spýtala sa.

Žena ju ostražito sledovala. „Áno, tak nejako." Rýchlo dodala: „Dáte si šálku čaju?"

Izzy, prekvapená nečakaným pozvaním, chcela odmietnuť, ale vo výraze druhej ženy bolo niečo takmer prosebné. „To by bolo milé, pokiaľ máte dosť." Zaujímalo ju, ako dlho je tu sama a kde je jej manžel a čo robí. Izzy jej bolo trochu ľúto, vyzerala stratená a opustená.

„Je to len vrecúško čaju a trochu mlieka." Jeanette zdvihla bradu a Izzy si uvedomila, že sa dotkla jej hrdosti. „Škatuľu mlieka nechávam v jazere, aby zostalo studené."

„To je skvelý nápad. Ako dlho máte dovolenku?" Aj keď pokiaľ išlo o ňu, toto bolo príliš drsné, než aby tomu hovorila dovolenka. Po prvej noci by jej chýbalo pohodlie.

„Nie dlho." Žena uhla pohľadom a zaoberala sa kempingovým varičom a malou plechovou kanvicou. Napriek Jeanettinej otvorenej, úprimnej a mladistvej tvári Izzy v jej slovách cítila nejaký podtón.

„Vybrali ste si krásne miesto," snažila sa Jeanette povzbudiť a dúfala, že ju upokojí, pretože pôsobila dosť napäto a nervózne.

Jeanette sa zamračila a rozhliadla sa okolo seba, akoby si tú scenériu vôbec nevšimla. „Asi áno."

„Odkiaľ ste? Z Glasgowa?" Izzy zachytila silný náznak glasgowského prízvuku.

„Áno." V jej hlase sa ozvalo podozrenie a ľahká známka znepokojenia. „Ako to viete?"

Izzy sa usmiala a pokúšala sa ju upokojiť. „V Glasgowe som vyrástla, máte prízvuk."

„Aha."

„Ako ste sa sem dostali? Určite ste nešli peši až z Glasgowa."

„Jim má motorku. Dnes ráno sa na nej vybral do Fort Williamu."

„A vám sa nechcelo ísť s ním."

„Má tam prácu, takú príležitostnú."

„Aha, chápem," prikývla Izzy, aj keď vlastne vôbec nechápala. Pripadalo jej to ako zvláštne ročné obdobie na dlhšie kempovanie v divočine.

„Hm," podotkla Jeanette a nevenovala tomu pozornosť.

Spoza stromu k nim vykročil muž.

Jeanette mu išla oproti a Izzy sledovala ich rýchlu šeptavú výmenu slov. Potom sa k nej priblížil a vo vzduchu bolo cítiť napätie. Chlapík mal strnulé držanie tela.

„Kto je to?" spýtal sa a palcom ukázal na Izzy.

„To je Izzy, pozná majiteľa hradu."

Jim sa trochu uškrnul. „Tiež by som ho rád spoznal. Stavím sa, že je to nejaký bohatý pankhart."

„Šťastné dedičstvo," odsekla Izzy, podráždená jeho nečakane uštipačnou poznámkou. „Vlastne je to môj hrad."

„Jim," zaprotestovala Jeanette a rozšírili sa jej zreničky, akoby mu chcela niečo pripomenúť.

„Prepáčte, bolo to nezdvorilé. Nemyslel som to tak." Ospravedlňujúci úsmev venoval skôr svojej žene než Izzy, ale videla, že to myslí úprimne.

„To je v poriadku," vyhlásila. „Mám veľké šťastie a neberiem to ako samozrejmosť, ale ak vás to uteší, nenarodila som sa so zlatou lyžičkou v ústach a väčšinu života som s mamou prežila v dvojizbovom byte v Glasgowe."

„V ktorej časti?" spýtal sa Jim a rýchlo vyslal k Jeanette ustarostený pohľad.

Izzy sa zamračila a zamyslela sa, ktorú banku tí dvaja vykradli, hoci bolo ťažké uveriť, že by ktorýkoľvek z nich s tou nevinnou okrúhlou tvárou niečo vyviedol.

„Vyrástla som v Langside," spresnila Izzy s vedomím, že ide o jednu z krajších častí Glasgowa, ale nebolo to tak vždy. Keď jej mama ako mladá ovdovela, dvojizbový byt bol to jediné, čo si po vyplatení peňazí z poistky mohla dovoliť. Jej otec našťastie pracoval pre malú miestnu firmu, ktorá vyplácala peniaze za úmrtie.

Obaja si viditeľne vydýchli.

„Ako dlho tu bývate?" zaujímalo Jima.

„Len niekoľko mesiacov, aj keď väčšinu času som bola preč a vrátila som sa až pred niekoľkými dňami. Plánujeme z toho urobiť hotel."

„Aha." Obaja sa narovnali.

„Nepotrebujete niekoho na prácu?" pokračoval Jim v kladení otázok.

Izzy zavrtela hlavou. „Momentálne nie. Zdedila som hrad, ale žiadne peniaze. Zatiaľ si nemôžem dovoliť zamestnancov."

„Jasné." Jim sklamane zovrel pery.

„Tu máte," povedala Jeanette a strčila jej do ruky smaltovaný hrnček s čajom. „Ty sa budeš musieť rozdeliť so mnou," oznámila manželovi. „Máme iba jeden hrnček pre každého."

Izzy si o hrnček ohrievala ruky, začínalo jej byť chladno. Spať tu vonku musí byť mrazivé. „Hore na hrade je veľa dreva, keby ste potrebovali nejaké polienka do ohňa. Všetko je naukladané na nádvorí. A v lese nájdete veľa halúzok, poslúžte si.“

Jim sa na ňu usmial. „To by bolo skvelé.“

„Žiadny problém,“ usmiala sa Izzy a premýšľala, či by im nemala ponúknuť nocľah, ale zjavne niečo skrývali a ona nemohla pozvať domov každého bezdomovca a tuláka, ktorý jej skrížil cestu.

Zostala a rozprávala sa s nimi niekoľko minút, kým nedopila čaj, a potom ich opustila, aby sa prešla po západnej strane jazera. Premýšľala, pred kým sa ukrývajú. Určite v tom bola nejaká záhada, ale nijako tu neškodili a bezpochyby budú o nejaký ten deň preč.

5. kapitola

„Čo hovoríš? Nie je to nádhera?“ vychvaľovala sa Xanthe, keď otvorila obrovské dvere do ranného salónika. Svetlo vonku už slablo.

Dve vrstvy jemnej svetložltej farby krásne kontrastovali s bielymi štukami na strope a so zlatistým dreveným obložením, ktoré teraz žiarilo ľahučkým leskom.

„Môžeš rozsvietiť? Chcem urobiť niekoľko štýlových fotiek na Instagram.“ Xanthe sa už ako obvykle presunula k ďalšej veci.

„Áno, ale potom musím ísť pripraviť večeru.“

„Mohli by sme sa všetci najesť tu,“ zaštebotala Xanthe a ukázala na malý okrúhly jedálenský stôl v rohu.

Izzy sa pozrela na krásne prestretý stôl pripravený pre Instagram. Skutočne vyzeral nádherne a v tej chvíli takmer nemohla uveriť tomu, že býva práve tu. „Myslím si, že na hubové rizoto a šalát je to trochu príliš veľkolepé."

„Ty nemáš dušu, Isabel." Mama pohodila hlavou a s úplne tragickým výrazom si povzdychla.

Izzy k nej podišla a rýchlo ju pobozkala na tvár. „Nemám, ale viem, že moja mama je geniálna dekoratérka. A okrem toho by som chcela nafotiť túto krásnu výzdobu. Čo keby si urobila niekoľko fotiek a ja sa pustím do varenia? Večera bude o siedmej."

„Výborne. Som celkom hladná a myslím si, že my dve by sme mali na oslavu otvoriť fľašu prosecca."

Izzy sa vrátila do kuchyne, zapla rádio a pomaly sa pustila do práce. Užívala si, že má čas len pre seba. Zistila, že varenie jej ide oveľa lepšie, keď si naň urobí čas, a že ak sa ponáhľa, veci sa väčšinou pokazia. Vedela, že pri dlhom a pomalom smažení cibuľa chytí zlatistý nádych a jedlo dostane na vyššiu úroveň. Pokiaľ na miernom plameni osmaží korenie, dodá to pokrmu hĺbku. A keď pomaly a jemne vmieša smotanu, pridá to výsledku na bohatosti. Uvedomovala si, že na procese prípravy jedla je niečo upokojujúce a uvoľňujúce. Všetko je lepšie, pokiaľ sa to robí so starostlivosťou a s pozornosťou. Milovala, keď sa mohla ponoriť do rituálu a nemusela myslieť na nič iné. Bol to jej čas. Vonku začalo pršať a zdvihol sa vietor, ktorý so znepokojivou zúrivosťou vrhal kvapky do okien. Našťastie v kuchyni, kde horelo v piecke, bolo teplo a útulne. Duncan sa, vďakabohu, ujal roly strážcu ohňa. Napriek tomu sa Izzy pri pohľade na tmavú podvečernú oblohu trochu zachvela. Na míle ďaleko nebolo jediné svetlo, ktoré by rozbilo temnotu, a to v nej vyvolávalo pocit, že je vydaná napospas noci.

Celkom sa jej uľavilo, keď Xanthe vpochodovala do kuchyne s dvoma štíhlymi pohármi na šampanské v ruke. „Pozri sa na to.

Nie sú dokonalé?" Bez toho, aby počkala na odpoveď, rýchlo zamierila k chladničke a vytiahla fľašu. „Bublinky."

Zatiaľ čo Izzy smažila cibuľu a krájala cesnak, Xanthe otvorila fľašu a veľkoryso naliala do oboch pohárov.

„Na čo si pripijeme?" spýtala sa. „Myslím si, že zajtra začnem s hlavnou spálňou. Videla som tie najúchvatnejšie tapety od skvelej glasgowskej firmy Timorous Beasties. Pozri sa, nie sú úžasné?"

Podala jej mobil.

Izzy si od nej vzala telefón a obrázok zväčšila. Boli to tapety presne podľa vkusu jej mamy. Veľmi dramatické a odvážne, ale dokázala si ich v tej izbe celkom dobre predstaviť. „Skutočne sú úžasné. Budú tam vyzerať veľkolepo." Potom skrolovala dole a zalapala po dychu. „Tristopäťdesiat libier za kotúč?! Mami!"

Xanthe jej vytrhla mobil. „Je to investícia," prehodila bezstarostne, než sa pozrela na dvere a zašvitorila: „Ross, prišli ste práve včas. Dajte si pohárik prosecca. Oslavujeme dokončenie ranného salónika. Izzy odviedla úžasnú prácu na maľbe."

Bolo vzácne vidieť ho v túto dennú hodinu. Stále sa držal bokom a jedinou známkou jeho činnosti bola často iba umytá miska od polievky na odkvapkávači.

Izzy prebodla matku pohľadom a tá jej na revanš venovala žiarivý úsmev, pretože vedela, že jej Izzy pred ním nič nepovie.

„Prepáčte, že vás obťažujem, ale myslím si, že hore asi niekde zateká."

„Dokelu," vykĺzlo Izzy. „Kde?"

„Od mojej izby kúsok ďalej po chodbe kvapká zo stropu voda."

Schmatla spod drezu vedro a kopu starých uterákov, vystrelila z kuchyne a vybehla dve schodiská, než si uvedomila, že Ross je jej v pätách.

Niekoľko metrov po chodbe od jeho izby sa na strope objavili kvapky, ktoré sa hromadili a stekali na zodratý koberec.

„Toto nám vážne chýbalo," povzdychla si Izzy, zadívala sa na strop a skúmala prasklinu, cez ktorú presakovala voda. Ak bolo toľko vody tu, koľko jej prenikalo zhora?

„Ukážte." Ross natiahol ruku, vzal jeden z uterákov a niekoľkokrát ho preložil, než ho položil na zem, aby nasal vodu. Zároveň postavil vedro pod vytrvalé kvapky. „Hore to musí presakovať ešte viac."

„*Ave,* Sherlock," zamrmlala a zavrtela hlavou, zatiaľ čo sliepňala na plafón a sledovala líniu na strope chodby v snahe prísť na to, odkiaľ musí v ďalšom poschodí zatekať. „Pozriem sa hore."

„Pôjdem s vami."

„To nemusíte."

„Nemusím, ale chcem," usmial sa. „Viac hláv viac vie."

„Nie som si istá, či toto hlavy vyriešia," tiež mu venovala úsmev.

Obaja sa rýchlo presunuli chodbou k menšiemu schodisku pre služobníctvo, vedúcemu na povalu. Spoločne našli cestu k miestu, ktoré prezrádzala hrozivá vypuklina na strope. Prechádzala ňou kľukatá prasklina, z ktorej cvrčal malý pramienok rozlievajúci sa na podlahu a rozstriekavajúci po drevách špinavé fŕkance.

Zovrelo jej srdce. „Dokelu!" Znepokojene sa pozrela na nafúknutú omietku, oddelenú rozhnevanú škvrnu, a predstavovala si, ako celá praskne a zoberie plafón so sebou.

„Dočerta," zašepkala a hľadela na vodu, ochromená vedomím, že v túto nočnú hodinu nemôže urobiť vôbec nič a že to bude iba horšie.

Ross nehovoril nič, len jej zobral z ruky vedro a strategicky ho umiestnil pod kvapkajúcu vodu. Potom jej zasa vytiahol z ochabnutých rúk uterák a utrel ním kaluž na dlážke.

„Prepáčte," ospravedlňovala sa, keď si uvedomila, že tam iba tak postáva. „To by som predsa mala robiť ja." No nezdalo sa, že by sa dokázala zmobilizovať. Namiesto toho sa rozhliadala po miestnosti, zatiaľ čo Ross kľačal pri jej nohách a rozkladal tam uterák, aby vsal čo najviac vody.

„Nemáte niečo väčšie?" spýtal sa jej, keď sa vedro začalo znepokojivo rýchlo plniť.

Musela to byť hystéria, čo ju primälo chichúňať sa, aj keď situácia mala ďaleko od žartu. „Nemala by som to povedať ja?"

Zamykalo mu kútikmi pier. „Myslel som na *Čeľuste*. Budete potrebovať väčšiu loď... alebo skôr vedro. Máte niečo vhodné?"

Zahryzla si do pery a zamyslela sa. „Tu hore nie. Čosi by mohlo byť v pivnici alebo v kuchyni."

„Tak sa poďme pozrieť. Toto bude na chvíľku stačiť. Možno sa budeme musieť striedať, aby sme to stále kontrolovali a vyprázdňovali, ak dážď neustane. Ráno potom môžete niekoho zohnať."

Prehltla. Brali pokrývači striech kreditné karty? Alebo zálohu? Zavrela oči, pretože keby to neurobila, mohla by sa rozplakať. Zrazu ju opustila všetka bezstarostná dôvera, že všetko sa nejako vyrieši. Zasiahla ju skutočnosť, že cez strechu zateká.

„No tak, Izzy." Dotkol sa jej ruky, zatiaľ čo ustarostene sledovala preliačený strop. „Teraz s tým nič neurobíme. Bude to dobré, ráno je múdrejšie večera."

Smutno sa na neho pozrela, premáhalo ju zúfalstvo. „Nemali by ste tu vôbec byť. Ste hosť." Zadrhol sa jej hlas.

„No tak," zopakoval a uprel na ňu upokojujúci pohľad. „Mne to neprekáža. Berte ma ako podnájomníka, spolubývajúceho a nerobte si s tým starosti. Ostatne, čo by som to bol za človeka, keby som nepomohol?" Rýchlo jej stisol ruku. „Poďte, nájdeme nejakú väčšiu... vec."

„Prepáčte, normálne nie som taká padavka."

„Vôbec mi nepripadáte ako padavka. Podľa mňa je pôsobivé, že ste sa rozhodli vziať to všetko na seba. Niektorí ľudia by v kríze urobili drámu. Vy pôsobíte celkom pokojne."

„Ďakujem," odvetila, upokojená jeho chválou. „Xanthe vytvára v mojom živote dosť drám, preto sa im snažím vyhýbať, kde sa dá. Popravde, necítim sa pokojne, ale musím sa s tým vyrovnať."

„Poďte," venoval jej ďalší z tých utešujúcich úsmevov," vydáme sa na výpravu a uvidíme, čo nájdeme. Mám hrozný pocit, že tá vypuklina v omietke praskne."

„Presne na to som myslela!" Usmiala sa na neho, nevysvetliteľne potešená tým, ako zrkadlil jej myšlienky. Akoby jej hruďou zrazu prešiel rýchly výboj elektriny, keď si uvedomila, ako je blízko a ako sa jeho modré oči privreli, a vytvorili tak vejáriky vrások v kútikoch. Prudko sa odtiahla. *Toto nie, Izzy,* povedala si v mysli. *A už vôbec nie teraz.*

„Mali by sme sa pohnúť," poznamenala, „než sa toto vedro zblázni... chcem povedať naplní." Ach, bože, to ona bola blázon. V živote mala dosť starostí, nepotrebovala sa citovo zapliesť, a už vôbec nie s hosťom. S veľmi príťažlivým hosťom.

*   *   *

„Je všetko v poriadku?" spýtala sa rozjarene Xanthe s proseccom v ruke a vzhliadla od telefónu, keď sa Izzy a Ross vrátili do kuchyne. Bolo tam cítiť silný zápach spáleniny a Izzy skrivila tvár. Rýchlo sa vrhla k sporáku, odstavila panvicu s prskajúcou čiernou zhoreninou a v duchu napočítala do troch. Azda to jej mama necítila?

„Nie, nie je," precedila Izzy cez zuby a matku, ktorá vyzerala úplne pokojne, by najradšej zaškrtila. „Cez strechu tečie dovnútra voda a pravdepodobne si si nevšimla, že sa páli večera."

„Ach, bože. Hovorila som si, že tu niečo divne smrdí."

Skôr ako Izzy stačila čokoľvek povedať, vyšiel našťastie Ross z prípravovne v zadnej časti kuchyne a niesol veľkú plechovú vaničku.

„Tadá!" Víťazoslávne ju zdvihol v oboch rukách ako vzpierač, ktorý získal zlatú medailu.

„Ste hrdina," zajasala Izzy. „To je perfektné."

„Pokiaľ ju nebudeme musieť vyliať, ale tým sa budeme trápiť až potom."

„Ďakujem," zašepkala znovu, dojatá tým „my" a jeho bezpodmienečnou pomocou.

„O chvíľu to vezmem hore."

„Ďakujem…" nadýchla sa Izzy, keď vtom sa s buchnutím rozleteli dvere a vošiel Duncan spolu so závanom studeného vetra, ktorý so sebou priniesol vlhký nočný vzduch. Vlasy sa mu lepili k hlave, z kabáta mu na podlahu cvrčali pramienky vody a topánky mu pri chôdzi čvachtali.

„Duncan!" vykríkla Xanthe. „Zavri za sebou a daj si dole kabát. Si celý premočený, zamokríš podlahu."

Pozrel sa na kaluž pod svojimi nohami, našpúlil pery, zatriasol kabátom a zavesil ho. „Len zopár kvapiek."

„Je všetko v poriadku, Duncan?" spýtala sa Izzy.

„*Aye*, dievča. Chcel som ti povedať, že som dal Dolly a Rebu do starých stají." S nádejou sa pozrel na sporák a potom pokrčil nos.

„Hovoril som si, či by si nemala trochu tej polievky. Som premrznutý až na kosť."

„Polievka by tu bola," odvetila Izzy trochu trpko s pohľadom upreným na maminu hlavu sklonenú nad telefónom.

Rozžiaril sa. „Super. Obávam sa, že bude liať celú noc," poznamenal Duncan.

„Skvelé," zastonala Izzy. „Zostanem hore a budem kontrolovať, či nepreteká voda."

„Nevymýšľajte, McBrideová," pokarhal ju Ross. „Nemá zmysel, aby ste bdeli celú noc. Budeme sa striedať. Ja to skontrolujem o polnoci. Potom sa môžete na niekoľko hodín vyspať a urobiť kontrolu uprostred noci, povedzme okolo tretej. A ja potom spravím ďalšiu o šiestej. A vy môžete o deviatej."

„Lenže vy ste…"

„Som ochotný a schopný pomôcť," povedal s tvrdým pohľadom, ktorý ju prinútil usmiať sa.

„Je to od vás veľmi šľachetné," zamiešala sa do rozhovoru Xanthe. „Niektorí z nás potrebujú spánok pre krásu a nie som si istá, že by som sa chcela uprostred noci zaoberať vodou."

„To asi nikto z nás," utrúsila Izzy možno trochu až priveľmi uštipačne.

„Nebuď taká, miláčik. Vieš, že hneď ako zaspím, som mimo hry." Bola to pravda. Aj keby sa Xanthe ponúkla, že jej pomôže, Izzy by sa nemohla spoľahnúť, že mama vstane alebo si spomenie, čo má robiť. „Čo keby som umyla riad?" navrhla veľkoryso, akoby to bol nejaký kompromis.

„Platí. A tiež môžeš vyčistiť tu pripálenú panvicu."

„A ja si pôjdem skoro ľahnúť a urobím polnočnú kontrolu," ponúkol sa Ross.

„Veľmi vám ďakujem, Ross," usmiala sa Izzy. „Vážim si vašu pomoc."

„Žiaden problém. Je to lepšie, než keby na mňa uprostred noci spadol strop," uškrnul sa.

„Bože, to nevravte ani zo žartu. Dúfam, že čoskoro prestane pršať."

Pozrel sa von oknom. Dážď silno bičoval sklenené tabule. „Obávam sa, že to nie je veľmi pravdepodobné."

„Viem." Izzy si sťažka povzdychla. Nenávidela ten pocit bezmocnosti, že nemôže urobiť niečo praktickejšie.

„Hej," venoval jej rýchly, milý úsmev, ktorý zjemnil jeho už aj tak viac než dosť príťažlivú tvár. Pristihla sa, že sa modlí, aby nedala najavo, aký jej pripadá roztomilý. „Skúste si nerobiť starosti, pre dnešnú noc ste urobili, čo ste mohli. Idem ešte chvíľku pracovať, než pôjdem spať. Uvidíme sa ráno. Dobrú noc, McBrideová."

Naklonil sa k nej a na jej absolútne prekvapenie ju pobozkal na líce. Bol to nezáväzný, kamarátsky bozk na dobrú noc, ale prebral ju a ich oči sa stretli. Stuhol, akoby vstúpil do zlej miestnosti, kde niekoho prichytil a musel okamžite odísť. Bez slova sa otočil a vyšiel z kuchyne.

Izzy tam chvíľu stála a pozerala sa za ním. Cítila mravčenie tam, kde sa jej tak jemne dotkli jeho pery. Aj keď to bol ten najobyčajnejší bozk na tvár, mala pocit, akoby ju spálil.

„To bolo zaujímavé," poznamenala Xanthe s mačacím úsmevom, zatiaľ čo Duncan nespúšťal zrak zo svojich nôh.

„Iba sa správal priateľsky a solidárne ponúkol pomoc. Nie ako niekto," odsekla Izzy.

Xanthe len vytiahla obočie a odšuchtala sa z kuchyne. Izzy tam stála a odolávala nutkaniu pritisnúť si ruku na tvár.

6. kapitola

*K*eď o tretej ráno začal zvoniť budík, Izzy sa postupne prebrala, pričom sa triasla v chladnej noci za zvuku dažďa, ktorý búšil do okna. *Takže stále prší*, pomyslela si. Na pyžamo si natiahla tepláky a mikinu a dovliekla sa na povalu.

Hoci dúfala v nejaký zázrak, vanička bola takmer plná. Než ju dotiahla do kúpeľne, voda striekala všade naokolo, až bola celá premočená a dokonale prebratá. Mohla sa rovno prezliecť do suchého, zísť dole a urobiť si šálku čaju.

Vonku zavýjala víchrica, ktorá búšila do budovy v rýchlych tvrdých poryvoch, takže bola vďačná, že ju chránili silné steny hradu, zatiaľ čo si ohrievala ruky v teple sálajúceho z piecky. Cez okno videla, ako sa svetlo z kuchyne odráža od vody na zemi a ako oblohu pretínajú divoké prúdy dažďa. Sedela v hojdacom kresle pri veľkej piecke, medzi studenými prstami držala čaj a bradu mala strčenú do hrubej vlny roláka.

Prásk. Prásk. Prásk. S trhnutím sa prebudila, pretože zaspala a srdce jej búšilo v jednom rytme s údermi na dvere. Znovu sa ozvalo silné zabúšenie. Vyskočila na nohy. Bol to Duncan? V túto nočnú hodinu? Kto iný by to mohol byť?

Keď pootvorila dvere, sotva udržala kľučku proti poryvu ľadového vetra, ktorý si razil cestu do kuchyne, vnikal do všetkých kútov a škár, rozochvieval riad na komode a rozhojdával staré svietidlo, ktoré vrhalo svetlo a tiene po miestnosti. Vykukla von a svetlo ožiarilo dve vyčerpané postavy v premáčaných vetrovkách, s kapucňami na hlave a so šnúrkami stiahnutými okolo prepadnutých bledých líc.

„Prosím, môžeme vojsť? Odfúklo nám stan," prosil uplakaný hlas a Izzy si uvedomila, že sú to tí dvaja táborníci – Jeanette a Jim.

„Preboha, samozrejme, poďte ďalej." Otvorila dvere trochu viac a oni sa vpotácali dovnútra. Obaja zvierali vodou premáčané spacáky, ktoré im viseli cez ruky ako utopené húsenice. „Chúďatká, ste úplne mokrí."

Uviedla ich dovnútra a pevne za sebou zatvorila dvere, aby ich uchránila pred zúriacim vetrom a dažďom.

„Ďakujeme vám," vzlykalo dievča. „Je mi taká zima." Natiahlo modré ruky.

„Poďte sem, k piecke. Pripravím vám niečo teplé na pitie."

„Vďaka," predniesol Jim chrapľavým hlasom a dal si dole z chrbta batoh.

„Úplne všetko máme mokré," poťahovala nosom Jeanette a s porazeneckým šuchnutím pustila na dlážku ten svoj.

„Prinesiem vám nejaké suché veci." Izzy sa pozrela na Jima. „Nie som si istá, či tu mám niečo vo vašej veľkosti."

„Nerobte si starosti. Len prineste niečo pre Jeanie." Natiahol k Jeanette ruky a pobozkal ju na čelo. „To nič, zlato, bude to dobré."

„Nebude. Všetko je preč. Čo spravíme?" Jej hlas sa blížil k zúfalému náreku.

„Dnes môžete zostať tu," zľutovala sa nad tými dvoma Izzy. Vyzerali ako párik stratených šteniat. Mohli mať okolo dvadsať rokov. A možno ani toľko.

O pol hodiny neskôr, keď už Jeanette mala na sebe Izzine tepláky, mikinu a niekoľko huňatých ponožiek a Jim starý hodvábny župan po strýkovi Billovi a veľký uterák omotaný okolo dolnej polovice tela, vyzerali tí dvaja o trochu ľudskejšie. Sedeli pri stole, každý s veľkým hrnčekom horúcej čokolády a tanierom s hriankou.

„Hmm, to je teda dobrota," vyhlásila Jeanette a usrkávala z horúceho nápoja. „Veľmi vám ďakujeme. Od obeda sme nejedli, pretože sme nemohli zapáliť kempingový plynový varič. Jim chcel zájsť do dediny po rybu s hranolčekmi, ale to už bolo príliš daždivo a veterno. Celé hodiny sme trčali v stane a dúfali, že búrka utíchne, ale potom tie posledné poryvy… Prepáč, Jim, mala som veľmi studené ruky." Počas celej tej litánie Jim držal jej ruku skrytú v tej svojej, omnoho väčšej.

„Znie to hrozne," prikývla Izzy, keď si predstavila tých dvoch schúlených v stane. „Je tu pripravená voľná spálňa, pokiaľ by ste sa tu chceli vyspať."

„To je od vás veľmi pekné," povedal Jim tisíci raz a rukou trel Jeanette chrbát, aby ju upokojil, ale na tvári mal trochu skľúčený výraz, akoby ju sklamal. „Je nám ľúto, že sme vás zobudili."

Izzy sa usmiala. „Aj tak som už bola hore." Vysvetlila im situáciu so strechou.

„Ak chcete, môžem sa na to ráno pozrieť. Stavím sa, že je tam prístup z cimburia."

„To by bolo skvelé." Uvedomovala si, že kvôli svojej hrdosti potrebuje urobiť niečo, čím by pomohol a ukázal, že nie je úplne naničč. Bolo poznať, že voči svojej žene vystupuje veľmi ochranársky.

Zatiaľ čo popíjali horúcu čokoládu, Izzy postavila sušiak na bielizeň pred piecku.

„Tu si môžete usušiť vlhké veci z batohov." Už pozbierala dažďom premočené a blatom postriekané oblečenie, ktoré mali na sebe, a teraz bolo v práčke v prípravovni.

„Môžem vám ešte niečo priniesť?" spýtala sa.

„Ďakujeme, nie. Ste taká láskavá, veľmi si to vážime," odvetila Jeanette.

To by predsa urobil každý. Nikto by ich nemohol odmietnuť. Bolo skvelé, že ich mala kde ubytovať. Zaviedla ich do knižnice na prvom poschodí a nechala ich tam, než sa pobrala na povalu, aby sa pozrela, ako to vyzerá s vodou. Prúd sa mierne spomalil, ale vypuklina vyzerala, že sa chystá prasknúť. Znepokojene ju pozorovala a rozhodla sa, že teraz znova vyleje plechovú vaničku a vráti sa hneď ráno.

Keď padla do postele, bola nesmierne vďačná, že sa Ross ponúkol, že zoberie zmenu o šiestej. Mohla si pospať. Toľko k jej predstave, že na vidieku bude mať pokojný život.

*   *   *

„Vstávať, budíček. Priniesla som ti šálku čaju." Mamin hlas znel príšerne nahlas.

Izzy zdvihla hlavu a oprela si ju o vankúš. To ako vážne? Mala pocit, že takmer zaspala.

„Vedela si, že v tartanovej izbe spia nejakí zvláštni ľudia?" Od rozhorčenia takmer kričala.

„Hm," zamumlala Izzy a snažila sa otvoriť oči, ale nedarilo sa jej to.

„Odkiaľ sa tu vzali? Bola som tam dnes ráno."

„Koľko je hodín?" zastonala Izzy a sliepňala na Xanthe.

„Pol ôsmej. Povedala som si, že ti pripravím dobrý čaj."

Mama jej čaj nikdy ráno neuvarila, nieto aby jej ho priniesla až do postele.

Xanthe položila šálku na malý stolík, rozsvietila lampičku a sadla si na kraj postele.

„Mami, bola som hore… takmer… celú noc." Dalo jej prácu vysúkať zo seba tie slová, cítila sa vyčerpaná.

„Poznáš tých ľudí? Ako sa tam dostali?"

„Táborili pri jazere."

„A ty si ich tu nechala? Mohli nás všetkých zavraždiť v posteliach."

„Si stále tu," utrúsila Izzy.

„O to nejde. Čo keby zobrali striebro? Ako ten muž v *Bedároch*. Jean Valjean. Ukradol sviečky farárovi."

„My máme striebro? Kto by to bol povedal?"

Xanthe sa na ňu trpko usmiala. „Vypi čaj, urobí ti dobre."

Izzy sa zamračila. „Prečo si bola v tartanovej izbe tak skoro ráno?"

„Pretože sa mi ozvali Carter-Jonesovci. Privedú so sebou ešte aspoň dvoch ľudí."

Izzina hlava klesla späť na vankúš.

* * *

Keď Duncan neskôr ráno zaklopal na dvere a vošiel dovnútra, Izzy práve pripravovala cesto na chlieb. Prešiel rovno k sporáku a natiahol ruky, aby si ich zahrial.

„Nebude ti prekážať, keď si uvarím šálku kávy? V piecke mi zhasol ten nepodarený zapaľovací plamienok. Mám tam ako na Balte."

„Ale nie," vyľakala sa Izzy. „Môžeš zohnať niekoho, kto to opraví?"

„Uf. Môžem to skúsiť, ale dnes ráno sa pokazilo kúrenie mnohým ľuďom. Nemôžem sa dovolať ani inštalatérom, stále niekde lietajú."

Izzy sa smutne usmiala. Jeden by sa v tom už stratil. Počet členov domácnosti sa náhle zdvojnásobil, už ich bude takmer plný dom, takže by si mohla začať zvykať, že ich má všetkých nakŕmiť. „Môžeš tu zostať, kým sa to neopraví."

„Dievča, máš dobré srdce. Mimochodom, vyzerá to tak, že tí divokí táborníci sú preč."

„Iste, ale nezašli veľmi ďaleko," uškrnula sa Izzy, no než to mohla vysvetliť, vošiel do izby Ross s hrnčekom na kávu. Očividne si potreboval doliať.

„Aká bola nočná zmena?" spýtal sa. „Dobré ráno, Duncan."

„Rušná. Máme tu jedného bezdomovca a jedno zatúlané šteňa. Práve som to chcela povedať Duncanovi. Táborníkom zo včera odfúklo stan, tak som ich prichýlila."

„Naozaj?" Ross si ju znepokojene prezeral.

„Nezačínajte ešte aj vy s tým, že nám ukradnú striebro," varovala ho.

„Toho sa nebojím. Skôr mám obavy z toho, že budú robiť hluk. Nezabúdajte, že som sem prišiel kvôli pokoju. Ako dlho tu ostanú? A dáte si šálku čaju?"

„Pravdepodobne odídu ešte dnes," uistila ho, pretočila cesto a ďalej ho hnietla. „A, áno, prosím si. Toto je práca, pri ktorej rýchlo vysmädnem."

Vybral pre ňu čistý hrnček a naplnil kanvicu čajom. Izzy zatiaľ dala cesto do olejom vymazanej misy, prikryla ho vlhkou utierkou a nechala vedľa sporáka, aby nakyslo.

„Poďte sa posadiť a vypiť si čaj," ponúkol jej. „Vyzeráte unavene."

Ťažko sa mohla uraziť kvôli poznámke, ktorá síce nebola práve lichotivá, ale ktorou ju nabádal odpočinúť si. „Bola to veľmi dlhá noc."

Zaletel pohľadom k stolu plnému jej ručne písaných poznámok načmáraných na niekoľkých listoch papiera veľkosti A4. „Čo to všetko znamená?"

Predtým, ako mu odpovedala, sa na chvíľu odmlčala.

„Vianoce," vyslovila nakoniec. Rannou správou o ďalších hosťoch ju Xanthe vyburcovala do akcie. „Neviem, aké máte plány, ale počas sviatkov sme na niekoľko dní prijali rezerváciu," vysvetlila. „Ospravedlňujem sa. Viem, že chcete mať pokoj, ale budem k vám úprimná." Zubami sa dotkla spodnej pery, než strhla pomyselnú náplasť. „Potrebujeme peniaze na zaplatenie strechy. Ponúkli nám vysokú sumu. Ak chcete odísť na vianočné prázdniny, môžem vám peniaze za posledný týždeň v decembri vrátiť." Predpokladala, že v tom čase sa poberie domov za rodinou.

Chvíľu sa mračil a potom sa pozrel z okna. Nehybnosť jeho tela vypovedala o sebaovládaní. „Tak ďaleko som ešte nepremýšľal. Dúfam, že dovtedy budem mať hotovú prvú verziu. Uvažoval som, že by som si zobral niekoľko dní voľna. Ešte nemám pevné plány." Strčil si ruky do vreciek a nahrbil plecia. „Koľko ľudí príde a na ako dlho?" spýtal sa.

„V tejto chvíli ide o šesťčlennú skupinu a nie som si istá presným dátumom." Uškrnula sa. „Xanthe je s nimi v kontakte."

„Boh nám pomáhaj," zažartoval Ross. „Úplne vidím tie sane s plným počtom sobov v hale, vianočné stromčeky vo všetkých miestnostiach v dome a viac trblietavých ozdôb než na základnej škole."

Izzy našpúlila pery. Mala by sa tváriť nesúhlasne, veď hovoril o jej matke, ale hrýzla si do pery, pretože trafil do čierneho. Xanthino nadšenie a vzrušenie z projektu pravdepodobne dosiahne úroveň delíria, kým nedôjde na tvrdú prácu.

„Pochopím, keď budete chcieť odísť." Hneď ako to vyslovila, uvedomila si, že v skutočnosti si praje, aby ostal.

„Zamyslím sa nad tým. Ako som spomenul, na Vianoce som si nič neplánoval."

„Vy nemáte rodinu?" vyhŕkla. Chcela, aby sa s ňou ďalej rozprával.

Chvíľu sa na ňu pozeral a potom prikývol. „Iste, že mám rodinu. Mamu, otca a dve sestry.“

„Nenavštívite ich počas Vianoc?“ To už hraničilo s vtieravosťou, ale želala si predĺžiť ich rozhovor, pretože jeho prítomnosť ju upokojovala a tiež odďaľovala okamih, keď bude musieť skutočne začať riešiť svoje zoznamy.

Pokrčil plecami. „Ešte neviem. Neprekážalo by mi zostať tu.“

„Čo neviete?“ Do miestnosti napochodovala Xanthe a stále vyzerala sama so sebou neobyčajne spokojná.

„Vraveli sme o Rossových plánoch na sviatky.“

„Nebudete so svojou rodinou?“ zamračila sa Xanthe.

„Nemal som to v úmysle,“ odvetil Ross.

„Býva ďaleko?“ Xanthe sa na neho milo usmiala.

„Nie, v Callandare.“

„Tak to by ste ju mali navštíviť. Panebože. Callandar. Nie ste príbuzný Alicie Strathallanovej, všakže?“

Ross stuhol. „Áno, som,“ prikývol a hlas mal plný ostražitej nedôvery.

„Panebože!“ Xanthe zatlieskala a začala tancovať okolo stola. „Alicia Strathallanová. Počula si to, Izzy? Spomínaš na tú nádhernú výstavu skla, na ktorej sme boli v Dovecote v Edinburghu a ja som sa celý deň rozplývala?“

Izzy prikývla.

„To vystavovala Alicia Strathallanová. Skutočne je to vaša matka?“ Xanthe poskakovala na mieste hore a dole a bola úplne bez seba.

Ross prikývol. „Presne tak.“

Xanthe sa ovievala. „Ona. Je. Moja. Absolútne. Najobľúbenejšia. Umelkyňa. Však, Izzy? Nehovorím to len tak. Jej diela jednoducho zbožňujem. Vie výnimočne využiť farby." Odmlčala sa, zasmiala sa a potom so svojím obvyklým taktom dodala: „Tak vy ste jej syn. To je také vtipné. Vôbec nevyzeráte kreatívne."

Izzy sa uľavilo, keď videla, že namiesto toho, aby sa Ross urazil, rozžiaril sa v jeho očiach malý záblesk zlomyseľnosti. Vážne prikývol. „Nie. Nemám v tele ani trochu kreativity. Pre matku je to bolestná skúška."

Nenápadne sa na Izzy usmial ponad stôl.

„Asi nemôžeme byť všetci kreatívni," rozhodila Xanthe doširoka rukami, akoby chcela demonštrovať vlastnú tvorivú genialitu. „Izzy je veľmi praktická. Som z toho trochu sklamaná."

„Vďaka," zašepkala Izzy sucho. Mamine priamočiare súdy ju už dávno prestali urážať.

„Vieš, ako to myslím. Teraz," odľahčila konverzáciu ako obvykle tým, že zmenila tému a otočila sa k Izzy, „premýšľam, že navrhnem kamarátovi, aby tu zostal."

„Kamarátovi?" spýtala sa Izzy, ktorú náhly obrat rozhovoru vyviedol z miery. „Komu?"

„Nepoznáš ho," mávla Xanthe rukou. „Je to starý priateľ."

Izzy podozrievavo privrela oči. „Aký starý priateľ?"

„Hovorím ti, že ho nepoznáš. Nebude ti to prekážať, však?"

Tá štipľavá otázka bola od Xanthe rypnutím do faktu, komu hrad patrí. Nevyslovené obvinenie, že Xanthe si sem nesmie pozývať svojich priateľov, ju ranilo.

„Ostane iba na niekoľko dní. Ani nebudeš vedieť, že je tu."

Izzy si pomyslela, že to nie je pravdepodobné.

„Teraz, keď je modrá izba hotová, môže bývať tam." Xanthe sa na ňu trochu blahosklonne usmiala. „Do Vianoc bude preč. Som si istá, že ti bude pripadať úplne očarujúci. Poznám ho už celé veky. Má veľmi dobré konexie. Je príbuzný Sinclairovcov z vysočiny, vieš?“

Ten príval slov jasne naznačoval, že Xanthe niečo skrýva.

„Čo mi pripomína...“ Xanthe sa rozžiarili oči, ako sa znova nadchla pre niečo iné. „Keď tu teraz budeme mať poriadny vianočný večierok, potrebujeme aspoň tri vianočné stromčeky. Milujem vôňu skutočného ihličia, nič sa jej nevyrovná. A tento rok môžeme všetkých nechať, aby ozdobili stromček spoločne. Bude to zábava!“

Izzy sa na ňu usmiala, pretože jej v hlave vyskakovali spomienky, ako keď praskajú pukance. Vianoce v detstve. Vždy mali živý stromček, aj keď peňazí bolo málo. Každý rok si navzájom darovali novú ozdobu. Keď bola Izzy mladšia, vyrábali ich v škole a bez ohľadu na to, aké boli príšerné – malá myška v orechovej škrupinke, chumáčiky vaty na špagáte alebo víla z obrúska a dreveného kolíčka –, Xanthe nad nimi výskala od radosti. Trvala na tom, že ich vystaví na čestnom mieste. Zdobenie stromčeka bola vždy veľká udalosť, a keď bola Izzy staršia, zakaždým si na oslavu otvorili fľašku bubliniek a oficiálne si pripili na zažatie svetielok.

„Myslím si, že budeme potrebovať aspoň tri – jeden do haly, druhý do jedálne a tretí do salónika. A nebude nás to ani nič stáť. Duncan hovorí, že ich môžeme zoťať v lese na brehu jazera. No budeme musieť kúpiť nové ozdoby. Vravím si, či nebudú nejaké na povale.“

„Ty budeš rúbať strom?“ podpichovala ju Izzy s úsmevom.

„Samozrejme, že nie. Som si istá, že presvedčíš tohto urasteného mladíka, aby ti pomohol,“ Xanthe venovala Rossovi nesmelý úsmev. „Neoháňajú sa vari muži s radosťou sekerou, aby sa hrali na chlapov?“

„Neustále," súhlasil Ross, zamykalo mu kútikmi pier a pozrel sa na Izzy, ktorá zavrtela hlavou v zmysle: *Xanthe, to bolo cez čiaru.*

„Takže je to vyriešené." Žiarivo sa na Rossa usmiala. „Syn Alicie Strathallanovej pod mojou strechou. To je také úžasné. Musím to povedať svojej skupine ručných prác na WhatsAppe."

Odtancovala z kuchyne a nahlas si pospevovala.

Ross sa tváril tak trochu zmätene, sledoval ju, ako odchádza, a potom si vzal svoju kávu a opustil miestnosť.

Izzy mala kuchyňu len pre seba, a tak si sadla k zápisníku a označila si prvú stránku. *Zoznam úloh.* Dvakrát slová podčiarkla a premýšľala o všetkých tých krásnych veciach, ktoré by mohli robiť. Na tieto Vianoce budú všetci dlho spomínať.

Vyznačila si v zápisníku niekoľko stránok a pustila sa do náčrtu prvého zoznamu. Zatiaľ čo delila úlohy na zvládnuteľné časti, bublalo v nej vzrušenie.

„Zdravím, Izzy," ozval sa tichý, neistý hlások a ona vzhliadla. Vo dverách postávali Jeanette a Jim.

„Poďte ďalej."

„Ospravedlňujeme sa, že sme tak vyspávali. Už týždne som si tak dobre neoddýchla. Stále som sa bála, že nám nejaká ovca alebo jeleň začne žrať stan. Veľmi ďakujeme, že ste nás tu nechali prespať."

Izzy sa na ňu jemne usmiala. Navyše, napriek spánku malo to úbohé dievča kruhy pod očami a úzkosť v pohľade. „To nie je problém. Som rada, že ste si oddýchli. Dáte si raňajky?"

Jeanette sa neisto pozrela na manžela.

„Pokiaľ by vás to neobťažovalo," povedal a postrčil ju do kuchyne.

„Máte chuť na slaninu a vajíčka?"

„Nie, netreba," odmietla Jeanette, ale Izzy si všimla, ako Jim zvesil kútiky pier.

„Vážne to nie je žiadny problém, vajec máme dosť. Duncan je tak trochu zaklínač sliepok, takže stále znášajú. Myslím si, že si ani nevšimli, že prišla zima."

„To my rozhodne áno." Jeanette vyzrela z okna a objala sa rukami.

„To by bolo skvelé," ozval sa Jim rýchlo a Jeanette do neho štuchla.

„On je stále hladný."

„Posaďte sa," navrhla Izzy.

„Nie!" Jeanette takmer skočila dopredu. „Chcem vám pomôcť. Boli ste taká dobrá, že ste nás tu včera nechali."

„Ťažko by som vás mohla vyhodiť," usmiala sa Izzy vľúdne.

„Možno nie, ale vďaka vám sme sa cítili vítaní, nie ako príťaž. Sme vám veľmi vďační."

Izzy pokrčila plecami. „Ako som povedala, nebol to problém. Čo máte v pláne teraz? Pôjdete domov?"

Jeanette a Jim si vymenili ostražité pohľady. „Hm," ozvala sa Jeanette, „s čím môžem pomôcť?"

„Mohli by ste prestrieť stôl. Príbory sú tamto," ukázala na zásuvku.

„Vonku je už pekne sucho." Jim prešiel ku kuchynskému oknu. „Chcete, aby som sa pozrel na tú strechu?"

„To by bolo úžasné. Ste si istý?"

Izzy videla, že chce urobiť niečo praktické.

„Nechajte ho, vie si s takými vecami poradiť. Je veľmi praktický," rýchlo sa opravila Jeanette s ľahkým začervenaním.

Jim sa na manželku nežne usmial, čo v Izzy nečakane vyvolalo závisť. Aké by to bolo mať také bezvýhradné prepojenie s iným človekom? Mať niekoho, komu na vás tak veľmi záleží? Bola slabosť želať si, aby sa o vás niekto občas staral?

„Určite sa na to môžem pozrieť."

„Keď chvíľku počkáte, príde Duncan, ktorý pozná hrad ako vlastnú dlaň. Vezme vás na cimburie."

Ako na zavolanie Duncan vošiel zadnými dverami a Izzy ich rýchlo predstavila.

„Teraz vás zoberiem hore," povedal. „A keď sa vrátim, možno tu bude čakať na mňa káva."

Izzy sa na neho usmiala. „To máš pravdu."

„Budeš v poriadku, láska?" spýtal sa Jim s náhlou ostražitosťou Jeanette. „Nebude to trvať dlho." Zobral zo sušiaka pri sporáku flísovú mikinu a rýchlo ju pobozkal na líca. Potom ju upokojujúco objal, akoby im chcel obom dodať silu.

„Dobre," prikývla a sledovala, ako odchádza. Trochu si povzdychla a v očiach mala zasnívaný výraz, ktorý Izzy primäl skryť úsmev.

„Ako dlho ste manželia?" spýtala sa.

Jeanettine rysy stvrdli, pevne zovrela pery a potom povedala: „Nie dlho." Otočila sa chrbtom, zatiaľ čo Izzy rozbíjala vajíčka na panvici. Zamračila sa a premýšľala, prečo nie je Jeanette vo svojej koži.

„Je to tu!" zašveholila Xanthe, a keď sa Izzy obrátila, zistila, že matka máva dlhým úzkym balíčkom tak, že takmer zhodila taniere na príborníku.

„Najdrahšia tapeta na svete," poznamenala Izzy sucho.

„Nebuď taká, miláčik. Okrem toho, ľudia ako Carter-Jonesovci očakávajú to najlepšie, keď zaplatia dvadsaťpäťtisíc za týždeň na škótskom hrade."

„Toho sa práve obávam," namietla Izzy celkom úprimne.

„Dvadsaťpäťtisíc," zopakovala Jeanette a vyvalila oči.

„Hm," prikývla Izzy a priala si, aby jej matka poznala význam slova diskrétnosť.

„To je dosť veľa peňazí."

„Potrebujeme ich veľa," zaspievala Xanthe a otočila sa k Jeanette. „Vy musíte byť jedno z našich zatúlaných šteniatok."

„Xanthe," precedila Izzy cez zuby.

„Prepáčte?" Pochopiteľne, Jeanette vyzerala zmätene.

„Jednoducho si ju nevšímajte, väčšina rozumných ľudí to tak robí," odporúčala jej Izzy. „Toto je Xanthe."

Xanthe si odfrkla, obdarila Jeanette úsečným úsmevom a potom sa obrátila k Izzy. „Nechceš sa pozrieť na tú tapetu?" A okamžite začala trhať hnedý baliaci papier.

Poryv vetra ohlásil Jimov príchod. Zabuchol za sebou dvere.

„Šteňa číslo dve," vyhlásila Xanthe veselo, zatiaľ čo zápasila s balíčkom. „Pozri sa, nie je to božské?" Zdvihla obrázok na prednej strane kotúča.

„To bude, dočerta, nadpájania," poznamenal Jim.

„Viem," pripustila Xanthe, „ale nie je to nádhera?"

Jim pristúpil bližšie, zdvihol jeden kotúč a študoval ho. „Kvalita."

„Za tú cenu by mala byť," poznamenala Izzy. „Budem sa báť, že to pokazím."

„Jim vie skvele tapetovať," upozornila Jeanette.

„Naozaj?" zapišťala Xanthe, akoby to bola tá najzaujímavejšia vec, ktorú kedy počula.

„Viem si poradiť s väčšinou vecí," prikývol. „Myslím si, že tú strechu môžeme opraviť ešte dnes, pokiaľ by ma Duncan mohol hodiť do obchodu so stavebninami."

„Počula si to, Izzy?" prebodla ju Xanthe pohľadom. „Oprava strechy a tapetovanie."

„Počula." Izzy neznášala, ako jej matka predpokladala, že pozná na všetko odpoveď.

Xanthe sa otočila k Jimovi. „Izzy hovorila, že ste táborili pri jazere. Ste na dovolenke?"

Jim a Jeanette urobili to, čomu Izzy v duchu hovorila podľa románu Johna Wyndhama *midwichské kukačky* – nepokojne sa na seba pozreli.

„Nie," odvetila Jeanette, zatiaľ čo Jim povedal: „Áno."

„Tak o čo tu ide?" chcela vedieť Xanthe so svojou typickou netrpezlivosťou.

„My sme…" začala Jeanette a Jim pokračoval: „My sme…"

„Plánujete zostať tu v okolí?" Xanthe sa s rozžiarenými očami pozrela z jedného na druhého.

„Chceli sme," pripustil Jim, „ale prišli sme o stan."

„A nemáte kam ísť." Xanthe venovala Izzy významný pohľad.

„Hm," zamrmlal Jim a Jeanette sklonila hlavu. Izzy sa zdalo, že v rozpakoch.

„Mami!" vyhŕkla Izzy, keď videla, kam to smeruje.

„Podľa mňa je to jasné." Xanthe vznešene pokrčila nos. „Mali by ste zostať tu. Potrebujeme pomocníkov. Hodí sa nám teraz každá ruka."

Izzy sa nahnevane zadívala na matku.

Jeanette si trela ruky a pozrela sa na manžela očami rozžiarenými nádejou. Akoby Izzy mohla odolať.

Izzy prebodla matku pohľadom, aj keď to bol veľmi dobrý nápad. „Najskôr nám musíte vysvetliť, čo sa tu deje. Môžem vám veriť? Vylúpili ste banku? Niekoho ste zavraždili? Podpálili ste dom?"

Jeanette rázne zavrtela hlavou. „Nie!" zaprotestovala. „Nič také."
Tvár jej náhle zbrázdil spontánny úsmev a rozosmiala sa. „Keď to
poviete takto, nejde vlastne o nič zlé."

Jim ju objal okolo pliec. „Nie je to také zlé." Pobozkal Jeanette
na vlasy.

„Vzali sme sa," vysvetlila Jeanette. „Naše rodiny to neschvaľujú,
preto sme utiekli."

„Mysleli sme si, že budeme žiť čo najlacnejšie, nájdeme si príle-
žitostnú prácu. Lenže ukázalo sa, že bez poriadnej adresy vás nikto
nezamestná."

Izzy sa zdržala poznámky, že to musí byť úplne jasné každému,
kto má aspoň polovicu mozgu. Tí dvaja boli zjavne posadnutí je-
den druhým a zdalo sa, že dočista prišli o zdravý rozum. „A vedia
rodičia, kde ste?"

„Nie! A ani to nechceme. Vedia, že sme v poriadku a v bezpečí,
ale to je všetko. Mamino číslo som si v telefóne zablokovala. Len
by sa nás zase snažili rozdeliť. A to neznesiem. Okrem toho mi
povedala, že už so mnou nikdy neprehovorí, ak si zoberiem Jima."

„Som si istá, že to tak nemyslela," upokojovala ju Izzy.

Jeanette odhodlane zovrela pery a vzdorovito pokrčila plecami.

„Vzali sme sa v deň Jeanettiných osemnástych narodenín," do-
dal Jim, akoby to všetko vysvetľovalo.

„Ach, mladá láska." Xanthe sa na mladý pár usmiala. „Mala
som ešte len osemnásť, keď som si zobrala Izzinho otca. Bohužiaľ,
zomrel, keď som mala dvadsaťtri rokov, ale bola to láska môjho
života."

„Hm," precedila Izzy, sklonila hlavu a čítala si svoje poznámky.
Umrel, keď mal dvadsaťtri rokov, pretože bol ešte dieťa a prete-
kal na traktore, preboha. Podľa toho, čo hovorila babička, Izzy

pochybovala, že by tí dvaja zostali spolu. Jej matka bola stále v mnohých ohľadoch skôr ako batoľa, stále hľadala okamžité sebauspokojenie. V porovnaní s ňou vyzerali Jim a Jeanette ako celkom vyrovnaný pár a zjavne boli oddaní jeden druhému.

„Takže?" spýtala sa Xanthe s vytiahnutým obočím a štuchla do Izzy lakťom.

Izzy si povzdychla. Nemala rada, keď ju niekto zahnal do kúta, ale vzhľadom na množstvo práce, ktorú bolo potrebné urobiť do Vianoc, budú dva páry rúk navyše skutočne bonus.

„Nemôžem si dovoliť platiť vám veľa."

„To je v poriadku. Čo takto ubytovanie a strava zadarmo výmenou za prácu v dome?" navrhol Jim.

Izzy si zahryzla do pery. Znelo to až príliš dobre na to, aby to bola pravda, a navyše by to bolo zneužitie situácie, ako ju upozornilo svedomie. Tí dvaja by nikdy nezískali nezávislosť, keby nezačali zarábať.

„A odporúčanie," dodala Jeanette. „S tým budeme môcť získať ďalšiu prácu."

„Áno," prikývol Jim. „Vidíte, bude to dobré pre všetkých."

„Čo keby sme to najskôr skúsili len na týždeň?" skonštatovala Izzy. „Aby sme zistili, či to bude fungovať. A ja vám zaplatím nejakú malú sumu."

„Dohodnuté," vyhlásil Jim a zdvihol hrnček s kávou ako pri prípitku. „Nebudete to ľutovať, sľubujeme."

Izzy v to dúfala. Zdalo sa, že obyvatelia domu pribúdajú znepokojivou rýchlosťou.

7. kapitola

„Zásielka pre Izzy McBrideovú," vyhŕkla o týždeň a pol neskôr žena stojaca na prahu s veľkou, dobre zalepenou škatuľou a niekoľkými balíčkami. „Niekto tu nakupoval cez internet. Musíte mi to podpísať. Ste to vy? Mám vám ich odniesť dovnútra? Mimochodom, som McPhersonová z pošty. V poslednom čase je tých škatúľ celkom dosť."

Skutočne? Izzy si to ani neuvedomila, pravdepodobne preto, lebo Xanthe bola v preberaní pošty veľmi dobrá.

„Dobrý deň," pozdravila Izzy. „Ja som Izzy McBrideová. Bola som odcestovaná."

„Aha, nová majiteľka," rýchlo ju zhodnotila pohľadom. „Počula som, že ste mladá." Znelo to, akoby tomu uverila. „Robíte tu z toho hotel, však?" Nakukla na chodbu. „Farba?"

„Áno," usmiala sa Izzy nad tou nehoráznou zvedavosťou. „Objednala ju moja matka. Ani neviem, pre akú farbu sa rozhodla."

„Mám vám to odniesť dnu? *Farrow and Ball.* To je dosť nóbl. Sama som vždy dávala prednosť *Duluxu.*"

„Áno, prosím. Je to od vás veľmi láskavé." Izzy pobavene ustúpila nabok a pustila ju dovnútra.

„Vôbec ma to neobťažuje." Vošla do domu a dobre sa rozhliadla po chodbe. „Kam to chcete? Mám to odniesť do kuchyne?"

„Ehm… áno," odvetila prekvapene, ale žena sa už vydala správnym smerom.

„To je v poriadku. Viem, kde to je. Zvykla som sa tu na chvíľu zastaviť a dať si s Billom šálku čaju, kým ešte žil."

Lakťom si otvorila dvere do vyhriatej kuchyne plnej domáckej vône čerstvého chleba, položila škatuľu na stôl, pričom sa so súhlasným pokyvovaním rozhliadla po miestnosti. „Nič ste tu nezmenili. Niečo tu krásne vonia. Piekli ste? Už je dávno po raňajkách."

„Nie, tu som ešte nič nezmenila," odpovedala Izzy. „Môžem vás ponúknuť šálkou čaju?" Pozrela sa na hodiny. Duncan, pre ktorého bol zvyk železná košeľa, sa mal každú chvíľu objaviť, aby si vyzdvihol svoj ranný nápoj.

„*Aye*, dievča." Uznanlivo sa usmiala. „Myslela som si, že sa nikdy nespýtate. A dobre by mi padol aj kúsok hrianky. Ten chlieb vyzerá skvele, piekli ste ho sama?"

„Áno." Na dnešnú várku bola celkom pyšná, ale zúfalo chcela experimentovať. Na kurze v Írsku sa dozvedela niečo o základoch pečenia chleba a o reakciách rôznych múk, čo ju fascinovalo. Rýchlo sa so zaľúbením pozrela na malý zavárací pohár s kváskom, ktorý si priviezla domov a ktorý pomenovala McBride junior.

„Mám v pláne skúšať aj rôzne ďalšie recepty."

„Vo farmárskom obchode predávajú dobrú múku z miestneho mlyna za kopcom. Mali by ste ju skúsiť. Už ste tam niekedy boli?"

„Ešte nie. Musím tam zájsť."

Bola trochu lenivá a spoliehala sa na veľký nákup v najbližšom supermarkete vo Fort Williame, aj keď to bolo v úplnom rozpore s tým, čo sa v Írsku naučila o získavaní a používaní miestnych potravín, ale jednoducho nemala čas. Zatiaľ čo dávala variť vodu a krájala čerstvý chlieb, vnímala nenápadný výsluch pani McPhersonovej týkajúci sa jej plánov s hradom a premýšľala, či stihne do večera informovať celú dedinu.

„Vráťme sa k tej farbe... Čo presne maľujete?" spýtala sa s nehoráznou zvedavosťou.

Izzy sa na ňu pozrela a rozhodla sa, že ju trochu podpichne. „Vážne to chcete vedieť?" opýtala sa sugestívne.

„Áno," vyvalila oči. „Neplánujete tu z toho urobiť niečo ako vykričaný dom, všakže?"

Izzy sa z plného hrdla rozosmiala. „Nie, nič také zaujímavé. Ranný salónik."

„Nuž, Bill tu svojho času usporadúval dosť divoké večierky." Nesúhlasne našpúlila pery, scvrknuté ako vysušená slivka. „Viem, že niektoré izby zažili už všeličo. Bill bol na ženy, aj keď sa nikdy neoženil. To asi viete."

„Aby som bola úprimná, vlastne toho o ňom veľa neviem. Bol to brat môjho dedka, takže môj prastrýko. Stretla som ho len párkrát a vždy bol veľmi slušný."

„Hm, koluje o ňom niekoľko povestí. Bol to však celkom dobrý človek. Aj keď mal vždy rád večierky."

„Kto usporadúva večierky?" zaujímalo Xanthe, ktorá do dnešného dňa vplávala vo veselej červenej baretke, modro-bielom pruhovanom tričku a bielych *culottes* so širokými nohavicami. „Milujem večierky. Dobrý deň, pani McPhersonová. Varíš si čaj, Izzy? Dala by som si šálku, celé ráno som sa nezastavila."

„Dobré ráno, pani McBrideová," odvetila pani McPhersonová mrazivým tónom. „Ako sa máte?"

„Mám veľa práce. Príšerne veľa práce! Neviem, kam skočiť skôr. To je moja farba? Pozri sa, Izzy, dorazila farba."

„Vážne?" podpichla ju Izzy a vyvalila oči na balíček, zatiaľ čo horúcou vodou zalievala vrecúška s čajom v kanvici, ktorú sa rozhodla použiť na počesť tak trochu upätého správania sa pani McPhersonovej.

„Mladý Ronald Braid by sa mohol vrátiť a ešte niečo vymaľovať, keby ste potrebovali," navrhla pani McPhersonová. „Predpokladám, že to tu budete potrebovať trochu vyzdobiť. Chcete, aby som sa za vás prihovorila a zistila, či má čas?"

„To je od vás veľmi milé, ale urobím to sama."

Izzy si všimla, ako Xanthe zľahka zvraštila pery.

Pani McPhersonová uprela na Izzy úprimný hodnotiaci pohľad. „*Aye*, vidím, že to zvládnete. Vás len tak vietor neodfúkne."

Xanthe sa zvonivo rozosmiala. „Je po otcovej rodine."

„Nie, to neodfúkne," súhlasila Izzy vážne a pomyslela si, že je to skôr praktický pohľad na jej meter osemdesiat vysokú robustnú postavu než urážka. „No pomôže mi aj zopár známych."

„Vážne? Kto?" Pani McPhersonová znela, že je dosť vyvedená z miery.

„Párik, ktorý tu na okolí táboril."

„Tamtí dvaja? Už sa tu nejaký čas potĺkajú. Sú mi veľmi podozriví." Zamračila sa. „Divné ročné obdobie na kempovanie." Jej výraz naznačoval, že očakáva, že jej Izzy prezradí viac, ale Izzy mala pocit, že ju do toho nič nie je. Nastalo odmerané ticho, než druhá žena uznala porážku a spýtala sa: „A čo jedlo? Budete zháňať kuchára?"

„Nie, variť budem ja."

„Budete mať poriadne veľa práce. Samá práca a žiadna zábava. Budete z toho zúfalá. Mali by ste zájsť do dediny. V piatok sa tam koná zábava, *ceilidh*."

„Zábava!" Xanthe zatlieskala. „Musíme ísť. Milujem ten tanec Dashing White Sergeant." Obscénne sa zachichotala a s rukami nad hlavou začala poskakovať po kuchyni a kopať nohami. Izzy sa rozhodla nezmieňovať o tom, že predvádza skôr tanec Highland Fling. „Vieš, že by som sa rada naučila hrať na gajdách?"

Izzy sa striasla a pani McPhersonová poznamenala: „Môj syn má gajdy, ale na zábave na nich hrať nebude, pretože bude robiť vyvolávača."

Izzy ju prevŕtala pohľadom. Znelo to ako príšerný nápad, ale tá žena už so zlomyseľným úškľabkom pokračovala: „Pokojne si ich vyskúšajte."

Panebože, na ten prípadný hurhaj nechcela pomyslieť ani vo sne. To by ich súčasného hosťa určite vyhnalo. On sám bol veľmi tichý a v posledných dňoch ho sotva zahliadla.

„Bude tam niekoľko mladých." Pani McPhersonová povzbudivo kývla na Izzy. „Koľko máte rokov? Tak dvadsaťdeväť? Máte nejakého mládenca?" Oči sa jej zrazu rozžiarili ako koráliky a Izzy musela nad tým nápadným vyšetrovaním potlačiť úsmev.

„Nie, momentálne nie."

Pozornosť jej mamy našťastie odviedla nová farba a práve útočila na škatuľu úplne novým nožom na zeleninu.

„To je vážne škoda, ale nerobte si starosti. Máme tu naokolo veľa skvelých mladých mužov. Také pekné dievča ako vy spôsobí, že budú okolo vás bzučať ako čmeliaky medzi vresom."

„Ďakujem," zamumlala. Nájsť si muža bolo teraz to posledné, čo mala v pláne.

„Premýšľali ste o dodávateľoch? Mali by ste si pohovoriť s Johnom Stewartom dole vo farmárskom obchode. Je to pekný muž."

„Ako som povedala, chcela som tam zájsť od chvíle, keď som prišla." Izzy ignorovala, ako na ňu pani McPhersonová neustále civie. Tušila, že do večera sa správa o tom, že je slobodná, roznesie po celej dedine. „Keď budeme mať hostí, mám v pláne navrhovať sezónne menu a použiť miestne suroviny. Keby mohol pomôcť, bolo by to skvelé."

„Máme tu vynikajúce miestne potraviny. John Stewart vám určite vyjde v ústrety. A nezabudnite na whisky, *uisge beatha*, vodu života. Tú budete pre svojich hostí tiež určite chcieť. Pokiaľ máte záujem, môžem vám zaistiť slušnú zľavu na debničku. Na pošte mám na sklade jemný rad vresového mydla. To bude to pravé pre vašich hostí. Prinesiem vám nejaké na vyskúšanie.“

„Vďaka,“ vyhŕkla Izzy. „O takých veciach som ešte nepremýšľala a mám obmedzený rozpočet.“

„Takže ste nenašli tie zafíry?“ Pani McPhersonová stisla pery, akoby išlo o informáciu, ktorú nechcela pustiť, ale cítila, že je to jej povinnosť.

„Prepáčte?“

Xanthe s rachotom pustila nôž. „Zafíry? Tak to znie zaujímavo.“

„Zafíry lady Isabelly,“ vysvetlila pani McPhersonová a stíšila hlas, aby si dodala zdanie vierohodnosti. „Takže ste ten príbeh nepočuli? Starý Bill vždy hovoril, že vie, kde sú, ale že sa ukážu, až to bude potrebné. Starý blázon.“

Izzy zavrtela hlavou a premýšľala, či to nie je len miestny folklór.

„Legenda vraví, že keď sa jej jasnosť v roku 1724 vydala za *lairda*, teda statkára, dostala ako veno vzácne zafíry, ale keď statkár zomrel, nepriateľský klan vtrhol na hrad, aby Isabellu vydal za svojho statkára. Odmietla prezradiť, kde sú zafíry. A tak pôvodný hrad vypálili, takže Isabella postavila tento a podľa príbehu uložila zafíry na bezpečné miesto. Odvtedy ich nikto nikdy nevidel.“ Rozšírili sa jej zreničky.

„Mali by sme ich nájsť.“ Xanthe sa rozžiarili oči vrúcnym nadšením. „To by vyriešilo všetky naše problémy. Pomysli si, čo by sme mohli urobiť, keby sme na ne natrafili.“

„Vzhľadom na to, že sa celý čas hľadajú, mám podozrenie, že sa buď stratili pri požiari, alebo pokiaľ si ich nechali, pravdepodobne ich predali," upozornila ju Izzy. „Ak vôbec niekedy existovali."

„Pche. Izzy McBrideová, nemáš azda vo svojej duši trochu romantiky?" Matka zavrtela hlavou tak energicky, až pohodila baretkou a tá sa jej zviezla cez jedno oko.

Pani McPhersonová hľadela na ňu vydesene a zároveň fascinovane.

„Alebo ich možno dobre skryli."

„Ach, Maggie, hádam tu nerozprávaš tú starú rozprávku," poznamenal Duncan, keď vošiel zadnými dverami do kuchyne. „Uf, dnes ráno je vonku príšerne sychravo." Zhodil ťažké tvídové sako.

„Tie zafíry ešte nikto nenašiel." Pani McPhersonová sa vystrela.

„Z dobrého dôvodu, ženská," zagúľal Duncan očami. „Neexistujú. Nemyslíš si, že by sa za posledných tristo rokov objavili?"

Xanthe si prekrížila ruky cez prsia a zdvihla bradu s nádychom bojovnosti. „A čo keď existujú?"

„Viem, možno máš pravdu, Duncan." Pani McPhersonová sa s neochotným úsmevom otočila k Izzy. „Ale je to veľkolepý príbeh."

Duncan zavrtel hlavou. „Nevídané, že Maggie McPhersonová prizná, že nevie všetko. Predpokladám, že vieš, že sa hovorí o obrovskej búrke, ktorá by sa mala strhnúť v priebehu nasledujúcich dní."

„Milujem dobrú búrku. Je taká dramatická," vyhlásila Xanthe a pritisla si ruku na hruď. Duncan sa na ňu kyslo pozrel a ignoroval ju. Obrátila sa k Izzy.

„*Aye*, od juhozápadu. Čaká nás niekoľko mokrých nocí," upozornila pani McPhersonová.

Izzy sa automaticky zadívala na strop a znovu sa začala strachovať o strechu.

„Netráp sa, dievča,“ upokojoval ju Duncan. „Mladý Jim vraví, že niečo dokáže opraviť. Keď bude najhoršie, dáme pod to niekoľko vedier.“

Tak toto nie je práve upokojujúce, pomyslela si Izzy a stisla pery medzi zubami, zatiaľ čo im podávala hrnčeky s čajom, z ktorých sa parilo.

„Povedala ti Maggie o tej zábave? Ty a tvoja…“ ukázal hlavou na Xanthe, „… by ste si mali ísť skočiť.“ Xanthe ho zjavne varovala, že si nepraje, aby sa jej hovorilo matka, mamina či mama. „A mohla by si ma hodiť dole do dediny. Je to už dávno, čo som tam nebol. Bude to veľké. Vyzbierané peniaze pôjdu na horskú službu. Kedysi som s nimi chodievala von. Mala by si ísť. Je to na veľmi dobrú vec a aspoň stretneš pár ľudí.“

„To znie dobre. Určite budem o tom premýšľať,“ prikývla Izzy a pri pomyslení na veselú zábavu sa jej rozprúdila krv. Bolo by to rozptýlenie a skvelý spôsob, ako sa zoznámiť s miestnymi ľuďmi, ale skutočne by si na to našla čas? Už len pomyslenie, že by mala opustiť hrad na viac ako niekoľko hodín, v nej vyvolávalo nezvyčajnú úzkosť.

„Mala by si povedať Rossovi, aby šiel tiež. Už týždne nikde nebol. Myslím si, že miestne dievčatá by uvítali trochu novej krvi. A chlapci, samozrejme, tiež,“ žmurkol na ňu.

„Neviem si predstaviť, že by pán *Pokoj a ticho* bol ochotný vybrať sa na akúkoľvek zábavu,“ odvetila Izzy.

„Nie, to by iste nebol.“

Izzy sa otočila a s hrôzou si všimla Rossa stojaceho vo dverách, ktorý dodal: „Má na starosti lepšie veci, napríklad prácu.“

„Bré ráno, chlapče," pozdravil ho Duncan veselo a ignoroval napätie vo vzduchu. „Mali by ste tam zájsť, už týždne ste odtiaľto nevyšli. Trochu tanca a niekoľko drinkov by vám urobilo dobre." Ross mu venoval upätý úsmev. „Budem to mať na pamäti." Podľa jeho prísneho výrazu a napätej reči tela si Izzy bola celkom istá, že tie slová v skutočnosti znamenajú „až naprší a uschne".

„Je to na veľmi dobrú vec," pripomenula pani McPhersonová s rukami zloženými v lone, upätá ako kráľovná Viktória. „Vyberajú peniaze pre horskú službu."

Izzy sa na neho pozrela, ako si nalieva kávu, a na okamih jej napadlo, ako by vyzeral v kilte. A ako vyzerá pod tým veľkým hrubým svetrom? Radšej však tú neúctivú a úplne nevhodnú myšlienku zahnala. *Čo to s ňou, preboha, je?*

* * *

O niekoľko dní neskôr sa Izzy – povzbudená očividnou podporou miestnych obchodníkov zo strany pani McPhersonovej a potrebou začať hľadať miestnych dodávateľov – rozhodla navštíviť farmársky obchod predtým, ako sa popoludní pustí do ďalšieho maľovania. Bolo to len desať minút jazdy, a keď zastavila pred veľkou prestavanou stodolou a zastala na zaplnenom parkovisku, mala z miesta dobrý pocit. V priebehu kuchárskeho kurzu im Adrienne dookola zdôrazňovala dôležitosť kvalitných surovín, a to nielen kvôli ich chuti, ale tiež kvôli podpore udržateľnosti a životného prostredia. Duncan sa síce staral o niekoľko kurčiat, ale časom by Izzy rada viedla malé hospodárstvo, aby si mohla byť istá pôvodom svojich potravín. Jednou z vecí, ktorú chcela urobiť, bolo vysadiť bylinkovú záhradku. Pretože podnebie tu nebolo práve stredomorské, bol to projekt do budúcna, keď si zaobstará skleník, kde by pestovala bazalku, oregano, majorán, ale aj čili papričky, paradajky a papriky. Dovtedy mohla pestovať cibuľu, zemiaky a červenú repu.

„Dobrý deň, môžem vám nejako pomôcť? Potrebujete košík?" Izzy si uvedomila, že sa zasnívala. Vzhliadla a ocitla sa pod starostlivým drobnohľadom. „Vy musíte byť tá nová majiteľka hradu, Billova neter. Vyzeráte oveľa mladšie, než som čakal, aj keď Maggie hovorila, že ste pekné dievča."

„Praneter," opravila ho a usmiala sa nad tým komplimentom. Hovorila si, čo ešte pani McPhersonová narozprávala.

„Tým by sa to vysvetľovalo. Ja som John Stewart." Natiahol k nej veľkú ruku, do ktorej hravo skryl celú jej. Bol zhruba rovnako vysoký ako ona, mal statnú postavu a bojovnú boxerskú bradu spolu so zvedavými očami, ktoré pôsobili dojmom, že im nič neunikne.

„Izzy McBrideová."

„Vitajte v Stewartovom farmárskom obchode. Dopočul som sa, že z hradu robíte luxusný hotel."

Izzy sa usmiala. „Tým luxusom si nie som istá. No určite budeme ponúkať izby na prenájom."

„A hľadáte miestnych dodávateľov." V očiach sa mu zablýskalo. „To je hudba pre moje uši."

„Páni, tunajšie tamtamy sú rýchle."

„Poznáte predsa Maggie McPhersonovú, to je najlepší tamtam... teda hneď po miestnej tlači," usmial sa. „S čím vám môžem pomôcť? Alebo čo keby sme si v kaviarni dali kávu a vy mi poviete, čo potrebujete?"

„To znie dobre," súhlasila Izzy, ohromená jeho priateľským nadšením a zjavným obchodným talentom. Nehodlal si túto príležitosť nechať ujsť.

O niekoľko minút neskôr už sedeli na medziposchodí na vzdialenom konci stodoly s tým najkrajším výhľadom na slnkom zaliate údolie s jazerom v diaľke. Na západe sa tiesnili skalnaté útesy, zatiaľ čo na východe obzor zjemňovali vlniace sa vresoviská posiate papradím.

„To je nádhera," vydýchla Izzy a ukázala rukou na veľké okno, cez ktoré vnikali dnu lúče jesenného slnka.

„Privádza to sem veľa okoloidúcich, ktorí sa tu zastavia na kávu, zákusok a odpočinúť si. No a pri tom vždy radi utratia peniaze v obchode. Chodí k nám veľa peších. Je tu skvelá okružná trasa, začína sa aj končí tu."

„To je šikovné," poznamenala Izzy.

„Veľmi. Dám vám niekoľko máp, ak chcete. Pre vašich hostí."

Izzy sa zasmiala. Zdalo sa, že John Stewart nevynechá žiadnu príležitosť. „A predpokladám, že budem potrebovať aj nejaké letáčiky o vašich oceňovaných marmeládach a domácom údenom lososovi."

Hlasno sa rozosmial.

„Zoberiem si ich, ale len pokiaľ mi dáte nejaké vzorky všetkých tých dobrôt."

„Vy ste ale tvrdá obchodníčka. Áno, dám vám malú ochutnávku. A potom si pohovoríme o možnostiach spolupráce."

O desať minút neskôr pred ňou stál celý rad dobrôt.

„Toto je *tainský čedar, caboc* a toto je *Morangie Brie*. Všetko sa vyrába na farme Highland Fine Cheese v Taine. Toto je jelenie *carpaccio*, tu máme čili z papričiek *Scotch bonnet* a horčicový kečup."

Zatiaľ čo Izzy postupne ochutnávala, John jej rozprával, odkiaľ jednotlivé potraviny pochádzajú a niečo málo o hodnotách spoločnosti, ktoré ich vyrábajú.

„Je dôležité vedieť, aký má vaše jedlo pôvod," povedal zrazu. Prikývla a usmiala sa na neho.

„Presne tak," súhlasila a začala rozprávať, ako sa zúčastnila na kuchárskom kurze v Írsku a čo sa tam dozvedela o myšlienke *slow food.*

„Sme na rovnakej vlne," podal jej John ruku a energicky potriasol tou jej. „Žena podľa môjho gusta. Už roky hovorím o ekologickom, udržateľnom a pomalom stravovaní. Musíte sa porozprávať s…" A ďalších desať minút odriekaval mená, písal jej kontaktné čísla a e-mailové adresy.

Izzy tak zrazu získala dodávateľa všetkého mäsa, rýb, zeleniny a korenia.

„Myslím si, že sa vám bude dariť. V meste si jeden chlapík otvoril reštauráciu a má luxusné menu, ale pol roka tu nezoženiete ani polovicu surovín, takže všetko dovážajú. Šialenosť, keď má toľko skvelých produktov priamo pod nosom."

„Predpokladám, že v menšom podniku, ako je ten môj, si môžem dovoliť ponúkať sezónne jedlá," uvažovala Izzy diplomaticky. „Nemám v pláne zostavovať celé menu. Pre hostí bude pripravená denná ponuka. Pokiaľ na ňu nebudú mať chuť, môžu ísť inam."

„Výborne. Môžem vám zavolať, keď budem mať niečo špeciálne, napríklad niekoľko králikov alebo tetrova. A Kenny, ten, ktorý sa stará o ryby, urobí to isté, keď sa do siete dostane niečo nečakané." Nastala pauza a potom sa úprimne usmial. „Rád by som ochutnal niečo z vašej kuchyne." V očiach sa mu šibalsky zablýskalo. „Vyzerá to, že ste mali vynikajúcu učiteľku. Milujem skvelé jedlo. Mohli by sme byť celkom dobrí partneri."

Izzy zdvihla obočie. Nebola si istá, či s ňou flirtuje, alebo či sa vášnivo rád venuje zákazníkom. „Nestrácate čas, pán Stewart."

„John. A tu je to nutnosť. Väčšina krásnych dievčat je zadaná."

Keď sa o pol hodiny neskôr zberala na odchod, už si tykali a bola obťažkaná lososom vyúdeným priamo v podniku, dvoma pohárikmi džemu Finlay Sisters od sestier, ktoré podľa všetkého bývali o niekoľko kilometrov ďalej, balením cumberlandských klobás vyrobených na ekologickej farme na druhej strane jazera a vegánskym haggisom.

„Toho haggisu sa snažím zbaviť celé mesiace," usmial sa John veselo, keď ho ukladal navrch do hnedého papierového vrecúška.

„To je od teba naozaj milé," zasmiala sa, keď jej podával plné vrecko.

„Hlúposť," povedal. „Je to dobrý obchod. A..." odmlčal sa a nadvihol obočie, „... možno so mnou pôjdeš na *ceilidh*."

Izzy sa na neho prekvapene zadívala. Skutočne nestrácal čas.

„Ja... nie som si istá, či pôjdem."

„Napriek veľkosti dvanásť," pozrel sa sebakriticky na svoje nohy, „nie som zasa taký zlý tanečník. Môžem ťa predstaviť niekoľkým ľuďom."

Izzy sa na neho usmiala. Ani on nevyzeral zle, s hrivou špinavo svetlých vlasov a s oceľovosivými očami. Rozhodla sa bleskovo.

„Tak dobre." Už dlho nešla na rande, možno toto bol ten nový začiatok, ktorý potrebovala.

Žiarivo sa usmial. „Výborne. Napísal som ti svoje telefónne číslo. Napíš mi a ja napíšem tebe. Ak chceš, prídem ťa vyzdvihnúť."

„Uvidíme. Duncan uvažuje, že pôjde tiež. Možno bude chcieť zviezť," vyhovárala sa trochu Izzy.

„Neprekáža mi pribrať aj Duncana. Veľmi často sa za svojimi starými kamarátmi nedostane."

Izzy zmäklo srdce a usmiala sa na Johna. Páčila sa jej jeho láskavosť.

„Jednoducho zavolaj," usmial sa na ňu, „kedykoľvek budeš chcieť niečo objednať alebo podobne. Vždy rád prídem a doveziem ti to. A možno by sme sa mohli dohovoriť, kedy mi niečo uvaríš."

8. kapitola

Prvý novembrový týždeň

Izzy už dlho nebola na rande a nemohla sa zbaviť nervozity, ktorá ňou prechádzala, zatiaľ čo upratovala kuchyňu.

„Isabela McBrideová, prestaneš sa už konečne motať po tejto kuchyni a pôjdeš sa pripraviť?!" zakričala na ňu Xanthe, keď začala otvárať dvere chladničky.

„Áno, Izzy. My s Jimom to upraceme," ponúkla sa Jeanette.

Izzy odložila utierku a usmiala sa na matku, Duncana, Jima a Jeanette, dojedajúcich pri kuchynskom stole voňavý rybací koláč pripravený z miestnej údenej tresky, ktorej údenie prepožičalo výraznú, šafranovožltú farbu. Jeanette a Jim sa rozhodli, že sa zo zábavy vykrútia a pôjdu landroverom do Fort Williamu do kina.

„Mám kopu času," namietla Izzy. S Johnom sa dohodli, že ju vyzdvihne o siedmej. Sama pre seba sa na tom zasmiala – dalo sa tomu vôbec hovoriť rande, keď sa matka a Duncan nechajú tiež odviezť?

„Tak už bežte." Jim vstal. „Inak vás tam odnesú."

Usmiala sa, aj keď sa jej trochu zatočila hlava, a tak radšej zdvihla ruky. „Dobre, dobre, už idem."

Hore vo svojej izbe sa rýchlo osprchovala a umyla si vlasy, pričom sa na seba zadívala do zrkadla. Keby bola praktická, vyčesala by si ich, ale márnivosť jej diktovala niečo iné. Ak bola na niečo pyšná, tak na svoje gaštanové kučery, a preto si vlasy chvíľu fénovala do mäkkých, nežných vĺn. Obvykle ich nechávala uschnúť prirodzene, stiahnuté do chvosta.

Na maľovanie si nepotrpela, ale dnes večer chcela urobiť dobrý dojem. Veľkým hrubým štetcom si poprášila líca bronzovým púdrom a pridala trochu rozjasňovača, aby zvýraznila lícne kosti. Vybrala si neutrálne farby očných tieňov, ktoré zdôraznili tvar zelených očí, a dymovozelené očné linky, ktoré ich zľahka zvýraznili. Keď si trochu roztrasenou rukou nanášala maskaru, usmiala sa na seba, potešená svojou premenou. Aspoň raz vyzerala pekne a žensky. Xanthe by jej to schválila. Mala pocit, že by sa to mohlo páčiť aj Johnovi Stewartovi, pokiaľ si správne všimla jeho ľahké koketovanie. Dodalo jej to toľko potrebnú vzpruhu po tom, čo ju Philip tak dlho považoval za samozrejmosť. Vďaka Johnovi sa znova cítila príťažlivá.

Hoci sa rozhodla obliecť si šaty s volánikmi a odhalenými plecami – na zábave môže byť veľmi teplo –, aj tak si zobrala svoje verné conversky, pretože zo skúsenosti vedela, že sa dosť nabehá. Niektorí ľudia dokážu partnerku poriadne prehnať. Naposledy sa pozrela do zrkadla a súhlasne prikývla. Sýtozelená sukňa sa k jej farebnému topu dokonale hodila.

Keď zišla dole, polhodinu predtým, než mal prísť John, zamierila radšej do obývačky než do kuchyne. Vedela, že je trochu nervózna, a ako sa poznala, našla by si niečo na prácu a nakoniec by si ešte oprskala šaty a zničila mejkap.

Niekto, pravdepodobne Xanthe, rozsvietil v izbe lampy a miestnosť vyžarovala nádych lásky a starostlivosti, ktorej sa jej nedávno dostalo. Jej matka skutočne odviedla skvelú prácu.

Izzy vstúpila do miestnosti s úmyslom vziať si nejakú knihu, ale potom si uvedomila, že niekto sedí v jednom z kresiel pri ohni, ktorý slabo plápolal v kozube.

„Ross, nevšimla som si vás."

„Ach," povedal a pomaly sa postavil. Jeho hlas bol tichý a pôsobil trochu zmätene či bezradne. Nedokázala poriadne pochopiť výraz jeho očí – bola v nich neha, ktorú tam nikdy predtým nevidela.

„Vyzeráte..." Videla, ako prehltol, a nevypovedaná veta zostala visieť vo vzduchu. Čakala, kedy ju dokončí, a hľadela mu do tváre. V hrudi jej čosi podivne prekypovalo.

Ešte stále sa na ňu díval, ale potom sa zarazil, akoby sa prebral, a dopovedal: „Veľmi vám to pristane, McBrideová."

Zamykalo jej kútikmi pier. Znelo to, akoby sa do toho komplimentu nútil. „Ďakujem."

Prikývol a rozpačito prestúpil z nohy na nohu. „O koľkej vyrážate?"

„O siedmej."

„Dúfam, že si to užijete." Chystal sa urobiť krok a Izzy zrazu nechcela, aby odišiel, keď sa pozeral na ňu takto.

„Už ste jedli?" spýtala sa.

„Ešte nie. Práve som sa chystal."

„Upiekla som koláč z údenej tresky. Je ho ešte dosť, zoberte si, ak chcete."

Teraz pobavene zamykalo kútikmi pier jemu. Hovorila, len aby niečo povedala. Vždy bolo dosť aj pre neho. Každý večer mu nechávala porciu.

*Veľmi sa ospravedlňujem, Izzy. Niečo mi do toho prišlo, dnes
večer to nestihnem. Čo keby som ťa zajtra pozval na večeru,
aby som ti to vynahradil?*

John

Dočerta. Uprela zrak na Duncanovu červenú tvár. V očakávaní slávnostného večera mal už na sebe kilt a Xanthe sa chystala celé popoludnie.

„Zmena plánu, priatelia. John to musel zrušiť." Obaja sa tvárili sklamane. Nasadila statočný úsmev. Tak nejako nepredpokladala, že by to zlepšil návrh na večerné scrabble alebo kartovú hru, ale ísť na zábavu s matkou a postarším Škótom, bez ohľadu na to, aký bol roztomilý, ju príliš nelákalo. Teraz, keď o tú možnosť prišla, si uvedomila, ako veľmi sa na tento večer tešila.

Duncan stisol pery do nezvyčajne rovnej linky a sedel na stoličke vzpriamene, akoby prehltol pravítko. Izzy sa zmocnil pocit viny. Tak veľmi sa na ten večer tešil. Zachytila Rossov pohľad a nedokázala povedať, či vidí v jeho výraze nesúhlas, alebo súcit. V každom prípade sa teraz cítila ešte horšie, že Duncana sklamala.

„Viete čo?" nadniesla prehnane rozjarene. „Odveziem nás tam. Vyrazíme o desať minút. Potrebujem si len odskočiť na záchod." Rýchlo odišla, aby nedala najavo smútok.

Bežala po schodoch a preklínala sa. Blázon. Vážne sa na to rande tešila. Johnovo flirtovanie a pozornosť v tom obchode boli vítaným povzbudením. Od rozchodu s Philipom sa randeniu vyhýbala, toto bolo prvý raz, čo si niekoho pustila k telu, a čo sa nestalo? Zrušil schôdzku na poslednú chvíľu, čo bol Philipov obľúbený spôsob správania sa. Nemohla Duncana sklamať. Ani svoju matku. Xanthe celý deň tancovala po dome a rozhadzovala rukami tak, že takmer rozbila niekoľko ozdôb.

* * *

Keď sa o desať minút neskôr vrátila do kuchyne, so zaťatými zubmi a s rukami zovretými do pästí, ktoré zvierala a zasa povoľovala, nikto tam nebol. Na okamih dúfala, že si Xanthe aj Duncan odchod rozmysleli. Zvuk za chrbtom ju však primäl otočiť sa.

Z líc jej vyprchala všetka krv.

„Ro-Ross," podarilo sa jej vykoktať. Civela na neho, pretože... nebolo kam inam sa pozrieť. Svoj obvyklý hrubý sveter vymenil za čierne tričko, ktoré mu obopínalo hruď a neponechávalo vôbec nič na fantáziu. Niekto na neho mohol rovno nakresliť šípky – brušné svaly tu, prsné svaly tu a deltové tu. Navyše mal na sebe kilt! Páni, v kilte vyzeral tak sexi. Náhle chvenie v podbrušku ju prinútilo uvedomiť si, že všetky jej nervové zakončenia sa dostali do stavu pozornosti. Intenzívne ho vnímala a jej telo reagovalo úplne nevhodným spôsobom. Mala pocit, že sa jej jazyk prilepil na podnebie ako v nejakom kreslenom filme.

„Povedal som si, že by som vás odprevadil na ten *ceilidh*," povedal tichým hlasom, ktorý u nej vyvolal chvenie v hrudi.

„Ja... myslela som si, že ste prišli kvôli tomu, aby ste tu našli pokoj," vyhŕkla, ešte stále ohromená pohľadom na neho.

„Nie je to veľmi príjemné, keď vám dajú košom," odvetil. „Myslel som si, že by ste mohli chcieť morálnu podporu."

„Veru, nie je to príjemné," súhlasila potichu, pretože ešte stále nemohla uveriť vlastným očiam. „Je to od vás veľmi milé."

„Nemohol som sa pozerať na Duncanovo sklamanie," usmial sa na ňu prívetivo. „Ani vy ste to nedokázali. Tak som sa rozhodol, že keď sa dokážete pochlapiť vy, tak ja tiež."

Pozrela sa na neho, prekvapená jeho vnímavým postrehom. Bola dojatá. Až do tej chvíle nikdy poriadne nerozumela pojmu

„rozplývať sa nad niečím". Napriek jeho slovám vedela, že jej zároveň pomáha zachovať si tvár.

„Tešil sa na to," súhlasila.

„A vy tiež."

„Ďakujem." Pristúpila k nemu a letmo ho pobozkala na hladkú tvár. „Ste veľmi milý muž, Ross Strathallan."

Usmial sa na ňu. „Nieže to všetkým poviete."

Znovu. Znovu povedal niečo, pri čom sa rozžiaril. Zdvihla plecia a obozretne nimi pokrčila, nechcela si priznať, ako veľmi ju bolelo, že dostala košom. Nie preto, lebo by mala Johna nejako zvlášť rada, ale už len to, že zrušil rande na poslednú chvíľu, vyvolávalo príliš veľa spomienok. Zdalo sa, že si to Ross všimol, ale podľa všetkého bol príliš láskavý, než aby na to upozorňoval.

„Poďme, zavoláme ostatných, než si to pán *Pokoj a ticho* ešte rozmyslí," usmial sa. „Mám šoférovať?"

*   *   *

Hneď ako sa priblížili k Ballachulish Village Hall, začuli strhujúce tóny akordeónu a huslí. Xanthe, ktorá si cez objemné taftové šaty prehodila tartanový šál v štýle Flory MacDonaldovej, začala tancovať už po ceste k vchodovým dverám. Duncanovi sa vedľa nej rozžiarila tvár od očakávania, vďaka čomu Izzy dvojnásobne potešilo, že sú tu. „Už dlho som nešla na *ceilidh*," povedala a trela si ruky.

Izzy sa pozrela na Rossa, ktorý toho stále veľa nenahovoril. Pekne sa nastrojil. Bol až príliš pekný. Prehltla a v ústach jej trochu vyschlo, keď sledovala, ako sa mu ťažké záhyby kiltu roztvárajú a odhaľujú silné, svalnaté nohy pokryté hebkými tmavými chĺpkami, zatiaľ čo kráčal vedľa nej. *Kto by to bol čakal, že dobre vypracované lýtka môžu byť také sexi?*

„Prišli ste," skonštatovala pani McPhersonová, ktorá pri dverách vyberala vstupné.

„*Aye,*" prikývol Duncan a Xanthe sa do neho zavesila a pretiahla ho cez dvere, pričom nechala Izzy, aby vybavila platenie.

„Rada vás tu vidím, slečna McBrideová, a vás tiež, profesor Strathallan. Veľmi vám to spolu pristane," pokývala spokojne hlavou, takmer akoby to zorganizovala ona.

„Vďaka, pani McPhersonová," odvetil Ross okúzľujúcim sladkým hlasom, akoby im zložila ten najväčší kompliment namiesto toho, že ich mylne označila za pár.

Izzy, ohromená jeho vyrovnanosťou, sa na neho vďačne usmiala, zatiaľ čo zamierili do hlavnej sály, kde už tancoval asi tucet párov.

Duncan sedel pri bare, zatiaľ čo Xanthe sledovala tanečníkov a podupávala nohou, nadšene výskala a tlieskala do rytmu hudby, čím priťahovala nemálo zvedavých pohľadov. *Možno je to tým klobúkom,* pomyslela si Izzy a zaškerila sa. Bola to modrá zamatová vecička, maličký klobúčik posadený na žiarivo červených kaderách.

„To je ale zábava!" zvolala, keď sa k nej priblížila Izzy. „Tak dlho som nikde nebola."

„Dáš si niečo na pitie?" spýtala sa Izzy so zhovievavým úsmevom. Bola celkom zvyknutá, že na seba Xanthe strháva pozornosť, hoci jej matka zakaždým vyzerala, že si to nevšíma.

„Nie, miláčik. Chcem tancovať." Rozhliadla sa po miestnosti a zadívala sa na Duncana, ktorý sa viditeľne stiahol, akoby sa snažil splynúť s barom. No nebolo mu to nič platné.

„Duncan!" zavolala svojím piskľavým hlasom, za ktorým sa okamžite otočili všetky hlavy ako strelky kompasu k severu. „Poď si zatancovať." Predrala sa skupinkou mužov okolo nej.

Izzy videla, ako sklonil hlavu. Našťastie jeden z jeho odvážnejších kamarátov vykročil dopredu a galantne jej ponúkol plece, takže na neho Xanthe začala vrnieť.

Izzy si povzdychla a vyslala Duncanovým smerom úsmev. Ten sa zamračil, otočil sa k svojmu pivu a poriadne sa napil, zjavne vďačný za záchranu.

Cítila vedľa seba Rossovu prítomnosť. „Vie ten chudák, do čoho ide?" zamumlal a sledoval, ako Xanthe toho muža ťahá ku skupinke tanečníkov, ktorí čakali na ďalšiu pieseň. Medzitým vyvolávač, syn pani McPhersonovej, ako si Izzy vybavovala, odložil svoj nápoj, vystúpil s troma hudobníkmi na provizórne pódium a začal vydávať pokyny na skúšobné kolo.

„Pravú ruku na plece dámy, ľavú pred seba." Väčšina ľudí presne vedela, čo tým myslí, a zaujala pozíciu. „Štyri kroky vpred a potom sa otočte tak, aby pánova ruka bola na ľavom pleci dámy a pravá vpredu. Presne tak, máte to. Potom štyri kroky dozadu."

Vyvolávač previedol tanečníkov zostavou a potom začala hrať hudba.

Xanthe s nehorázne hlasitým výskotom vyštartovala, okamžite sa obrátila na zlú stranu a v plnej rýchlosti vrazila do iného páru. Búrlivo sa zasmiala, zaškerila sa na svojho partnera, zatancovala niekoľko krokov na mieste a pohmkávala si pre seba. Jej partner ju s mierne zmäteným úsmevom na tvári natočil správnym smerom. Páry sa rozdelili a každý išiel opačným smerom v kruhu tak, aby sa míňal s partnermi. Bol to obyčajný krok s poskokom, ale Xanthe zasa rozhadzovala ruky do vzduchu, akoby predvádzala sólový tanec Highland Fling.

Izzy zagúľala očami a zašepkala: „Panebože."

„Tá sa rozhodne vie baviť," prekvapil ju Ross. Obvykle sa zo všetkých síl snažil Xanthe vyhnúť.

„A vy sa viete baviť?" spýtala sa v náhlom prívale šibalstva.

Vyzeral trochu zaskočene. „Samozrejme, že sa viem baviť."

„Už ste veľakrát tancovali na *ceilidh*?" Rýchlo sa na neho usmiala. „Alebo ste skôr ten typ, ktorý sa musí stále pozerať pod nohy?"

„Naznačujete, že sa musím sústrediť na kroky?" Keď sa na ňu zahľadel, v očiach mal náznak pobavenia. „Skutočne?"

Povýšenecky zdvihla obočie. „Dívate sa na trojnásobnú víťazku majstrovstiev nášho grófstva v country tancoch do šestnástich, sedemnástich a osemnástich rokov."

„Pôsobivé." Hudba stíchla.

„Dámy a páni, zadajte sa."

„To je náš signál," postrčil ju Ross, a keď vstúpili na parket, zašepkal jej do ucha: „Keď som ukončil školu, bol som vyhlásený za tanečníka, u ktorého je najväčšia pravdepodobnosť, že zlomí partnerke členok."

Izzy vyprskla do smiechu. „A to mi vravíte až teraz."

„Nepýtali ste sa." Okolo očí sa mu vytvorili vejáriky vrások, ktoré spôsobili, že sa jej v bruchu rozleteli motýle.

„Tak, priatelia, pustíme sa do tradičného tanca Gay Gordons. A varujem vás, bude to rýchle. Nech si svoje drinky zaslúžite."

Všetci v miestnosti sa rozosmiali, začala hrať hudba a tanečníci zaujali svoje pozície.

„Pripravená?" spýtal sa Ross a jednu ruku jej položil okolo pliec a druhú natiahol pred seba. Narovnala sa a snažila sa nezaoberať teplom jeho ruky, ktorá držala tú jej, ani blízkosťou jeho veľkého, mocného tela.

„*Aye,*" uistila ho. Kroky poznala dobre, ale pri častých otočkách a zmenách smeru vždy dochádzalo ku kolíziám, keď sa niekto zabudol včas otočiť. Prvá séria krokov bola pomerne slušná a Ross bol oveľa lepší, než tvrdil. Mal ľahký krok a bol zbehlý v pohyboch.

„Vy ste to už niekedy robili," podpichla ho Izzy, zatiaľ čo sa otáčali v dokonalej súhre a po štyroch krokoch dopredu sa znova otočili.

„Odkedy som odišiel zo školy, veľmi som netrénoval a s dievčatami som toho veľa nenahovoril." Pri tých slovách sa mu zablýskalo v očiach. Izzy sa nechcelo veriť, že by sa niekedy hanbil pred dievčatami. Pôsobil tak sebaisto a sebavedome. V puberte bola neochvejne nezávislá a medzi svojimi vrstovníkmi trochu zjavenie, pretože mala oveľa väčšiu slobodu než ktokoľvek z nich a na všetkých urobilo dojem, že oslovuje mamu menom. Radi chodili k nej domov, pretože tam nevládli ani pravidlá, ani rutina. Pripadalo im to ako dokonalá výchova. Izzy vedela, že to tak nie je, ale niežeby to niekedy dávala najavo. Celkom si užívala povesť dievčaťa, ktoré si môže robiť, čo chce.

Otočila sa mu pod rukou a zrazu bola nervózna z ďalšieho kroku, keď sa ocitnú zoči-voči v tesnom objatí. Srdce jej poskočilo, keď plynule nastúpili do figúry. Rossova ruka ju objímala okolo pása, druhou ju držal za ruku a ona sa snažila nestuhnúť a udržiavať očný kontakt a milý úsmev. Bolo také ťažké byť takto blízko, zatiaľ čo všetky jej zmysly sa dožadovali dotyku jeho prstov, ľahkej vône mužského pižma a pohľadu na hladkú pokožku nad jeho čeľusťou. Nechávala svoj pohľad blúdiť po jeho tvári. *Nepozeraj sa mu na pery. Nepozeraj sa mu na pery,* opakovala si v duchu. Potom sa milosrdne vrátili do postavenia bok po boku a zostava krokov sa začala od začiatku. Uvoľnila sa a vydýchla. Toto zvládne. Je to len tanec. Milovala tanec.

Preskákali po parkete ďalšie kolo a tempo huslí sa zrýchlilo. Harmonikárove prsty sa rozleteli po klávesoch. Kroky duneli na prešliapaných drevených parketách. Tanečné kroky boli čoraz rýchlejšie. Izzy poskakovala, takmer bez dychu. Ross zvieral jej ruku vo svojej. Otáčal ju okolo seba a ťažké záhyby jeho kiltu sa jej obtierali o nohy. Zasa sa k sebe pritisli. Tancovali v divokom tempe. Ich oči sa stretli. Boli tu iba oni dvaja, vírili parketom. Líca im sčervenali. Všetko ostatné bolo rozmazané, len Ross nie. Tie modré oči, ktoré sa vpíjali do jej. Srdce v hrudi jej búšilo, pozrela sa na jeho pery. Zareagovali pohybom a držanie na jej chrbte zosilnelo. Ani jeden neprehovoril.

Potom sa zasa rozdelili, bok po boku, a Izzy sa na neho neodvažovala ani pozrieť. V hrudi jej rezonoval tlkot jej srdca, zatiaľ čo sa pokúšala lapiť dych. Bola to takmer úľava, keď sa vrátila do jeho náruče a jeho modré oči sa opäť zadívali do jej, vážne a pozorné, ale sprevádzané tým ľahkým úsmevom. Nenapadlo jej, že by to medzi nimi iskrilo. Napriek rýchlosti tanca hľadeli na seba pokojne a vyrovnane a bolo to to najerotickejšie, čo Izzy kedy cítila. Jeho prsty tisli tie jej, jeho ruka jej pevne spočívala na chrbte, akoby ju k sebe pútal.

Bol to šok, keď hudba konečne prestala hrať a doľahol na ňu zvyšok sveta.

Otvorila ústa, ale nenašla slová. Zdalo sa, že aj on stratil reč. Chvíľu tam iba stáli a dívali sa jeden na druhého.

„To je ale zábava! A vy ste nádherný pár!" zajačala Xanthe, ktorá ju prišla objať. „Obaja ste dobrí tanečníci. Zvlášť vy, Ross! Kto by si to bol pomyslel, že budete mať taký ľahký krok. Veľký chlap ako vy. A videli ste Gregoryho? Páni, to je teda tanečník. Som celkom unavená. Asi sa potrebujem napiť."

Ross stisol čeľusť a obrátil sa k nej. „Dáte si niečo na pitie, Xanthe?"

Rozžiarila sa. „Už som si myslela, že sa nikdy nespýtate."

Izzy zavrtela hlavou nad tým, ako matka bezstarostne predpokladala, že by za ňu Ross mal platiť nápoj, a nad náhlym chladom na jeho tvári. „Vieš predsa, že je dvadsiate prvé storočie a ženy si vedia kúpiť nápoj aj samy." Dotkla sa Rossovej ruky.

„Niečo vám donesiem."

S okúzľujúcim úsmevom, ktorý bol v úplnom rozpore s jeho predchádzajúcim výrazom, povedal: „Bude mi potešením. Sám by som sa po tom…" nastala nekonečne dlhá pauza, „… vzrušení potreboval napiť." Ich oči sa znova stretli a jeho tvár zmäkla.

„Dám si gin s tonikom a nech ho neutopia v toniku."

„Izzy?"

„Ja by som si dala River Leven Pilsner. John mi o ňom rozprával, keď som bola v obchode na farme."

Zdalo sa jej to, alebo Ross pri vyslovení Johnovho mena zľahka privrel oči?

„River Leven je minipivovar, varia tam skvelé pivo," vysvetlila. „Mám v pláne objednať nejaké ich fľaškové pivo pre hostí."

„Výborne, mám rád dobré pivo."

„Dúfam, že má v *sporrane* peňaženku," utrúsila Xanthe so šibalským smiechom, keď odchádzal.

„Čo si ty za človeka?" Izzy vytreštila oči, aj keď sa pristihla, že sleduje pohojdávanie jeho kiltu.

„Zlatíčko, je to veľký chlapec. Vie sa o seba postarať. Keby som bola tebou, neotáľala by som. Je tu dosť dám, ktoré si ho prezerajú."

„Xanthe, je to hosť."

„Pche, je to pekný muž a podľa mňa máš možnosť prvej voľby. Aj keď som si všimla, že ťa tu niekoľko mužov pozorne sleduje. Môžeš si vybrať."

Izzy so smiechom zavrtela hlavou. Na Xanthe sa nedalo hnevať.

„Budem si to pamätať. Bavíš sa dobre?"

„Bavím sa výborne. Aj keď si myslím, že ma pani McPhersonová nemá veľmi rada. Pravdepodobne to súvisí s jej zubami."

Izzy zamrkala. „S jej zubami?"

„Áno. Spýtala som sa jej, ku ktorému zubárovi chodí. Aby som sa mu mohla vyhnúť."

Izzy bez slova civela na matku, ktorá sa zvonivo zasmiala.

„Túto časť som jej nepovedala. Bolo by to nezdvorilé."

„Uf."

„Úprimne, Izzy, ty mi neveríš."

Z dobrého dôvodu, pomyslela si Izzy a opýtala sa: „A čo odpovedala?"

„Vraj u zubára nebola už roky."

Izzy prehltla, než pokračovala. „A ako si zareagovala ty?" Neverila, že by matka nebola ako slon v porceláne.

„Povedala som, že je to vidieť. Čo je na tom zlé? Bol to iba postreh. Ľudia dokážu byť takí citliví. Keď jej to tak prekáža, mohla by zájsť k zubárovi, však?" Xanthe pokrčila plecami a zmenila tému. „Pozri sa, už ide Ross s našimi nápojmi."

Keď jej podával pohár, Xanthe zapriadla, čo on v podstate ignoroval. Napil sa zo svojho pollitra a rozhliadol sa po miestnosti. Od ich príchodu sa priestor zaplnil a hluk bol veselou kakofóniou vravy prerušovanej záchvatmi smiechu. Všetci sa usmievali, možno s výnimkou pani McPhersonovej, ktorá všetkých starostlivo pozorovala, akoby si robila poznámky, pripravená vysypať to všetko ďalšiemu človeku, ktorý vkročí na poštu.

„Jej, tamto je Gregory!" zvolala Xanthe a zamierila k mužovi stojacemu na druhej strane miestnosti. Izzy zrazu stuhla. „Tomu neverím," zamumlala si pod nos. Nedokázala zabrániť tomu, aby jej tie slová vykĺzli.

Ross sledoval jej pohľad smerujúci k mužovi, ktorý práve vošiel do sály a ktorého ruka jemne spočívala na bedrách veľmi peknej blondínky, ktorá sa na neho usmiala.

Ross sa hneď dovtípil. „John?"

Izzy prikývla a žalúdok jej zovrelo hanbou. Bolo to veľmi ponižujúce. Ten chlap sa na ňu očividne vykašľal, pretože dostal lepšiu ponuku.

Očerveneli jej líca.

„Nemusíte sa kvôli tomu cítiť zle, Izzy," zašepkal jej Ross do ucha, keď k nej pristúpil bližšie, takmer akoby ju chránil.

Napriek jeho slovám sa Izzino poníženie ešte prehĺbilo, keď sa jej do očí proti jej vôli začali drať slzy. *Prečo sa jej to stále deje?* Na Johnovi jej nezáležalo, nepoznala ho dosť dobre, ale bolelo ju, že ju zasa niekto odkopol kvôli niekomu inému.

„No tak," chlácholil ju Ross a jedným prstom jej jemne utrel slzu.

Sťažka prehltla a pozrela sa do jeho starostlivých modrých očí.

„Som v poriadku. Len je trochu nafigu, keď vás niekto odkopne ešte predtým, než s vami ide na rande."

„Jeho škoda." Ross zovrel pery na znamenie ostrého nesúhlasu. Objal ju okolo pliec, prstami ju pohladil po holej pokožke na krku a perami sa jemne dotkol jej čela, keď si ju pritiahol k sebe. „Ten chlap je idiot. No tak, položte ten pohár. Pôjdeme tancovať." Zobral jej nápoj, chytil ju za ruku a viedol priamo k Johnovi, ktorý si vykračoval k baru.

„Samozrejme, ako oceňovaná tanečnica budete chcieť tancovať s tými najlepšími," prehodil Ross na Izzino počudovanie z ničoho nič konverzačným tónom. Keď sa ich cesty skrížili s druhým párom, zovrel jej ruku pevnejšie. Priateľsky kývol na Johna a ženu, ktorá ho sprevádzala, a pozdravil ich: „Dobrý večer!" Potom pokračoval ďalej, rozprával sa s Izzy, akoby sa nechumelilo, ale úplne jasne dával najavo svoj nárok. Izzy by ho najradšej hneď teraz pobozkala.

John vyvalil oči. Izzy bola celkom rada, že sa na neho dokázala blažene usmiať a otočiť sa k Rossovi, akoby visela na každom jeho slove.

Než stačila čokoľvek povedať, boli na parkete a vyvolávač vysvetľoval ďalší tanec. Rossove prsty sa preplietali s tými jej a nespúšťal z nej modré oči, zatiaľ čo vyšliapavali kroky. Nedokázala odvrátiť zrak, v jeho pohľade bolo niečo fascinujúce. Uvažovala, na čo asi myslí.

Keď začala hrať hudba a zatancovali si spolu prvý refrén, usmiala sa na neho, jeho tvár sa rozžiarila a opätoval jej úsmev. Na svoje sklamanie sa od Rossa o niekoľko taktov neskôr oddelila. Nový partner ju chytil tak, že jej div nerozdrvil kĺby, krok mal oveľa dlhší než ona a musela sa usilovne sústrediť. Potom tancovala s ďalším partnerom a neskôr s ďalším, pričom ženy sa pohybovali v kruhu jedným smerom a muži opačným. V polovici kola sa pozrela na Rossa a zistila, že aj on sa díva na ňu. Kývol hlavou a na tvári mal výraz, ktorý neprezrádzal toho veľa. O sekundu neskôr sa na neho zahľadela znova a on ju opäť pozoroval. Na perách sa mu objavil jemný úsmev. Nemohla odvrátiť zrak a zdalo sa, že ani on nie.

Konečne stáli oproti sebe. „Teší ma, že vás tu stretávam," zašepkal tichým hlasom, ktorý ju rozochvel, keď vykročili k sebe.

„Tiež ma teší," šepla odpoveď.

Zatiaľ čo spolu tancovali, ich oči sa zasa priťahovali a ani jeden neodvrátil pohľad. Keď museli ísť ďalej, Izzy otočila hlavu, aby sa obzrela ponad plece. Súčasne sa obzrel aj Ross. Obaja sa na seba túžobne usmiali.

„Izzy, nie je tu zábava?" Xanthe ju pohotovo chytila za ruku, keď sa Izzy o chvíľku neskôr vytratila z parketu, aby si odskočila na záchod. Než stačila odpovedať, vďačná, že sa má s kým porozprávať, matka sa od nej odvrátila a nahlas zavolala: „Ja sa tak dobre bavím! Ach, pozri sa, tamto je Fraser." A okamžite zmizla v dave ľudí.

Izzy chvíľu pozorovala matku, ako sa doslova vrhá do tanca. Jej nespútané nadšenie sa páčilo mužom aj ženám a rýchlo ju obklopili. Izzy si, naopak, pripadala trochu plachá. Usilovne sa snažila nepozerať sa na Rossa, na kilt, ktorý sa mu pri tanci točil, na to, ako prikyvoval hlavou, keď hovoril so svojou partnerkou, ale nešlo to. Zdalo sa, že si nedokáže pomôcť. Tanec sa našťastie skončil a Ross sa postavil vedľa nej.

„Xanthe je populárna," podotkol.

„Vy tiež," upozornila ho Izzy a dúfala, že to neznie otrávene.

„Nová krv, nič viac. A ani vy nemáte o tanečných partnerov práve núdzu."

Usmiala sa na neho. „Nová krv, nič viac."

„Myslím si, že ide o niečo viac. Zdá sa, že ten urastený chlapík je celkom očarený."

„Je to podlahár. Mohla by som byť veľmi dobrá zákazníčka."

„To si myslíte?" poznamenal podpichovačne Ross.

Izzy sa chystala niečo povedať, ale všimla si, že dav okolo jej matky sa mierne rozptýlil.

Muž v čierno-žltom kilte, s plešinou, dokonalým pivným bruchom a bielou huňatou bradou klesol pred Xanthe na kolená a chytil ju za ruku. Nahlas a s prenikavým, veľmi anglickým prízvukom vyhlásil: „Moja jasná pani, zľutujte sa nad úbohým nešťastníkom prosiacim o vašu ruku do tanca."

Xanthe sa zaleskli oči od potešenia a kráľovsky sa na neho usmiala.

„Panebože," zašepkal Ross. „Prečo ľudia robia také divadlo? Nevedia azda, že zo seba robia úplných hlupákov a všetkých naokolo uvádzajú do rozpakov? A chudinka Xanthe teraz ťažko môže odmietnuť, však? Je to také… manipulatívne."

Izzy vrhla rýchly pohľad na Rossovu tvár, nesúhlasne skrivenú.

„Neznášam tieto veľké gestá," dodal.

„Niekedy je to pekné," namietla Izzy, aj keď musela uznať, že toto už bolo trochu moc.

„Nenapadá mi jediná príležitosť, kedy by som zo seba chcel pred toľkými ľuďmi urobiť úplného hlupáka."

„Dáva si záležať, aby Xanthe vedela, že s ňou skutočne chce tancovať. Myslím si, že je to celkom milé. Nenecháva ju na pochybách, že o to veľmi stojí."

„Vám to nepripadá ako nátlak? Že ju do toho núti?"

Izzy zavrtela hlavou. „Vždy môže povedať nie."

„Vážne môže?" zapochyboval Ross, zvesil kútiky úst a bolo zrejmé, že si myslí niečo iné.

Medzitým sa Xanthe, ktorá nebola ani trochu v rozpakoch, na svojho nápadníka pekne usmiala, pomohla mu na nohy a s veľkým potešením prijala jeho vyzvanie do tanca. Izzy sa otočila k Rossovi, aby mu povedala: „Tak vidíte", ale ten zmizol. Zahliadla ho, ako sa prediera k únikovému východu a von zo sály.

Izzy sa za ním dívala a bola v pokušení nasledovať ho, ale niečo v jeho pohľade naznačovalo, že by neuvítal spoločnosť.

Onedlho potom vyhlásili záverečný tanec. Neskôr Izzy zohnala Duncana a Xanthe a vrátila sa k autu, kde zistila, že Ross už sedí na mieste vodiča. Xanthe bola zľahka opitá a trvala na tom, že si sadne dopredu vedľa neho. Izzy vliezla dozadu k Duncanovi, ktorý okamžite zaspal, zatiaľ čo Xanthe ďalej trkotala o večere a veľmi Izzy pripomínala pani Bennetovú z *Pýchy a predsudku* po plese. Keď dorazili späť na hrad, Ross ju vysadil pred vchodom a potom zašiel autom dozadu. Než Izzy pomohla mame hore schodmi, vypočula si jej chichotavé postrehy o všetkých účastníkoch, dostala ju do postele a zasa sa vrátila dole. Ross sa zjavne pobral do postele. Zhasla svetlá a povzdychla si. Pripadala si trochu ako Popoluška, ktorá bola na plese a prepásla svoju veľkú chvíľu.

9. kapitola

December

„Vyzeráte veľmi zúrivo. Je všetko v poriadku?"

Izzy nadskočila a takmer spadla z rebríka, z ktorého čistila strop v jednej zo spální. Vytiahla si z uší slúchadlá. „Ross. Zdravím. Len sa snažím vymyslieť, ako všetko stihnúť do Vianoc." Posledné dva týždne od zábavy ho takmer nevidela.

Chytil rebrík, aby ho ustálil. Iba tak tam stál, pozeral sa na ňu a v tmavomodrých očiach mu pobavene iskrilo. „Už som si myslel, že vás rozhodili tie pavučiny."

„Myslím si, že tu hore nebol nikto už roky," povzdychla si.

„Kam to mám dať?" Držal ďalšiu veľkú škatuľu. „Stretol som Xanthe, keď s ňou bojovala a pokúšala sa ju dostať zo schodov. Bál som sa, aby si nezlomila väzy."

„Ach, bože," vzdychla si Izzy. „Tá sa do toho zahryzla. Môžete to položiť tamto? Mám pocit, že ledva vypracem nejakú izbu, znesie dole ďalšie veci." Jej mamu sa nedalo stopnúť, jednoduchšie by bolo zastaviť stádo nosorožcov.

„Trochu sa precenila," poťažkal škatuľu, „ale len čo sa toho zbavila, odtancovala späť hore. Robila tam celkom rámus, ale aj tak som si potreboval urobiť pauzu." Pretrel si zátylok a plece.

Rozhliadol sa po spálni. „Vyzerá to na veľký projekt."

„To je," prikývla Izzy trochu zamračene. „Lenže Xanthe by to všetko chcela mať hotové ideálne už včera. Zapĺňa to tu starožitnosťami a robí konečné úpravy skôr, než domaľujem."

„Je veľmi... ehm, nadšená."

„Hm," zamrmlala Izzy, „len pokiaľ nejde o ťažkú prácu." Toto bola tretia spálňa, ktorú tento týždeň maľovala. Aj s Jimovou a Jeanettinou pomocou to boli preteky s časom. Mali necelý mesiac na to, aby všetko pripravili. Množstvo práce im pripadalo nekonečné.

„Ak chcete, môžem vám pomôcť s maľovaním. Mám voľnú polhodinku."

Izzy sa na neho pozrela. „Ste si istý? Myslela som si, že máte veľa práce."

Lakonicky pokrčil jedným plecom. „Mám, ale momentálne toho veľa nenarobím. Agentka ma stále otravuje s reklamnými záležitosťami. Bezmyšlienkovitá práca, ako je maľovanie, pomôže mojim myšlienkovým pochodom. Mozog si odpočinie. Okrem toho je tu dnes toľko hluku, že je ťažké sústrediť sa."

„Prepáčte, viem, že ste chceli pokoj a ticho. Jim pracuje v kúpeľni hneď vedľa, ale tento týždeň bude hotový."

„To je v poriadku. Ak mám byť úprimný, ten výhľad je inšpirujúci. Priviedol ma na iné myšlienky a na počudovanie ma inšpiruje aj pobyt medzi ľuďmi." Odmlčal sa. „Pokiaľ ma niekto vyslovene nevyrušuje od práce."

„Jim bude skoro hotový, sľubujem. Musí len dať dole dlaždičky zo stien a nainštalovať nový sprchovací kút, a bude to."

„Je celkom šikovný majster."

„To rozhodne je."

„Máte teda nejakú voľnú štetku?" spýtal sa.

Uvedomila si, že to myslí vážne, a usmiala sa na neho. „Tamto. Vďaka, prácu zadarmo neodmietnem."

„To ste ešte nevideli, ako maľujem."

„Nebudete sa zodpovedať mne, ale Jimovi. Vlastne nie, konečné slovo bude mať Xanthe a tá je dosť náročná." A tiež nebola ten typ človeka, ktorý by si bral servítky pred ústa, keď sa mu niečo nepáči. Vďaka tomu bola Izzy oveľa obozretnejšia a menej nadšená z intenzívnych emócií.

Pravdepodobne to bol dôvod, prečo Philipovi tak dlho prechádzala jeho odmeranosť. Splietla si jeho zdržanlivosť s hlbokými emóciami, pretože bola zvyknutá na úprimné správanie Xanthe so srdcom na dlani, ktoré niekedy mohlo byť celkom únavné. Philip dokonca výslovne povedal, že nie je dôvod ponáhľať sa, a ona si to vyložila tak, že je rozvážnejší a berie veci vážne. Nehodlala zopakovať rovnakú chybu.

„Pekná farba," prerušil jej myšlienky Ross.

„Nikdy by som si ju nevybrala, bála by som sa, že bude veľmi tmavá, ale Xanthe má na tieto veci skvelé oko."

„Má vkus, to sa musí nechať." Neznelo to úplne lichotivo, ale Izzy vedela, že nie každý príde jej matke na chuť. Pre mnohých ľudí bola príliš hlučná a melodramatická.

„Zoberte si štetku. Chcete maľovať rohy a sokle alebo stenu?"

„Ja som skôr na steny. Na rohy a sokle nemám trpezlivosť. Môžem vám venovať polhodinu, ale ak vám to neprekáža, nebudem rozprávať. Toto je dobrá príležitosť na premýšľanie."

„Žiadny problém," prikývla Izzy. „Počúvam audioknihu a práve je to zaujímavé."

„Aha. A čo počúvate?"

„Len kriminálny triler. Začala som dnes, ale je to dobrý príbeh."

„To nie je žiadne *len*. Ľudia by mali čítať, čo chcú. Neznášam literárne snobstvo. Som veľkým fanúšikom inšpektora Rébusa od Iana Rankina."

„Toho mám tiež rada, ale teraz počúvam knihu *Bez kostí* od Rossa Adaira. Je to skvelá séria. Čítali ste nejakú?"

„Hm," zamrmlal vyhýbavo a chytil do ruky štetec. „Mám začať touto stenou?"

„Áno, to by bolo skvelé."

„Už ste tu dosť pokročili." Prezeral si jednu zo stien a prešiel dlaňou po jej hladkom povrchu.

„Vďaka." Spokojne prikývla, a keď sa rozhliadla po holých stenách, cítila štipku hrdosti. V posledných dňoch steny mydlila, zatrela veľa dier a prasklín a tiež obrúsila drevené prvky, než ich navoskovala a vyleštila. Miestnosť začínala ožívať a ona sa nemohla dočkať, kedy bude hotová. Xanthe posledných niekoľko dní vždy pribiehala a odbiehala s metrom, merala okná a kozub a trúsila väčšinou užitočné postrehy spolu s množstvom konštruktívnej kritiky na Izzinu prácu a postup. Počuť pochvalu od niekoho iného bolo vítanou vzpruhou.

Vzala štetec a začala maľovať, chvíľu počkala, ale keď bolo zrejmé, že Ross skutočne nechce hovoriť, nasadila si slúchadlá a začala opatrne maľovať okolo lišty, ktorú starostlivo oblepila ochrannou páskou.

Maľovali v družnom tichu, a hoci nehovoril, jeho prítomnosť bola podivne upokojujúca. Keď zdvihli pohľad od práce a ich oči sa stretli, občas sa na ňu usmial.

Maľovali už hodinu – zdalo sa, že obaja stratili pojem o čase – a prvý náter bol takmer hotový. Izzy si zrazu všimla, že Ross sa postavil za ňu. Vytiahla si z uší slúchadlá.

„Nechcete šálku čaju?"

„To by bolo milé," súhlasila a natiahla si chrbát.

„Donesiem vám ho a potom sa musím vrátiť k práci. Dočerta." V zadnom vrecku džínsov mu zazvonil telefón. Vytiahol ho. „Ahoj, Bethany," ohlásil sa zreteľne unaveným tónom, než zmizol vo dverách.

O desať minút neskôr, keď už bola zasa ponorená do svojej knihy a počúvala pasáž o napínavom úteku detektíva, ktorý sa ponáhľal späť do svojho domu po tom, čo dostal tip, že policajti strážiaci jeho priateľku zlyhali a blíži sa zloduch, jej tam Ross nechal hrnček s čajom, jednou rukou jej zamával, druhou stále zvieral mobil pri uchu a znovu opustil miestnosť.

Keď odišiel, cítila sa zvláštne stratená, hoci spolu počas práce nehovorili. Niečo na tom, že s ňou bol ešte niekto ďalší, jej dodávalo útechu, aj keď nedokázala presne vysvetliť prečo.

Akoby už Ross bol spolu s Jimom, Jeanette a Duncanom neoddeliteľnou súčasťou domu. Aký to asi bude pocit, keď nakoniec odíde?

* * *

„Chcú pančuchy," oznámila Xanthe na druhý deň ráno, keď prišla do spálne, ktorej vraveli ružová izba a kde Jeanette práve umývala okná a Izzy prezliekala periny do nových nažehlených bielych obliečok, ktoré prišli ešte len včera.

Izzy ponatriasala vankúš a prezerala si svoje dielo. Najradšej by do tej postele vliezla.

„Kto chce pančuchy?" Uhladila látku na perine a zohla sa po mäkkú kašmírovú prikrývku smaragdovozelenej farby, ktorú Xanthe vybrala tak, aby ladila s detailmi na mimoriadne drahej tapete. Dokonca aj Izzy musela uznať, že tie náklady stáli za to. S troma vymaľovanými stenami, s výraznou tapetou a rímskymi roletami, ktoré Xanthe nechala vyrobiť, vyzerala izba veľkolepo.

„Carter-Jonesovci," povedala mama a podivne, akoby bola krab, sa prikradla k drevenému obloženiu okolo kozuba.

Izzy na Xanthe nechápavo zažmurkala. „Ako to myslíš, že chcú pančuchy?"

„Chcú tradičné Vianoce na škótskom hrade so všetkým, čo k tomu patrí, a pani Carter-Jonesová požiadala, aby každý dostal vianočnú pančuchu."

Xanthe sa oprela o stenu a poklopkala po jednom z panelov, až sa biele pierka v boa, ktorú mala dnes na sebe, rozochveli. *Vyzerá ako rozrušená labuť,* pomyslela si Izzy.

„Veď tých ľudí ani nepoznám," namietla Izzy. Ako mala, preboha, pripraviť pančuchy pre úplne cudzích ľudí? Pančuchy sú veľmi osobná záležitosť. Každú jednu je potrebné veľmi starostlivo vybrať. Jej babička, Xanthina mama, jej každý rok nachystala nejakú tematickú. Jeden rok v nej boli samé písacie potreby, iný rok líčidlá, od lakov na nechty a očných tieňov až po vatové tampóny a štetce s lícenkou. V roku, keď išla na univerzitu, to boli samé užitočné veci ako skrutkovače, švajčiarsky nôž, otvárač na fľaše, a dokonca aj balíček kondómov.

„To je v poriadku, poslala mi inštrukcie. A prídu dvaja ľudia navyše." Xanthe poklopkala po ďalšom paneli a uprela na Izzy až príliš rozžiarený pohľad.

„Takže osem."

„Zatiaľ."

Izzy uprela na mamu zrak. „Ako to myslíš, že zatiaľ?"

„Možno pribudnú ešte dvaja." Matkine prsty zablúdili k ďalšiemu panelu a znova po ňom poklopali.

„Ďalší dvaja," papagájovala Izzy a pozrela sa na Jeanette, ktorá sa snažila skryť chichot, no nedarilo sa jej to.

„Čo sú dvaja navyše?" spievala si matka zvesela.

Izzy vyvalila oči. „To sú celkovo ďalší štyria, však?"

„Platia veľmi dobre. Čo mi pripomína, že som do knižnice objednala ten najúžasnejší vozík na nápoje. Napadlo mi, že to bude ideálne miesto na whisky pred večerou alebo na gin s tonikom. Bude to vyzerať božsky."

Izzy po nej strelila pohľadom.

„Neboj sa," zajačala vzápätí Xanthe svojím prenikavým hlasom. „Vidím ten tvoj výraz. Ten vozík je zo starožitníctva v dedinke. Bol takmer zadarmo."

Mamina predstava o tom, čo znamená takmer zadarmo, bola na míle vzdialená od tej Izzinej. Ako rozdiel medzi tým skočiť si do Írska a letieť až do Austrálie.

„Úprimne, Izzy, ty si taká frfľoška."

Jeanette začala znova rýchlo leštiť okná.

Vďakabohu, že Carter-Jonesovci platili tak dobre, aj keď záloha sedemtisíc libier rýchlo mizla.

„Nezabudni, že musíme tiež niečo zarobiť, aby sme zaplatili za strechu," pripomenula matke.

„Mohla by si otvoriť dvere ďalším hosťom. Dnes som dostala ďalší dopyt."

„Nie, Xanthe!" pohrozila jej Izzy prísne prstom. „Už aj tak budeme musieť pripraviť ďalšiu spálňu a mysli na to, že pre všetkých tých ľudí musím variť. Pravdepodobne očakávajú úroveň michelinskej reštaurácie. Už aj tak som dosť nervózna."

„To zvládneš," mávla mama rukou.

„Žiadni ďalší hostia." Izzy sa prísne zadívala na mamu, ktorá veľmi nepresvedčivo zívla a pretiahla sa, zatiaľ čo jej prsty kĺzali po dreve rozdeľujúcom ploché panely.

„Čo to robíš?"

„Čo robím?" začudovala sa mama.

„S tým obkladom."

„Kontrolujem, či tam nie je červotoč, miláčik. Poznáš tieto staré domy. Samý červotoč."

„Čože? Chcela si ho dostať preč klopaním po paneli?" Izzy spoznala, keď mama niečo chystala. Mala taký ten pohľad líšky, ktorá vetrí sliepky – zľahka prefíkaný a trochu príliš ľahostajný.

„Hľadáš zafíry, všakže?"

„Nie," poprela Xanthe a zreničky sa jej rozšírili predstieranou nevinnosťou, ktorá Izzy neoklamala ani na sekundu.

„Aké zafíry?" spýtala sa Jeanette.

„To je stará legenda. Neexistuje absolútne žiadny dôkaz, že vôbec existovali," povedala Izzy a škaredo sa pozrela na mamu.

„Pche," odfrkla si Xanthe a vypochodovala z izby.

Vďakabohu, že Jimovi a Jeanette išla práca tak od ruky, každá pomoc sa bude hodiť. Obaja boli pracanti a po týždennej skúške si

Izzy nedokázala predstaviť, ako by sa bez nich obišla. Zdalo sa, že Jim sa dokáže postaviť k čomukoľvek – ukážkovým príkladom bol vysávač Dyson, ktorý po svojej premene povysával v priebehu prvej cesty domom do očí bijúce množstvo špiny. Jim tiež skvele tapetoval a so štetkou vedel priam kúzliť. Jeanette bola ochotná a nesmierne schopná vo všetkom, čo sa od nej žiadalo, okrem varenia. Pokiaľ by im mala Izzy vytknúť niečo drobné, potom by to bolo to, že sa občas nechali ľahko rozptýliť jeden druhým, ale boli mladí a zamilovaní a ona o takých veciach veľa nevedela. Tak dlho sa upínala na toho nepodareného Philipa, až sa z nej stala ufrflaná cynička.

* * *

Keď Izzy unikla z kuchyne do ticha svojej malej pracovne, chytila do ruky telefón.

Ahoj, všetci. Začínajúca kuchárka nakoniec bude variť vianočný obed pre…

Koľko ich vlastne bude? S osem-, možno desaťčlennou skupinou Carter-Jonesovcov plus Duncanom, Xanthe, Jimom a Jeanette, možno s Rossom a s ňou…

… pre šestnásť ľudí. A tiež gurmánske raňajky, obedy a večere pre osem až desať ľudí počas piatich dní. Nejaké návrhy na slávnostné menu, nie príliš zložité, ale pôsobivé? V hlave mám prázdno a desím sa, že som si odhryzla väčší kus, než dokážem zjesť!
Nejaká zmysluplná rada, ktorá by mi pomohla preplávať tým všetkým? Pomoc, prosím!!!

Možno jej gang z Killorgally pribehne na pomoc s nejakými skvelými tipmi. Bola na to úplne sama. Xanthe bola v kuchyni nepoužiteľná, udržala pozornosť príliš krátko na to, aby čokoľvek ustriehla.

Ozvalo sa tiché zaklopanie na dvere, ktoré sa vzápätí otvorili.

„Prepáčte, že vás ruším, len som vám chcel dať vedieť, že nám dochádza káva, skôr než niekto spotrebuje posledných niekoľko lyžičiek a potom sa bude sťažovať, že už žiadna nie je."

Izzy zdvihla hlavu od svojich poznámok a usmiala sa nad Rossovou starostlivosťou. „Vďaka, v komore máme tajnú zásobu práve pre takéto prípady. No pridám si na zoznam nový balíček."

„Skvelé, potrebujem kávu. Musím sa zahriať. Keď celý deň sedím, je mi zima."

„Ach, to je mi ľúto. Chceli by ste v izbe zakúriť?"

„Preboha nie, to by som zaspával. Iba si zoberiem ďalší sveter. Chlad mi pomáha s udržaním koncentrácie. Okrem toho sa dnes popoludní zahrejem, sľúbil som Jimovi pomoc s maľovaním."

„A čo vaša kniha?"

„Práve som niečo poslal svojej redaktorke Bethany. Čakám na spätnú väzbu. Myslel som si, že by sa tu hodil ďalší pár rúk, aj keď Jim je na tapetovanie zrejme celkom macher."

„Je vo všetkom veľmi šikovný," poďakovala Izzy nebesám.

„Pokiaľ sa sústredí na prácu," namietol Ross a zagúľal očami. „Zdá sa, že z krásnej Jeanette nevie spustiť ruky."

„Tiež som to postrehla," zachichotala sa Izzy.

„Je ťažké nevšímať si to. V poslednom čase som si zvykol hvízdať, než vyjdem na chodbu, a včera som ich pristihol, ako veľmi zadýchaní vychádzajú z jednej z kúpeľní."

Izzy prikývla. „Viem, ale sú to pracanti. Nemôžem sa sťažovať, navyše im neplatím veľa."

„Ako pokračujú vianočné plány?" ukázal hlavou na hárky papiera pri jej lakti. Prekvapilo ju, že chce nadviazať na rozhovor.

„Ide to dobre. Najväčšie starosti mi robia požiadavky Carter-Jonesovcov. Očakávajú kuchyňu na úrovni michelinskej reštaurácie a šesťhviezdičkový servis. Dúfam, že si ich získam vrelým prijatím. Zdá sa, že sú dosť nároční."

„Bude to v poriadku." Oprel sa o stenu a prezeral si ju.

„To sa vám ľahko povie. Už viete, čo budete robiť?"

„To bol vlastne druhý dôvod, prečo som za vami prišiel. Rozhodol som sa, že by som tu celkom rád zostal." Odmlčal sa. „Môžem priložiť ruku k dielu."

„Vy!" vyhŕkla, hoci si už bez neho nedokázala predstaviť dom.

„Nebuďte taká prekvapená. Zoberiem si niekoľko dní voľna a môžem sa zapojiť. Môžem robiť vrchného. Keď som študoval, pracoval som v niekoľkých reštauráciách v Edinburghu."

„A nebudú vám chýbať pokoj a ticho?"

„Tie potrebujem pri práci. Dokážem byť celkom spoločenský, keď chcem, viete?"

„Áno. Myslím si, že dokážete." Aj keď si všimla, že mal tendenciu dať sa rýchlo na ústup, kedykoľvek sa na scéne objavila Xanthe. Lenže jej mama bola príliš hlučná pre väčšinu ľudí. „Neodmietnem žiadnu pomoc." Zadívala sa na neho a bola mu vďačná za podporu.

Vtom mu zazvonil telefón. Ross sa naň pozrel a pokrčil nos. „Musím to vziať." Rýchlo sa na ňu usmial. „Lenže keby všetko ostatné zlyhalo, vždy je tu pečená fazuľa na hrianke."

Keď odchádzal, zavrtela hlavou. „Hovorí ako typický muž, ktorý vôbec netuší, čo všetko treba pripraviť na Vianoce."

10. kapitola

"Izzy! Izzy! Izzy!" Po schodoch sa rozliehal matkin divoký krik.

Čo je to tentoraz? vravela si Izzy, keď vzhliadla od miesta, kde sa snažila zamaľovať veľký železný rošt a zdobený zadný štít kozuba, aby zakryla drobné škvrny od hrdze. Kozub bol obrovský, ale to musel byť, aby vykúril chodbu a ohromné schodisko. Ten chudák vyzeral, že mu už celé storočia nikto nevenoval pozornosť. Chcela, aby bol tým prvým, čo Carter-Jonesovcov privíta, keď prídu. Plánovala, že ich Jim oblečený v kilte (ten to ešte nevedel) privíta s podnosom so sladovou whisky pred plápolajúcimi polenami v kozube.

"Izzy!" Ako sa mama blížila, jej krik silnel. "Niečo som našla! Dôkaz. Tie zafíry sú skutočné." Xanthe sa náhle vynorila hore nad prvým úsekom schodiska a niesla obraz, ktorý bol takmer rovnako veľký ako ona sama.

"Opatrne!" skríkla Izzy a vyskočila, pretože si uvedomila, že každú chvíľu môže dôjsť ku katastrofe. "Spomaľ." Jej bláznivá mama mohla spadnúť a zlomiť si väzy. Xanthe zakopla na najvyššom schode a Izzy sa takmer zastavilo srdce. Vybehla hore a rýchlo sa jej podarilo zachytiť mamu skôr, než stratila rovnováhu.

Xanthe si, samozrejme, nebezpečenstvo neuvedomovala, pretože prešľapovala z nohy na nohu a chvela sa od vzrušenia. "Pozri sa! Pozri sa, čo som objavila."

"Mami!" vyštekla Izzy a srdce jej búšilo od strachu a pod návalom adrenalínu. "Preboha, upokoj sa."

"Azda to nevidíš?" Xanthe mala doširoka otvorené a rozžiarené oči, pohľad takmer šialený nadšeným očakávaním.

Izzy mala chuť zatriasť ňou, ale namiesto toho prevzala ťažobu veľkého pozláteného rámu, postavila ho na podestu schodiska pred seba a švihla po Xanthe pohľadom. „Takmer som z teba dostala infarkt."

„Neblázni, miláčik. Som úplne v poriadku. No pozri sa, čo som našla." Víťazoslávne ukázala na obraz. Izzy ho posunula dopredu a divila sa, ako tú vec mama dokázala odniesť tak ďaleko. Oprela ho o stenu a natočila tak, aby videla maľbu.

„To je Isabella. A má ich na sebe. Tie zafíry." Xanthe zapichla prst do obrazu. Bola na ňom mladá žena sediaca pri toaletnom stolíku s úsmevom Mony Lisy a krk jej zdobil rozprávkový zlatý náhrdelník s troma radmi zafírových kabošonov. Umelcovi sa podarilo zachytiť hĺbku ich modrej farby a odlesky svetla, ktoré na ne dopadali.

Izzy si obraz všimla už skôr, ale náhrdelník ani hladké zafíry nepostrehla.

„Sú to kabošony. Vidíš ten krásny hladký oválny tvar?" komentovala náhrdelník Xanthe. „Isteže sú. Čakala som, že budú brúsené ako moderné kamene, ale sú leštené. Nie sú nádherné? A teraz už vieme, že sú pravé."

„Áno, ale ten obraz je dosť starý. Mohli ich kedykoľvek predať alebo posunúť ďalej."

„Sú niekde tu. Cítim to v kostiach."

Izzy sa držala, aby nezagúľala očami. Mamine mystické veštecké schopnosti boli protivné tým, ako sa otvárali len vtedy, keď sa im to hodilo.

* * *

„Čo mám urobiť?" spýtala sa Jeanette a utrela si ruky do utierky. Izzy nechala rošt ohniska tak, aby sa pustila do plnených koláčikov *mince pies*, a napriek svojim obavám si dnes zavolala do kuchyne Jeanette.

„Mohla by si rozvaľkať cesto. Je v chladničke. A potom môžeš začať vykrajovať kolieska na koláčiky," navrhla Izzy, zatiaľ čo strúhala kôru z pomaranča a vdychovala tú krásnu citrusovú vôňu. Keď posype náplň v každom koláčiku pomarančovou kôrou a pridá niekoľko kvapiek whisky, malo by ich to oživiť a dodať im chýbajúci škótsky nádych. Za tento nápad si však nemohla pripisovať zásluhy, bol to tip od Fliss zo skupiny na WhatsAppe.

Keď po niekoľkých minútach vzhliadla, zistila, že Jeanette na nepomúčenom povrchu usilovne vaľká cesto. Výsledkom bola placka v žalostnom stave, ktorá sa lepila na valček aj na povrch.

„Prepáč, v kuchyni nie som veľmi šikovná," ospravedlňovala sa Jeanette a silno trhla cestom, odlepila ho od kuchynskej dosky, aby ho otočila, ale polovica jej zostala prilepená. Pritom sa utvorila veľká trhlina a zvyšok cesta spadol na podlahu.

„Mrzí ma to. Ospravedlňujem sa."

Izzy sa zasmiala – každý nejako začínal. „Mala si ma vidieť na kurze varenia. Ja a moja kamarátka Hannah sme boli na začiatku úplne nanič. Chce to len cvik."

„Toto som ešte nikdy nerobila. Moja mama vždy kupuje koláčiky v supermarkete."

„Tak to si prídeš na svoje, pretože tieto budú oveľa lepšie. Poď, ukážem ti to."

O hodinu neskôr sa kuchyňou šírila vôňa korenia a maslového cesta, zatiaľ čo dve várky plnených koláčov sa chladili odložené nabok.

„Hm, vyzerá to, že som prišiel práve včas," zavetril Ross, ktorý zbystril, len čo vstúpil do kuchyne. Zamračil sa na svoj mobil a strčil si ho do vrecka. Zdalo sa, že má veľa telefonátov.

„Dostanete jeden, ale len keď nám urobíte čaj," navrhla Izzy a mávla na neho valčekom, zatiaľ čo umývala riad.

„To môžem. Pre moje obľúbené cukrovinky čokoľvek."

„Tieto vám budú chutiť," chválila ich Jeanette. „Sú úplne fantastické. Môžem vziať jeden Jimovi? Alebo dva. Nemôžem sa dočkať, až mu poviem, že som ich piekla," zachichotala sa. „Na druhý pokus."

O sekundu neskôr sa objavila Xanthe, jej obľúbená boa za ňou viala ako obláčik bieleho dymu.

„Fíha, plnené koláčiky. Tie môžem. Tvoja babička ich vždy piekla, vyvolávajú toľko spomienok." Vzala si jeden a zasa zmizla. Po ceste za sebou nechávala odrobinky.

Keď Jeanette odišla nájsť Jima, ktorý hore maľoval jednu zo spální, Ross podal Izzy jej hrnček.

„Ďalšia položka z nekonečného zoznamu odškrtnutá?" spýtal sa, odhryzol si a zastonal. „Páni, sú úžasné. Taká dobrota."

Zvraštil čelo. „Vážne dobré."

Izzy sa pousmiala, potešená jeho reakciou. Zatiaľ varila skôr len základné jedlá. Každý má rád čerstvo upečený chlieb a polievka nie je práve nóbl pokrm. Umierala od túžby ohromiť ľudí svojimi novými schopnosťami.

„Vďaka. Tajné prísady." Hlavnou z nich bolo to, že jedlo chystala s láskou. Plnené koláčiky si vždy spájala s Vianocami, viac než iné sviatočné jedlá, a chcela, aby tieto prvé Vianoce na hrade boli dokonalé. Želala si, aby jedlo bolo výnimočné, nezabudnuteľné. Toto bol začiatok niečoho, čo sa jej a jej matke navždy vryje do pamäti. Vianoce, to boli zakaždým ony dve, nikdy nevynechali možnosť byť spolu.

Posadila sa k čaju, zahryzla do jedného z plnených koláčikov, zatvorila oči a vychutnávala si nádych citrusov, mierne teplo whisky a chrumkavé maslové cesto.

Usmiala sa a srdce v hrudi sa jej zatrepotalo. Všetci si tohtoročné sviatky užijú, o to sa postará.

„Ako vám ide práca?" spýtala sa, keď sedeli a rozprávali sa. Ross pravidelne chodieval dole na popoludňajšiu prestávku a napriek svojim skorším vyhláseniam, že sa nechce viazať na konkrétny čas obeda, sa väčšinou o pol jednej pripojil k Duncanovi, Jeanette, Jimovi a Izzy.

„Pomaly. Zvládal by som to oveľa rýchlejšie, keby mi redaktorka nevolala každých päť minút. Bohužiaľ, na budúci týždeň musím služobne odísť do Edinburghu."

„Budete preč dlho?"

„Nie, mám v pláne ísť tam a vrátiť sa počas jedného dňa. Odídem veľmi skoro a vrátim sa neskoro. Nechcem tým strácať viac času."

„To bude dlhý deň," zamyslela sa Izzy a potom povedala, skôr uvažovala nahlas, než aby si to premyslela: „Nezviezli by ste ma? Ak idete len na deň, bolo by to ideálne. Musím ešte nakúpiť vianočné darčeky do pančúch Carter-Jonesovcov a tiež pre Xanthe, Jeanette, Jima a Duncana."

Ross chvíľu mlčal, no ako sekundy ubiehali, Izzy došlo, že možno žiadala priveľa.

Zamračil sa. „Možno tam budem musieť nakoniec prespať. A budem odchádzať poriadne skoro. Ako hovorím," vyhlásil a pritom zbieral odrobinky z pečiva, „moje plány sa môžu zmeniť."

Poriadne si odpil z kávy. Stále na ňom bolo vidieť miernu rezervovanosť. Izzy sledovala, ako sa mu dvíha ohryzok, zatiaľ čo sa pozerá z okna.

„Dobre,“ odvetila Izzy, trochu dotknutá jeho zjavnou zdržanlivosťou. Myslela si, že sú prinajmenšom priatelia. „Ospravedlňujem sa, že som sa spýtala. Zrejme to bolo trochu vtieravé.“ Otočila sa k nemu chrbtom a líca jej horeli od náhlych rozpakov.

Vnucovať sa niekomu, kto o to očividne nestojí, bolo niečo, čo robila s Philipom. Ako úprimne povedal pri ich poslednej konfrontácii, „bolo to na neho príliš“. Robilo jej starosti, že sa tak veľmi podobá na svoju mamu. Snažila sa byť čo najviac sympatická a pohodová. Nechcela byť taká ako jej mama, s ktorou to bolo niekedy náročné.

Zostala k Rossovi obrátená chrbtom a zamestnala sa tým, že schmatla lopatku a zmeták, aby zamietla múku z podlahy. Keď vstala, Ross sa zamračil a povzdychol si.

„McBrideová, vy nie ste vtieravá,“ namietol, ale zjavný pocit viny na jeho tvári vypovedal o opaku. Ešte stále ponížená zamumlala niečo o tom, koľko má práce, a utiekla.

11. kapitola

Studený ranný vzduch ju štípal na lícach a pálil v pľúcach, takže keď vyšla z hradu a pod nohami jej vržďal štrk na ceste, nemohla chytiť dych. Okolo krku si omotala šál a zastrčila si ho pod kabát, aby ju ochránil pred chladom, zatiaľ čo z úst jej vychádzali obláčiky pary.

„McBrideová!"

Prekvapene sa otočila.

„Ross, dobrý deň," pozdravila ho s núteným úsmevom. Našťastie ho v posledných dňoch vídala len málo, ale nevedela zo seba striasť pocit skleslosti, ktorý v nej vyvolalo jeho odmietnutie zviezť ju.

„Kam idete?"

„Do dediny po niekoľko drobností. Hovorila som si, že si zoberiem klobásky na večeru. Dnes je deň na klobásky s kašou." A k tomu urobí dobrú omáčku z červeného vína a cibule.

„Neprekáža vám, keď sa pridám? Vybral som sa do knižnice. Potrebujem pauzu."

Bolo by vyložene neslušné odmietnuť, ale neurobil náhodou on tiež to isté pred dvoma dňami? Dal jej jasne najavo, že o jej spoločnosť nestojí, teda nie pri ceste autom. *Bolo to preto, lebo v aute nebolo kam uniknúť?*

Bez toho, aby čokoľvek povedala, pokrčila plecami a ignorovala zrýchľujúci sa tep aj scestné tvrdenie svojho podvedomia, že je vrelo vítaný.

Zosúladil krok s jej svižným tempom. Takéto rána bývali ako stvorené na leňošenie.

Bledé zimné slnko tajuplne žiarilo skrz prízračnú sivú oblohu a vrhalo ploché svetlo na krajinu. V tichom ráne im pod nohami vržďala zamrznutá zem a jediným ďalším zvukom bolo chrapľavé krákanie osamelého havrana sediaceho v neupravenom hniezde na jednom z mnohých jaseňov.

Izzy sa zhlboka nadýchla a sledovala, ako pred ňou vzlietol. Povzdychla si a natiahla si krk. Nedokázala zostať ticho a ignorovať ho, aj keď jej prvý inštinkt velil nechať akúkoľvek konverzáciu na ňom.

„Toto som potrebovala."

„Ja tiež."

„Čo je s tým písaním?"

Poškriabal sa na tvári. „Prokrastinácia. Dostal som sa k ošemetnej časti a tancujem okolo nej, než sa pustím do zabíjania."

„Znie to, ako keby ste písali skôr detektívku než niečo historické."

Ross sa takmer potkol a Izzy sa v duchu usmiala, keď povedal: „História je celkom krvavá."

Bola si celkom istá, že nepíše knihu o histórii, na to sa už príliš veľakrát takmer preriekol, ale pokiaľ jej to nechcel povedať, nehodlala vyzvedať.

„Obzvlášť škótske dejiny," dodala Izzy. „Boli ste niekedy v Cullodene?"

„*Aye*. Strašidelné miesto. Strašia tam duchovia mŕtvych príslušníkov klanu," poznamenal Ross a rýchlo sa otriasol. „Smutný koniec klanov."

Izzy prikývla. Poznala škótsku históriu, vedela, že jakobínske povstanie, ktoré sa skončilo bitkou pri Cullodene v roku 1746, zničilo doterajší spôsob života na vysočine a že v nasledujúcich rokoch stratili klany dedičné práva na správu vlastných statkov.

Obchádzali okolo pokojnej hladiny jazera, potom zišli po cestičke dole do dediny, ktorá pretínala malé údolie posiate po oboch stranách pôvodnými stromami. Rástli tu smrekovce, kaledonské borovice, brezy, jasene a duby, sužované vetrom tak, že boli skôr zakrpatené, ohnuté a pokrútené než vysoké a rovné ako borovice z lesných plantáží, ktorými bola posiata veľká časť škótskej krajiny. Izzy milovala divokosť tých sukovitých tvarov a ohnutých kmeňov, ktoré sa snažili uniknúť silnému vetru. Mala tu pocit slobody, keď ich šľahajúci víchor ťahal za kabáty a do ihličia odeté jedle žiarili životom a vitalitou. Sila, s akou čelili búrkam, jej zakaždým dobila baterky a pripomenula jej, že život je viac než každodenný rytmus vytvorený človekom.

„Musí byť úžasné žiť tu vonku," vyhlásil Ross, keď prechádzali krehkými hrdzavými papraďami, nohy sa im odrážali od pružného vresu a borievok a rýchlo vydychovali obláčiky pary.

Zastavila sa a pozrela sa na jazero trblietajúce sa ako roztavené striebro a potom späť na hrad, ktorý stál nad vodnou plochou, strážil ju a chránil. „To áno. Je to lepšie, než som čakala. Myslela som si, že sa tu budem sama s Xanthe utápať vo veľkom starom hrade, kde je prievan, a cítiť sa trochu nepatrične, ale už teraz si tu pripadám ako doma."

„V každom prípade s ním robíte zázraky. Ako dlho pre ňu pracujete? A akú máte oficiálnu pozíciu? Obchodná riaditeľka? Domáca?"

Izzy zakopla a div nespadla, keď jej noha uviazla v králičej nore.

„Opatrne," varoval ju, chytil ju za ruku a vytiahol hore.

„Xanthe je moja..." začala, ale slová vyšumeli, keď vzhliadla a na jeho tvári zbadala podivný výraz.

„Ste v poriadku?" spýtal sa vážne a pokojne a pátravo si ju prezeral, takmer akoby hľadal odpoveď na úplne inú otázku.

Zovrelo jej žalúdok a prikývla, neschopná odtrhnúť od neho oči.

„Áno," zašepkala. Chystal sa ju pobozkať. Nadýchla sa v očakávaní dotyku jeho pier, čakala, kým sa priblíži. Búšilo jej srdce.

Keď sa odvrátil a znovu vykročil, zaplavilo ju sklamanie. Dívala sa mu na chrbát. Urobila zo seba úplného hlupáka, keď si predstavovala niečo, čo nebolo? Rozhoreli sa jej líca. Zhlboka sa nadýchla, pridala do kroku a dobehla ho. Niekoľko minút kráčali mlčky a Izzy premýšľala, čo sa mu preháňa v hlave.

Uľavilo sa jej, keď konečne povedal: „Čože to potrebujete v dedine?"

„Klobásky," odvetila. „A časopisy." Uvedomila si, že znie ako idiot, a rýchlo dodala: „Na večeru. A chcem nájsť nejakú inšpiráciu na vianočné recepty."

„Samozrejme," prikývol.

„Musím uvariť štyri večere, tri obedy a, samozrejme, vianočný obed. A všetko to musí byť nóbl. Trochu ma znepokojuje, aká náročná začína byť pani Carter-Jonesová. Dnes ráno mi poslala e-mail, v ktorom ma požiadala o potvrdenie, že všetky uteráky budú mať minimálne šesťsto gramov." Rapotala, aby udržala konverzáciu, o čomkoľvek, len aby sa vyhla mlčaniu a nepríjemným pocitom. Nejako sa jej podarilo nadviazať nesúvislý nezáväzný rozhovor cez bariéru potenciálnej trápnosti, a než dorazili na okraj dediny, ich komunikácia sa zasa utriasla a Izzy sa smiala na opise niektorých jeho študentov.

„V knižnici budem asi dvadsať minút. Zídeme sa tu, aby sme išli späť spoločne?" spýtal sa Ross.

Uprene sa na neho pozrela. „Ehm, iste. Áno."

Keď sa otočil chrbtom a odchádzal, zamračila sa. Vôbec ho nevedela pochopiť.

Žeby sa pri Philipovi nepoučila? Dychtiť po mužovi, ktorý o ňu nemá záujem, bolo jednoducho smiešne a viedlo to len k boľavému srdcu. Bohužiaľ, zdalo sa, že jej srdce si to už nepamätalo.

*   *   *

„Dobré ráno, pani McPhersonová," pozdravila Izzy a podala jej vybrané časopisy.

Pani McPhersonová si každý z nich starostlivo prezrela, než ho naskenovala. „Bude to všetko?"

„Ehm, zatiaľ áno."

„Počula som, že k vám prišli hostia…"

Ako toto zistila?

Izzy prikývla.

„Je dobré nakupovať v obchode a nie online, človek toho veľa objaví. Máme niekoľko puzzle. Vždy sa to hodí, keď je daždivo. Predsa nechcete, aby sa hostia nudili." V očakávaní zabodla do Izzy oči a tá sa pristihla, že si prezerá puzzle vystavené v rohu.

„Toto je medzi návštevníkmi obľúbené." Pani McPhersonová sa jej zhmotnila pri lakti, ukázala na gajdoša v kilte na osamelom svahu a podala jej ho. „Aj edinburský hrad je obľúbený." Zrazu mala Izzy dve škatule zastrčené pod pazuchou.

„A v kúpeľni na prízemí určite budete chcieť namiesto mydla. Žihľava a vres. Ručne vyrábané. A tiež máme krém na ruky. Pekne sa hodí do pančuchy. Nechcete si ich niekoľko vziať?"

Izzy prikývla ako zhypnotizovaná a sledovala, ako jej pani McPhersonová dáva do košíka štyri mydlá a štyri krémy na ruky.

„Tu to máte," podala jej košík. Zachránil ju zvonček na dverách pošty. „Nechám vás, aby ste sa tu porozhliadli. Máme peknú sériu vianočných pohľadníc, určite budete nejaké z nich chcieť." Pani McPhersonová sa na ňu usmiala ako žralok a ponáhľala sa privítať ďalšiu obeť.

Keď sa s ňou Ross o dvadsať minút neskôr stretol, zdvihol obočie nad napchatou nákupnou taškou. „Chcete, aby som vám to zobral? Myslel som si, že potrebujete len niekoľko vecí."

„Bola som zmekphersonovaná," zavrtela hlavou Izzy. „Akoby človeka niečím očarovala a ten potom musel nakúpiť všetko, čo mu ponúkne. Nemohla som povedať nie. Navyše mám taký pocit, že by som s ňou mala byť zadobre."

„Áno, zdá sa, že je neoficiálnym pilierom dediny. Kto naštve ju, naštve celú dedinu."

„To si nemôžem dovoliť, pretože dúfam, že za mnou bude posielať ďalších hostí. Zohnali ste v knižnici, čo ste chceli?"

„Áno. Čo vás prinútila kúpiť?" Nahliadol do jedného z vrecúšok. „Puzzle?"

„Áno, zrejme sa budú hosťom páčiť. Na zábavu som nepomyslela. Prinútila ma vziať aj niekoľko balíčkov hracích kariet, scrabble a šachy."

„Prinútila vás?" podpichoval ju Ross.

„Úprimne, je desivá." Izzy sa zasmiala. Uľavilo sa jej, pretože sa zdalo, že sa veci s Rossom vrátili do normálu.

Cesta domov ubiehala v ľahkom rozhovore, a keď zahli na príjazdovú cestu k hradu, v duchu sa potľapkala po chrbte. Vďakabohu sa nenechala uniesť svojou predstavivosťou a nenaklonila sa k nemu, aby ho pobozkala. Urobila by zo seba poriadneho blázna. Boli priatelia, nič viac.

„Izzy." Ross zastavil a ona sa k nemu otočila, zmätená náhlou neistotou v jeho hlase. „Ja… hovoril som si, či ešte chcete zviezť do Edinburghu."

Obrátila sa k nemu, zľahka sa začervenala a znova si spomenula na predchádzajúci trápny rozhovor.

„Ehm, áno, ak vám to neprekáža."

„Samozrejme, že nie." Rýchlo sa na ňu usmial. „Ospravedlňujem sa, ak som vtedy naznačil, že nestojím o vašu spoločnosť, ja len…" Oči mu pri pohľade na ňu zmäkli. „Veľmi mi to nemyslelo."

„Ak vám to skutočne neprekáža, veľmi by mi to pomohlo.“

„Skvelé. Tak je to vyriešené.“ Natiahol ruku a dotkol sa jej paže. „Skutočne sa ospravedlňujem, myslím si, že som vás nahneval. Mal som však na to svoje dôvody.“

„Nie, nie, vôbec nie,“ skočila mu do reči Izzy možno až príliš rozjarene.

Pristúpil k nej a ich oči sa stretli. Rýchlo sa nadýchla. Zrazu ich vyrušil motor auta a okolo prešiel taxík, poskakujúci po úzkej príjazdovej ceste.

Izzy sa zamračila a sledovala miznúce červené svetlá.

„Návštevníci? Hostia?“ spýtal sa Ross.

„To netuším. Nikoho nečakám.“

12. kapitola

Na chodbe pri kozube ležal otlčený kufor, taška na notebook a obdĺžnikový kufor z tvrdého plastu. Izzy si nahnevane odfrkla a ponáhľala sa do obývačky, odkiaľ počula hlasy. Ross ju nasledoval a zrazu jej to prišlo úplne normálne. Bol súčasťou domu rovnako ako ktokoľvek iný.

„Izzy, miláčik. Poď sa zoznámiť s Godfreym. Spomínaš si na toho kamaráta, o ktorom som sa zmienila?“ Xanthe natiahla ruku a mávnutím ukázala na seriózne pôsobiaceho muža v strednom veku, ktorému okuliare bez rámov dodávali punc sobášneho podvodníka. Prezeral si obraz Isabelly so zafírovým náhrdelníkom prižmúrenými, sústredenými očami a hladil si úhľadnú koziu briadku.

„Godfrey nám prišiel pomôcť. Je odborník na škótsku históriu a pomôže nám nájsť zafíry. Je to profesionálny hľadač pokladov. Zostane tu dnešnú aj zajtrajšiu noc."

Izzy nasadila falošný úsmev a pohľadom prebodávala matku.

„Zdravím."

Akoby ho Izzy vytrhla z hlbokého zamyslenia, o ktorom vedela, že ho predstiera, zdvihol hlavu, otočil sa a vykročil vpred. Kilt, ktorý mal na sebe, sa mu motal okolo kolien. V geste prehnanej dôvernosti jej zovrel ruku medzi suchými, studenými dlaňami. To gesto by sa dalo vykladať ako vrelé, ale namiesto toho pôsobilo ako pretvárka.

„Dobrý deň, moja drahá!" Rýchlo sa pozrel na Xanthe. „Ten obraz je celkom iste autentický. Domnievam sa, že maliar patrí k škole Georgea Jamesona, jedného z našich najvýznamnejších portrétistov sedemnásteho storočia. Mohol by to byť dokonca Jamesonov originál, ale musel by som ho dôkladnejšie preskúmať, aby som zistil jeho skutočný pôvod." Otočil sa späť k Izzy. „Rád vás spoznávam. Toto je ale miesto. Strážca časti našej najlepšej histórie."

Skĺzol pohľadom na Rossa stojacieho za ňou a stuhol, kútiky pier zvesil v očividnej neľúbosti.

„Ross Strathallan. Mohol som tušiť, že vás tu nájdem."

„Godfrey, tiež vás rád vidím," predniesol Ross s nie príliš pobaveným úsmevom na perách.

Godgrey sa obrátil ku Xanthe. „Nevedel som, že budem s niekým súťažiť. Obvykle pracujem sám."

„Ach, pán Strathallan tu nie je oficiálne," zašvitorila Xanthe a potľapkala ho po ruke. „Prenajal si tu izbu, aby mohol písať. Nebude vás rušiť."

Godfrey našpúlil pery s výrazom prudkej bolesti.

„Nerobte si starosti, Godfrey," uisťoval ho Ross. „Hľadanie pokladov prenechám vám. Ospravedlňte ma, mám prácu." Prekvapivo rýchlo sa otočil a opustil miestnosť, akoby mu horelo za pätami.

„Neskutočné." Godfrey zavrtel hlavou. „Títo akademici. Vždy si myslia, že vedia všetko lepšie. V tomto odbore pracujem už viac ako štyridsať rokov. Zdá sa, že si myslia, že majú božské právo na vedomosti. Očividne ešte nič nenašiel."

„Nie som si istá, či hľadal," rypla si Izzy a ostro sa pozrela na mamu. „Nie všetci sme presvedčení, že tie zafíry existujú."

„Som si istý, že existujú, dievča drahé. Hovorí sa o nich už veľa rokov, ale Bill McBride nechcel, aby tu po nich niekto pátral." Zdvihol bradu a pokrčil plecami, čím Izzy pripomenul rozhorčenú, naježenú sliepku. „História je vecou všetkých, nielen akademikov." Povedal to s posmešným, dobre nacvičeným odfrknutím, ktoré naznačovalo, že ide o drobnú nevraživosť. „Viete, čo sa hovorí o učiteľoch: kto vie, ten vie, a kto nevie, ten učí." Komentár sprevádzal samoľúby úsmev.

Izzy sa chystala mamu zabiť. Kde, preboha, vyhrabala tohto nafúkaného somára? Všimla si, že jeho škótsky prízvuk z času na čas zosilnel.

„Teraz sa potrebujem občerstviť. Môžem dostať trochu čaju? A predpokladám, že máte nejaké sušienky. Cesta zo St. Andrews bola dlhá. A potom by som sa ubytoval. Určite ste pre mňa pripravili izbu."

„Samozrejme, Godfrey," povedala Xanthe a vykročila vpred. „Môžete mať jednu z našich najlepších izieb, povedala by som modrú, a som si istá, že Izzy vám môže požičať svoju malú pracovňu,

kým tu budete." Hodila na Izzy varovný pohľad. „Je to len na nie-
koľko dní." Izzy sa otočila a vypochodovala z izby s pocitom, že ju
mama neskutočne vytáča. Godfrey zrejme ani neplatil.

Mama sa ponáhľala za ňou. „Izzy, buď dobrá. Nič mu neplatí-
me, to, že je tu, je zvláštna láskavosť."

„Zvláštna láskavosť pre koho?" spýtala sa Izzy potichu a naštva-
ne penila pocitom márnosti, zatiaľ čo sa zastavila pri Godfreyho
batožine v hale.

„Pre mňa, samozrejme." Xanthe ju jemne pohladila po vlasoch
a zašepkala: „Nerob problémy. Nebudú s ním žiadne starosti, a keď
nájde zafíry, budeme bohaté a ty zmeníš názor."

„Iste, Xanthe," zavrčala Izzy. „Teraz však musím uvariť večeru,
takže ty zatiaľ môžeš pripraviť občerstvenie pre jeho lordstvo."

„Tu na stene máte veľmi pekný meč *claymore*." Izzy vyskočila,
otočila sa a zistila, že za ňou stojí Godfrey.

„Áno," pritakala, „Prepáčte, musím…"

„Ide o vynikajúci príklad remeselnej práce zo šestnásteho sto-
ročia. Solingenská oceľ z Nemecka, pokiaľ sa nemýlim. Boli to
najlepší mečiari v Európe, viete? Odhadujem, že meria minimálne
meter tridsať. Veľmi pekný exemplár. Mali by ste zvážiť, či ho ne-
odkázať múzeu pre potešenie celého škótskeho národa."

Izzy mu venovala upätý úsmev. „Môj prastrýko bol vo svojich
posledných prianiach celkom presný. V inštrukciách úplne jasne
napísal, že *claymore* nesmie opustiť rodinu. Advokát to veľmi zdô-
razňoval." Vlastne bolo celkom prekvapivé, že podmienka týkajú-
ca sa obrovského meča bola jediná, ktorú prastrýko stanovil.

„Hm," zamrmlal zasa Godfrey a nespokojne skrútil pery. „Je
to národný poklad. Mal by byť vrátený ľuďom. Rád by som si ho
niekde lepšie prezrel."

„Hm," začala Izzy vyhýbavo, „ak ma ospravedlníte, mám ešte prácu." A odišla dolu do kuchyne a modlila sa, aby nešiel za ňou, aj keď si bola pomerne istá, že napriek svojim proklamovaným sklonom k „ľudovosti" by pravdepodobne nikdy nevstúpil do miestnosti, ktorá by sa dala považovať za priestor pre služobníctvo. Jeho prítomnosť by mohla byť zábavná... ale nebola.

* * *

„Kto je ten nafúkaný tlčhuba?" Zatiaľ čo Izzy varila večeru, napochodovala do kuchyne Jeanette a pustila škatuľu s upratovacími pomôckami na zem. Jej drobná šľachovitá postava bola zahalená v plantajúcej, dosť zaprášenej mikine a legínach pokrytých pavučinami. „A čo robí v modrej izbe?" Nasledoval ju Jim a Ross s Duncanom sa objavili v jeho závese.

„Je to Xanthin priateľ a nezdrží sa tu dlho."

„To je dobre," utrúsil Ross. „Ten chlap je idiot."

Izzy sa zasmiala. „Ani vy sa mu veľmi nepáčite."

„Pohybuje sa len krôčik od konšpiračných teórií. Myslí si, že všetky historické artefakty by mali patriť ľuďom a že každý má právo po nich pátrať, nech sú kdekoľvek. Spolu s niekoľkými kamarátmi úplne zničil jedno archeologické nálezisko, keď tam uprostred noci s detektorom kovov kopali všade možne. Sám seba nazýva historikom z ľudu. Nadchne sa pre každú legendu a polopravdu a je mu úplne jedno, že pre ňu nie sú žiadne dôkazy. Je skvelý v hľadaní denníkov naznačujúcich nejaký ukrytý poklad. Ako som povedal, ten človek je úplný idiot. Nerozoznal by starožitnosť od niečoho z obchodného domu."

„Je to pekný hulvát," poznamenala Jeanette a zmietla si z nohavíc pavučinu.

„Dúfajme, že ho tá honba za preludom rýchlo omrzí. A kde si vôbec bola?" Izzy si prezerala jej špinavé oblečenie.

„Začala som v jednej z podkrovných izieb, napadlo mi, že by sme sa tam..." Jim k nej oddane pristúpil. „... mohli s Jimom presťahovať, keď prídu hostia. Hore je spálňa, obývačka s kozubom a kúpeľňa. Keby ti neprekážalo, že to tam trochu vyzdobíme, mohli by sme si tam urobiť vlastný malý zamestnanecký byt."

Izzy sa otočila, pobavená a zároveň dojatá. „Je to od teba veľmi pozorné. Takže tu s Jimom plánujete zostať?"

„*Aye*," usmiala sa Jeanette trochu drzo. „Potrebujete nás a určite ste nás aj tak nemali v pláne nechať naveky v jednej z izieb pre hostí, však? Samozrejme, pokiaľ tu budeme môcť ostať."

„Rada by som, aby ste zostali, ale nechcem, aby ste mali pocit, že vás niekto vyhadzuje z izby, v ktorej ste. Aj keď som tiež zvažovala, že sa presťahujem do inej izby."

„Neopováž sa, Izzy McBrideová," napomenul ju Duncan. „Toto je teraz tvoj domov. Máš plné právo byť ubytovaná v peknej izbe. Ani Xanthe sa nebude sťahovať, však?"

Ross si prekrížil ruky na hrudi a oprel sa o okraj stola. „Má pravdu a vy to viete."

„Uvidíme," pripustila Izzy, dojatá ich podporou.

„Musíš." Jeanette si založila ruky v bok a vrhla na ňu pohľad, ktorý mal byť výhražný, ale vzhľadom na to, že vyzerala ako malá porcelánová bábika, to úplne nevyšlo. Vystrčila bradu dopredu. „Si jeden z najlepších ľudí. Robíš všetku prácu, takže by si si mala život tu užívať."

Dojatá Izzy sa naklonila a rýchlo Jeanette objala. „To je od teba veľmi milé, ale ja som úplne spokojná. A ak sa budem musieť presťahovať, nebude to koniec sveta."

„Pch," odfrkla si Jeanette, ale tiež ju objala. „Ty si vážne naj. Veľká vďaka, že nás tu necháš bývať."

„Pracujete."

„Áno, ale nie tak tvrdo ako ty," namietol Jim.

„Drieš ako vôl," zamiešal sa do rozhovoru Duncan.

„Myslíš si, že do Vianoc stihneme všetko dokončiť?" spýtala sa Jeanette.

Izzy prehltla. „V každom prípade v to dúfam." Nešlo jej ani tak o to, aby boli pripravení na príchod skupiny na vianočný večierok, skôr ju trápilo, ako zvládne zaistiť, aby o nich bolo dobre postarané, keď tu budú, a splniť ich očakávania.

„Premýšľala som o uniformách," povedala Jeanette.

„Čože?"

„Pre mňa a Jima. Mohli by sme si ich obliecť, keď prídu. Napadlo mi, že by som si mohla vziať tartanovú šerpu a Jim kilt. Na povale sú nejaké tartany. Môžeme pomáhať so servírovaním a tak."

Izzy sa zasmiala. „Ty to máš všetko premyslené. No nečakám to od vás. Nechcete ísť cez Vianoce domov k svojej rodine?"

Jeanette si znovu založila ruky v bok. „Tento rok to radšej vynechám."

„Nemala by si im dať vedieť, kde si?" Izzy túto otázku položila už skôr a dúfala, že sa Jeanette aspoň spojí s matkou a urovná spory medzi nimi.

„Mama vie, že som v bezpečí." Jeanette pevne zovrela pery. „A že som s Jimom. Takže tu zostaneme na sviatky a priložíme ruku k dielu."

„To nemusíš robiť. Veď vám ani bohvieako neplatím." Hoci hneď ako bude mať peniaze od Carter-Jonesovcov a všetko uhradí, mala v pláne dať im odmenu.

„Hore sme o tom všetci hovorili a všetci tu budeme a pomôžeme, takže tým to hasne. Nebudem sa tu o tom dohadovať. A Ross aj Duncan tiež oprášia kilty."

„*Aye,* dievča," súhlasne pokýval Duncan hlavou. „A Ross vravel, že bude rozlievať víno."

Ross pozdvihol pomyselný pohár a prikývol.

„To je od vás všetkých veľmi milé."

Väčšinu života sa Izzy o niekoho starala a podporovala ho a časť jej ja bola hrdá na vlastnú nezávislosť a schopnosti, ale niekedy sa cítila osamelá a zodpovednosť ju unavovala. Večná zodpovednosť sa na príliš dlhý čas stala jej východiskovým nastavením. Bolo také krásne podeliť sa pre zmenu o časť bremena. Chvíľu nemohla nájsť správne slová. Namiesto toho sklopila pohľad k stolu. V očiach sa jej leskli slzy.

„Ale choď, ty bábovka," povedala Jeanette a objala ju. „Ešte začnem tiež plakať. Vôbec netuším, čo by sme si s Jimom počali, keby si nám neposkytla strechu nad hlavou. A nikdy si nám nedávala najavo, že sme ti dlžní alebo že sme zamestnanci. Vždy si bola veľmi milá."

Izzy potiahla nosom.

„Takže pre teba chceme urobiť tiež niečo pekné."

„Ďakujem." To bolo jediné, čo Izzy dokázala povedať.

„Čo keby som postavila na čaj? A možno by sme mohli ohriať niekoľko tých plnených koláčov z mrazničky." Ross mal na tvári nádej a príliš pripomínal priateľského labradora, ktorý sa snaží všetkých presvedčiť, že už týždeň nedostal najesť.

„Kuš," zavrtela Izzy hlavou. „Týmto tempom na Vianoce nič nezostane."

Potom sa však postavila a priniesla várku koláčikov. Aj jemu by mala platiť.

S pomocou tejto partičky Izzy začínala mať pocit, že by Vianoce mohla zvládnuť.

13. kapitola

„O koľkej sa dnes bude podávať večera?" spýtala sa Xanthe, keď vplávala do kuchyne v staroružovom zamatovom plášti až po zem. „Myslím si, že keď je to Godfreyho posledný večer, mali by sme jesť v jedálni a urobiť z toho udalosť."

„Čo napríklad o siedmej?" navrhla Izzy.

„Perfektné, prestriem v jedálni, nech to tam vyzerá pekne." Xanthe sa rozhliadla okolo stola, za ktorým sedeli Jim, Jeanette, Duncan a Ross pri obvyklej rannej káve. „Očakávam, že sa na večeru všetci slušne oblečiete." S tým odkráčala a plášť za ňou vial vo vlnách zamatových záhybov.

„To ako vážne?" začudovala sa Jeanette. „Je to starý tlčhuba. Večne sa mi pletie pod nohy. Vypytuje sa na hlúposti. Všade búcha a ťuká, odhodlaný nájsť tie zafíry."

„Nepodarený blázon," pritakal Duncan. „Rozumie tomu ako hus pivu. Už predtým tu vyňuchával a Bill ho poslal do hája. Bill vždy hovoril, že sú všetkým na očiach a že ich nájde, kto sa dobre pozerá."

Izzy sa prudko otočila k Duncanovi. „To si predtým nevravel. Tvrdil si, že neexistujú."

Duncan nasadil nevinný výraz. „Nevravel?" podotkol a nič ďalšie už nedodal. *Vedel azda niečo?*

„Ja a Jeanette tu pracujeme," vyhlásil Jim, „takže pôjdeme do krčmy. Ušetríme vám varenie pre ďalšie hladné krky."

„Toto ani neskúšajte," zaprotestovala Izzy. „Keď musím trpieť ja, myslím si, že by ste mali všetci."

„Tak to teda neviem prečo," ohradil sa Ross. „Som tu predsa hosť."

„Tým skôr," skonštatovala Izzy. „Mali by sme s vami zaobchádzať ako s hosťom. Večera v jedálni. Prosím, Ross." Prosebne sa na neho usmiala. „Hneď ako sa navečeriate, môžete zmiznúť. A bude to dobrá večera."

„Čo sa bude podávať?" bol zvedavý Ross a podozrievavo privrel oči. „A prečo si myslíte, že som ten typ človeka, ktorý sa nechá podplatiť?"

Izzy horúčkovito premýšľala, čo je v mrazničke a čo by mohla zohnať vo farmárskom obchode.

„Zverina," vyhŕkla, „s pečenými zemiakmi, kelom a s miešaným šalátom."

Zhodnotil ju pohľadom. „Mám rád pekný kus zveriny. Máte pravdu, ale nevyčítajte mi, ak sa kvôli jeho smiešnym názorom pohádame. Ak začne navrhovať, aby ste hrad venovali ľudu, jednoducho ho ignorujte."

* * *

S tými troma ich prišlo na večeru osem a napriek reptaniu si Duncan aj Jim pri tej príležitosti obliekli kilty. Po tom, čo Izzy v kuchyni prešla niekoľko kníh so škótskymi receptami, zostavila menu a narýchlo navštívila farmársky obchod. So svojou popoludňajšou prácou bola dosť spokojná. Prvý chod priniesla vo veľkej polievkovej mise z kameniny so zodpovedajúcou naberačkou, ktorú Xanthe objavila v drevenom príborníku v jedálni a trvala na tom, aby ju použili. Izzy musela uznať, že to vyzeralo skutočne fantasticky, zvlášť s viktoriánskym riadom, ktorý Xanthe rozložila na stôl.

Novo vymaľovaná jedáleň s vylešteným dreveným obkladom a starostlivo prestretým stolom vyzerala úplne úchvatne a Izzy sa vďaka tomu cítila oveľa lepšie, pokiaľ išlo o sumu, ktorú budú účtovať vianočným hosťom. Všetko pôsobilo veľmi štýlovo a autenticky vďaka pôvodným príborom, porcelánu a pohárom, ktoré Jeanette pod Xanthiným dohľadom starostlivo vyčistila a vyleštila.

„Čože to tu máme?" zavetril Godfrey.

„To je *partan bree*," vyhlásila Izzy uvoľnene, akoby to varila celý život. Vďaka Adrienninmu výcviku v kuchárskej škole bola príprava rybacej polievky, ktorej sa všade inde vo svete hovorilo *crab bisque*, celkom jednoduchá a Izzy bola s výsledkom nadmieru spokojná.

„Ach, výborne," pomädlil si Godfrey ruky, akoby jej skladal nejakú veľkú poklonu.

Podávala bledooranžovú polievku, ktorú dozdobila kúskami nakladaného fenikla, ktorý vďaka krémovej polievke chutil lahodne trpko. Tentoraz bola spokojná aj s prezentáciou, ktorá nebola nikdy jej silnou stránkou. Ten drobný detail vyzeral pôsobivo a jeho príprava bola prekvapivo ľahká. V duchu Jasonovi za túto radu poďakovala a dúfala, že si on aj Fliss nechajú cez Vianoce zapnuté telefóny.

„To je vynikajúce, Izzy. Beriem všetko späť. Ten kurz varenia vážne stál za to." Xanthe pochvalne poklopkala lyžicou po miske s polievkou.

Izzy zagúľala očami. Už asi od štrnástich rokov väčšinou varila sama. Xanthe mala vo zvyku začať sa nudiť a odchádzať z kuchyne, čo nevyhnutne viedlo k spúšťaniu detektora dymu a zničeniu ďalšej panvice.

„Rád by som sa pozrel na ten *claymore*," pripomenul Godfrey, zatiaľ čo sŕkal polievku. Samozrejme, že sŕkal, bol to nesmierne otravný typ človeka. Izzy si zo srdca priala, aby ho matka nepozývala na návštevu.

Izzy si všimla, ako Ross tiež gúľa očami. Strýko Bill dával dosť jasne najavo, že si nepraje, aby *claymore* opustil hrad. Nebola si istá, či ho chce zveriť do Godfreyho rúk, ale Xanthe sa ozvala skôr.

„Isteže môžete. Je od vás veľmi pekné, že ste merali takú cestu a pomohli nám hľadať zafíry. Je mi ľúto, že bezvýsledne." Godfrey strávil celý deň prehľadávaním hradu, klopkaním po stenách, skúmaním políc a obkladu a nahliadaním do komínov. Všetko márne, čo Izzy tajne tešilo.

„Ach, chce to vytrvalosť, milá pani. Pri týchto rodinných pokladoch je vždy prítomné tajomstvo. Samozrejme, budú dobre ukryté pred zrakmi ľudí, na mieste, ktoré pozná len rodina, takže to vždy bude ťažké. Rád by som sa vrátil a priviedol so sebou ďalšieho odborníka."

To určite, pomyslela si Izzy trochu naštvane. *A platiť to bude kto?* Vlastne vzhľadom na to, koľko platil Ross, bolo trápne, že tu Godfrey býval zadarmo.

„To by bolo skvelé," súhlasila Xanthe.

Izzy sa postavila s pokojným úsmevom, ktorý zakrýval jej vnútorné podráždenie. „Pomôžem ti," ponúkla sa Jeanette a hneď začala skúsenou rukou zbierať taniere a príbory. Izzy ju nechala, vzala polievkovú misu a išla skontrolovať hlavný chod do kuchyne. Steaky zo zveriny nechala odpočívať. Pomaly z nich vytekala šťava a pečené zemiaky vyzerali nádherne – zlatisté a na povrchu chrumkavé. Kel sa leskol olivovým olejom, soľou a štipkou cukru, ktorými ho posypala. Mrkva, pripravená na masle s badiánom, krásne voňala. Rýchlo preliala šťavu z mäsa do panvice, kde už bol mäsový vývar, osmažená šalotka, portské víno a bobkový list, a dala všetko variť, aby sa tekutina zredukovala, zatiaľ čo kládla na taniere mäso a zeleninu. Jeanette sa objavila ako na zavolanie.

„Zdá sa mi to, alebo je ten chlap tak trochu hovädo?"

Izzy sa zasmiala. „Trochu?"

Hlavný chod sa mimoriadne podaril a Izzy bola nadšená zo všetkých komplimentov, ktoré dostala. Možno by to nakoniec predsa len mohla zvládnuť.

Keď naservírovala koláč s lesným ovocím *loganberry* a jablkami z farmárskeho obchodu, pretože nemala čas vymýšľať dezert, a už vôbec nie nejaký pripraviť, odskočila si na toaletu a potom sa mienila postaviť čelom k neporiadku v kuchyni. Bude jej chvíľu trvať, kým uprace. No keď sa vrátila do kuchyne, zistila, že Jeanette priniesla taniere, Ross upratal panvice a vložil riad do umývačky, zatiaľ čo Jim očistil sporák a už pripravil veľkú kanvicu kávy.

„Páni!" Zastavila sa a rozhliadla sa okolo seba. „Ďakujem, to ste vážne nemuse…"

„Tímová práca," prerušil ju Ross. „Je to oveľa jednoduchšie, keď každý priloží ruku k dielu."

„Lenže vy ste hosť," pripomenula mu Izzy už po niekoľkýkrát s ľahkým nádychom paniky v hlase.

Pokrčil plecami. „Nudil by som sa, keby som tu len tak sedel, a okrem toho to bolo maximum času, ktorý som bol ochotný počúvať toho somára."

„A my tu pracujeme, nezabudni," ozval sa Jim.

„Áno, ale sotva vás platím.“ Izzy zovrelo žalúdok pocitom viny. Obaja boli takí milí a ochotní. Nikdy im nič nebolo zaťažko.

„Byt a strava stačia.“

Izzy zavrtela hlavou, premáhali ju emócie. Stiahlo jej hrdlo a nedokázala nič povedať. Iba tam stála a v očiach sa jej leskli slzy.

„No tak.“ Ross ju objal okolo pliec.

„Pardon,“ potiahla nosom. „Všetci ste takí dobrí.“

„Sme tím,“ vyhlásila Jeanette, pristúpila k nej a chytila ju pod pazuchu.

„Skupinové objatie,“ zavelil Jim, pridal sa k nim a všetkých ich objal svojimi dlhými rukami. Bol ako šteňa – samá ruka, samá noha.

Izzy znova potiahla nosom. „Neviem, čo by som si bez vás počala.“

„Tým sa nemusíte trápiť, pretože sme všetci tu a nikam sa nechystáme.“

„Neboj sa, Izzy,“ upokojovala ju Jeanette. „Toto budú parádne Vianoce. Carter-Jonesovci netušia, čo ich postretlo.“

* * *

Kávu podávala v hale pri ohni, ktorý Jim predtým zapálil. Polená ticho prskali a plamene oblizovali rozpálené uhlíky. Pokiaľ Izzy dúfala, že Godfrey zabudol, že si chcel prezrieť *claymore*, musela byť sklamaná.

„Keď už...“ Godfrey sa zastavil pred kozubom a ukázal rukou na meč visiaci na stene. „Je skvostný, ale mal by byť v múzeu. Môžem sa pozrieť?“ Napriek otázke sa pohol dopredu.

Ross, prestupujúci na schodisku, akoby mieril hore, sa zastavil a otočil.

„Je to len starý meč," oponovala Xanthe. „Neviem, prečo je okolo neho toľko rozruchu. Ani sa veľmi neleskne."

Godfrey došiel k stene, ale nebol dosť vysoký, aby na meč dočiahol. Z nejakého malicherného dôvodu, na ktorý nebola veľmi pyšná, to Izzy veľmi potešilo.

Ross vykročil vpred, akoby mu chcel pomôcť.

„Nie!" vyštekol druhý muž. „Zvládnem to." Prevrátil uhliak vedľa kozuba, všade rozhádzal smietky čierneho prachu a vyliezol naň. Jednou rukou – dokonca aj Izzy vedela, že je to hlúposť, *claymore* bol obojručný meč – uchopil rukoväť a zdvihol ho z dvoch pevných hákov, ktoré ho držali na mieste. Keď mu celá jeho hmotnosť spočinula v dlaniach, na okamih sa zapotácal a chvíľu sa hojdal ako v situačnej komédii, takže všetci radšej ustúpili z dosahu.

„Pozor!" vykríkol pohotovo Duncan, ktorý bol najbližšie a len o vlások unikol tomu, aby prišiel o ucho.

Godfreymu sa podarilo uchopiť meč druhou rukou a chvíľu stál a kýval sa na mieste, než získal stratenú rovnováhu.

„Ach," vydýchol silno Godfrey s úžasom v očiach. „Taký vyvážený. Toto musel byť veľmi drahý meč. Solingenská oceľ z Nemecka, pokiaľ sa nemýlim. Boli to najlepší mečiari v Európe."

„To ste už hovorili," neodpustil si Ross.

Godfrey ho prebodol pohľadom a skusmo mávol mečom, div pod jeho ťarchou nespadol.

„Opatrne!" zvolal Ross, keď Godfreymu povolili ruky a špička meča narazila do zeme, až kov zazvonil o kamennú podlahu. Potácal sa na mieste, natiahnutými rukami zvieral rukoväť meča a pripomínal malého chlapca, ktorý si skúša otcove topánky.

Ross zavrtel hlavou, pristúpil ku Godfreymu a s ľahkosťou mu zobral meč z rúk, hoci Izzy si všimla, že sa mu svaly na rukách napínajú. Už si zvykla, že je veľký a mohutný, ale toto jej pripomínalo, že na vojnovom poli by Ross, s vejúcim kiltom a týmto mečom, nevyzeral ani trochu nepatrične. Izzy sa radovala z jeho nenúteného prejavu mužnej sily, ktorý jej rozbúril hormóny tým najnevhodnejším spôsobom, aj nad tým, ako jednoducho ten meč zobral bez akejkoľvek drámy, okázalosti alebo predvádzania sa. Položil ho na dlhý dubový stôl pri stene.

Godfrey ho s počuteľným odfrknutím prebodol pohľadom a prešiel k stolu.

„Ako som hovoril," uškrnul sa, „je to vynikajúca ukážka remeselných zručností sedemnásteho storočia." Znovu opakoval to, čo už povedal predtým, len menšiemu publiku. „Čepeľ ukovaná pred stovkami rokov a ostrá ako v deň, keď opustila kováčstvo."

„O tom pochybujem," opravil ho Ross. „Súdiac podľa škrabancov na čepeli sa často používal a vyzerá, že už nejaký čas nebol brúsený. Hoci aj tak by stále dokázal napáchať nejaké škody."

Godfrey ho ignoroval a obrátil sa ku Xanthe, ktorá predstierala, že je očarená. História ju nudila, ako Izzy dobre vedela. „Je také fascinujúce počúvať odborníka," rozplývala sa.

„Áno, tento *claymore* sa pravdepodobne používal na ochranu hradu pred najrôznejšími útočníkmi. *Sassenachmi*, ktorí sa snažili ovládnuť krajinu."

„O tom pochybujem," zopakoval Ross. „*Laird* a lady Isabella boli verní Jurajovi II., keďže brat lady Isabelly Richard bol ženatý s jednou z jeho dcér kráľovho obľúbeného vyslanca."

„To sú povedačky," hneval sa Godfrey. „Rodina tú historku v neskorších rokoch pravdepodobne promulgovala, aby zostala na strane anglickej vlády."

„Promulgovala?" zašepkala vyjavene Jeanette smerom k Izzy. „Čo to vôbec znamená?"

Ross stisol pery. „Podľa rodinnej Biblie je rodokmeň celkom jasný a farská matrika v Kostole svätého Jána z Perthu jasne dokladá svadbu sira Richarda s lady Henriettou, dcérou Edmunda Poleyho, vyslanca v Hannoveri."

„O tom som nepočul," pokrútil hlavou Godfrey.

„To, že o tom neviete, ešte neznamená, že to nie je pravda. Je to historický fakt podložený dôkazmi z primárneho zdroja."

Godfrey sa otočil a sklonil sa nad mečom, zatiaľ čo Xanthe vrhla na Rossa nepríjemný pohľad. Godfrey si dovolil malý úškľabok a potľapkal ju po ruke.

„Pozrite sa na tú dlhú rukoväť a neobvyklý ozdobný vzor na nej. Ten je pre túto oblasť typický."

Ross sa predklonil a zamračil sa na hrubé výstupky na rukoväti. „Tie nie sú typické," namietol a vyzeral skutočne zmätene. „Ešte nikdy som nič podobné nevidel."

Godfrey sa uškrnul. „Ako ste to povedali? To, že ste ešte niečo nevideli, neznamená, že to neexistuje." So slizkým úsmevom sa obrátil ku Xanthe. „Pridali ich, aby uľahčili uchopenie rukoväti. V bitkách, keď boli čepele poffkané krvou, sa často stávalo, že meč bojovníkovi vykĺzol z rúk, a tak si rukoväť prispôsobili, podobne ako si dnes hráči tenisu alebo squashu dávajú na rakety froté omotávky."

Izzy začula, ako si Ross odkašľal, a v tom zvuku bolo zreteľne počuť „kecy".

Xanthe vsunula ruku pod Godfreyho pažu. „Nechceli by ste ísť do obývačky a o všetkom mi porozprávať? Bill tu nechal skvelú zbierku sladových whisky, som si istá, že by ste jednu rád ochutnali." Ťahala ho preč a pri odchode napomenula Izzy a Rossa pohľadom.

„Nafúkaný debil," zhodnotil Ross, hneď ako boli dostatočne ďaleko.

Izzy sa začala chichotať. „Keď ho chytil prvý raz do ruky, myslela som si, že spadne na chrbát."

„Ja som sa bál, že mi odsekne hlavu," pripojil sa Duncan.

„Bolo to o chlp," súhlasil Jim.

„Ten hlupák zrejme nikdy v živote nedržal v ruke *claymore*. Vážia tonu a sú určené na držanie obojručne. Bože, ten trepe také nezmysly. Také hlúposti som ešte nepočul. Takýto *claymore* by mal mať hladkú koženú rukoväť." Ukázal na ňu. „Nie som si istý, čo s tým je, ale bolo to doplnené oveľa neskôr a ten, kto to urobil, by si zaslúžil zastreliť. Potenciálne znehodnotil pekný kúsok. Nie div, že tvoj strýko si neželal, aby opustil rodinu."

Zdvihol meč a vrátil ho na jeho miesto nad kozubom. „Ale stále by ste s ním pravdepodobne zastrašili prípadného lupiča."

„Budem si to pamätať," uistila ho Izzy s vážnym úsmevom. „Musím ísť pracovať. Vďaka za večeru."

„Ďakujem za pomoc."

„Dobrú, Izzy."

Sledovala ho, ako stúpa po schodoch. V polovici cesty sa zastavil, aby sa nechápavo zadíval na *claymore*. Všimol si, že si ho Izzy prezerá, a než zmizol z dohľadu, zodvihol ruku na rozlúčku.

Izzy si povzdychla a divoko sa jej rozbúšilo srdce. Čím viac času s ním trávila, tým viac sa jej páčil. Pokojný, rozumný a pevný, čo neznelo ktovieako príťažlivo, ale po živote s Xanthe, ktorá bola ako ortuť, to bola vítaná úľava. Dalo by sa povedať, že stabilizujúca záťaž na rozbúrenom mori. Lenže potom si znovu spomenula na ten plamenný nápor fyzickej príťažlivosti, a to bola zlá správa. Fyzická príťažlivosť sa nekončila vždy dobre.

14. kapitola

*P*od Izzinými nohami vržďala silná námraza, keď kráčala k miestu, kde stál Rossov okázalý zelený range rover so zapnutým motorom. Z výfuku sa v chladnom rannom vzduchu dymilo. Hrad za jej chrbtom bol tmavý a tichý, len okolo vstupných dvier presvitalo osamelé svetlo. Bolo pol siedmej – príliš skoro na vstávanie, ale umožní im to stráviť v Edinburghu celý deň, než sa večer vydajú na spiatočnú cestu.

„Dobré ráno," zašepkala s vedomím, že zvyšok domu pravdepodobne ešte spí. „Doniesla som vám kávu."

„Vy ste anjel. Pripravená?"

Ignorovala záchvev, ktorý v nej vyvolalo slovo anjel. Bol to len kompliment, nič to neznamenalo.

„Áno."

„Tak naskočte. Malo by tu byť príjemné teplo."

Bolo, a keď sa Izzy uvelebila na vyhrievanom koženom sedadle, vzdychla si. Bolo to veľmi elegantné auto, vlastne možno to bolo najviac nóbl auto, v akom kedy sedela. Kto by to bol povedal, že profesorov histórie tak dobre platia?

Cesta ich viedla údolím cez práve sa prebúdzajúci Kinlochleven, v oknách sa tu a tam objavili svetlá. Potom sa znova ponorili do noci, reflektory auta prerážali tmu a občas zachytili planúce žlté oči nejakého králika alebo hraboša, ktorý utekal do bezpečia. Izzy sa oprela do sedačky, zahriata a spokojná. Bolo to veľmi pohodlné auto a bolo príjemné na chvíľu vypnúť mozog. Povzdychla si.

„Toto bol dobrý nápad," vyhlásila a cítila, ako jej z pliec opadáva napätie.

„Dobrý," súhlasil Ross. „Nechcem byť nezdvorilý, ale vyzeráte, že si potrebujete odpočinúť. Čo keby ste si trochu zdriemli? Tiež by som sa mohol pre zmenu postarať o vás." Úplne nečakane ju kĺbmi prstov pohladil po tvári. „Oddýchnite si, v poslednom čase ste si celkom dosť naložili."

Prikývla a cítila sa, akoby si trochu vypila. Na hrade robila všetko možné a toto bola prvá poriadna cesta mimo domova za celú večnosť. Uvedomila si, že sa na ňu pozorne pozerá, a cítila, ako sa jej tají dych zo starostlivosti, ktorú čítala v jeho očiach. „Ďakujem," odvetila a hlas jej zmäkol nečakaným dojatím. Už dlho si o ňu nikto nerobil starosti.

* * *

„Bude nádherný východ slnka," poznamenala, keď o dve hodiny neskôr schádzali z kopca. Pred nimi sa rozprestierala ružovo žiariaca obloha so zlatistými vrcholkami sivých mrakov, rysujúcich sa na čisto modrom pozadí. Odtiene broskyňovej, indigovej a kobaltovej sa rozprestierali po obzore a sľubovali nový deň.

„Nezastavíme na chvíľu? Pred nami je parkovisko. Dal by som si trochu tej kávy, čo ste sľubovali."

Zastali na odpočívadle na okraji Lochan Lairig Cheile a vystúpili z auta. Bez toho, aby čokoľvek povedali, akoby to oboch rovnako ťahalo k vode, prešli riedkym borovým porastom k stánku pri jazierku. Izzy sa zhlboka nadýchla a cítila, ako jej chladný vzduch plní pľúca, zatiaľ čo sa dívala na rozoklané vrcholky kopcov nad jazerom. Chuchvalce hmly tancovali nad borovicami natisnutými na seba pozdĺž jeho brehu. Izzy pre oboch naliala silnú tmavú kávu.

„V chladiacej taške je mlieko, keby ste chceli." Ukázala na malú tašku pri svojich nohách.

„Myslíte na všetko. Máte aj sendviče zabalené do desiatového papiera, ako to vždy robievala moja babička?" Na skalnatej pastvine pod nimi, rozprestierajúcej sa medzi skalami a záhybmi terénu porasteným papradím, sa pásli ovce.

Tľapla ho dlaňou. „Uťahujete si zo mňa? Myslela som na všetko. Žiadne sendviče, ale môžete si dať jablko, keď budete dobrý. Túto cestu som absolvovala už niekoľkokrát. Žiadny Starbucks alebo Costa nie je poruke. Ale je krásna. Nikdy sa nemôžem rozhodnúť, ktorý kúsok mám najradšej, ale viem, že by som tu mohla umrieť ako šťastná žena." Usmiala sa a povzdychla si pri pohľade na pásmo kopcov v diaľke, ktorých fialové a sivé siluety sa rysovali proti oblohe.

„To je dosť extrémne."

„Nemyslím to doslova," povedala teraz už s vážnou tvárou, „ale zakaždým, keď tadiaľto idem, srdce sa mi chveje nad tou krásou. Tá krajina je o toľko väčšia než my, prečkala všetko. Bola tu skôr, než sme tu boli my, a bude tu ešte dlho po nás. Všetky naše malicherné problémy urovnáva do perspektívy, nemyslíte? Nikdy ma to neprestane napĺňať úžasom."

Otočil sa a po tvári sa mu pomaly rozlial úsmev. „Presne tak sa cítim. Nie som si istý, či sa dokážem vrátiť a žiť znovu v meste."

Usmiali sa na seba spôsobom, akým to robia dvaja ľudia, ktorí si úplne rozumejú, a Izzy cítila, ako sa jej rozbúšilo srdce. Rýchlo sa napila kávy a zámerne ten pohľad prerušila, aby si prezrela vlnky sčerené slabým vánkom.

„Do Edinburghu je to už len hodina. O koľkej máte schôdzku?"

„Musím tam byť už o desiatej." Skúmal ju tým svojím obozretným spôsobom, akoby vedel alebo tušil, čo sa jej preháňa v hlave, ale nasledoval jej príklad a naschvál zmenil tému. „Podľa satelitnej navigácie sa na diaľnici M9 stala nehoda, takže pôjdeme obchádzkou cez Kincardine Bridge, ktorý nás zavedie cez Dunfermline, čo nie je ideálne, ale nechal som si veľkú rezervu."

* * *

Keď prešli Forth Road Bridge, naskytol sa im známy pohľad na matne načerveno natreté priehradové nosníky Forth Bridge. Pre Izzy to bola vždy známka toho, že sa vracia domov, kedykoľvek išla ďalej na sever. Nebol to najkrajší most, ale bol to dôkaz vynaliezavosti staviteľov minulých čias, ktorí vytvorili krásne mesto. Bolo to znamenie, že sú už takmer na mieste.

„Kde v Edinburghu bývate?"

„V Morningside," odvetil Ross a pozrel sa na hodinky.

„Milujem Morningside. Všetky tie krásne radové domy. Moji priatelia bývajú na Braid Hill a majú tam nádherný dom. Sú tam skvelé kaviarne."

„Hm."

Zadívala sa na Rossov profil.

Vyzeral sústredene, pohľad uprený na cestu, presne vypočítané a precízne pohyby. Dokonca aj spôsob, akým zapínal svetlá, pôsobil ostro a úsečne.

„Trvá vám dlho, než sa ráno dostanete do mesta?" zaujímalo ju.

„Ide to." Pokrčil plecami.

„Ako dlho to trvá?"

„Dvadsať až päťdesiat minút. Záleží na premávke." Tentoraz rozhodne hovoril stroho a chladne. Liezlo to z neho ako z chlpatej deky. Prečo bol zrazu taký nekomunikatívny?

„Dôležitá schôdzka?" spýtala sa s náznakom súcitu. Možno bol vystresovaný už len z tých myšlienok.

„Čože?" znel duchom neprítomne.

„Tá schôdzka na fakulte, na ktorú sa chystáte."

„Ehm… áno. Tak nejako."

„Som si istá, že to bude dobré," snažila sa ho Izzy upokojiť.

„Určite áno." Venoval jej prázdny úsmev, ale zjavne bol myšlienkami niekde inde.

Izzy sa rozhodla, že ho nebude obťažovať hlúpymi rečami, ale ďalšiu otázku položil on.

„Kde vás mám vysadiť?"

„Parkujete pri univerzite?"

„Hm."

„V ktorej časti? Neprekáža mi ísť odtiaľ peši. Mám k dispozícii celý deň."

Ross sa k nej otočil. „Chcel som zaparkovať v štvrti svätého Jakuba. Je tam parkovací dom."

„Skvelé, ale nie je to ďaleko od všetkých univerzitných budov?"

„Je voľno. Zídeme sa mimo fakulty."

Zamračila sa. Bola si istá, že sa vyhýba odpovedi. Mala pocit, že je zrazu na inej vlne, a pritom sa predtým domnievala, že si rozumejú. Mal schôdzku s kolegami z práce alebo s niekým iným? Načo také tajnosti? Ibaže by išlo o vydatú milenku alebo niečo podobné. Pokiaľ by mal tajné rande, všeličo by to vysvetľovalo, ale z toho, čo o Rossovi vedela, jej nepripadal ako ten typ. Na druhej strane, čo ona vedela o tom, ako premýšľajú muži? S Philipom sa tak bolestne splietla.

„To mi vyhovuje."

„Ste si istá? Neprekáža mi, ak by som vás niekde vysadil."

„Je to celkom blízko obchodov, do ktorých sa chystám."

„Dobre, ako myslíte. Pokojne vás však môžem niekam odviezť, keby ste chceli ísť do starého mesta."

Izzy mala šialenú chuť smiať sa a bola v pokušení požiadať ho, aby ju vysadil na Kráľovskej míli. Bol to blázon. Jazda centrom Edinburghu nikdy nebola žiadna zábava. S dláždenými ulicami a priechodmi s množstvom schodov nebolo mesto navrhnuté pre autá. Staré mesto okolo hradu zaberalo jeden z najvyšších bodov mesta, ktorý bol rozdelený železničnou traťou vedúcou priamo pod jeho skalnatými útesmi a záhradami Princes Street smerom k stanici Waverley, rozdeľujúcej mesto na starú a novú časť.

Ako každý v Edinburghu vedela, že Kráľovská míľa je dokonca aj v zime preplnená turistami, ktorí prekážajú na ulici, a autobusmi smerujúcimi k Holyrood Palace, za ktorými sa tvoria kolóny, a že kľukaté cesty, ktoré sa obracajú do protismeru a nečakane prudko stúpajú, prispievajú k už aj tak komplikovanej orientácii v centre mesta. Rozhodne to bolo mesto na peší prieskum, hlavne preto, lebo moderná satelitná navigácia nezvládala tie časti, ktoré boli postavené nad sebou. Izzy sa vybavilo mnoho zmätených turistov stojacich na Moste Juraja IV., ktorí sa snažili trafiť do Cowgate pod ním.

„Zájdem s vami na parkovisko. Ako som vravela, úplne mi to vyhovuje. Vďaka Jeanette mám zoznam, kto príde na Vianoce, aby som mohla prichystať pančuchy, a napadlo mi, že nejaké maličké turistické darčeky by boli roztomilé. Moje obľúbené miesto je obchod s karamelkami. Hovorila som si, že všetkým kúpim pravé škótske mäkké karamelky a sušienky. A magnetky na chladničku z jedného malého turistického obchodíka."

„Tých je tam dole kopa. Dobrá voľba."

„Tiež miniatúrne whisky a nejaké plechovky s haggisom."

„Odkiaľ sú tí ľudia?"

„Pán Carter-Jones pochádza z Midlandsu, ale jeho žena je z Kanady a má dávnych škótskych predkov. Podľa všetkého opustili Škótsko v roku 1747, krátko po jakobínskom povstaní."

„Tak preto sa chce vrátiť k svojim koreňom."

„Presne tak. Som trochu nervózna z jej očakávaní, aj keď Jeanette hovorila, že v e-mailoch pôsobila milo." Izzy netušila, ako sa dá z e-mailu zistiť, aký niekto je.

Na Vianoce ich teda malo prísť osem a pani Carter-Jonesová im dala dodatočný rozpočet na pančuchy vo výške päťdesiatich libier na osobu a stručný opis všetkých zúčastnených. Pán Carter-Jones a jeho švagor boli nadšení golfisti, obaja synovia milovali whisky, dcéra sa zaujímala o krásu, neter bola knihomoľka a pani Carter-Jonesová a jej sestra boli vášnivé kuchárky.

Izzy si pretrela ruky, rada nakupovala pre ostatných. Už dlho nebola na nákupoch a tešila sa na tento deň, len dúfala, že bude mať dosť času, aby všetko stihla, a že bude mať dosť sily, aby tie nákupy odniesla.

„Takmer počujem, ako sa vám v hlave krútia kolieska," zasmial sa Ross. Bolo to prvý raz, čo po niekoľkých minútach dobrovoľne prehovoril. Izzy sa nevedela rozhodnúť, či je paranoidná, alebo nie, ale zdalo sa jej, že v aute panuje zvláštne napätie, akoby sa závit stále uťahoval.

„Je všetko v poriadku?" vyhŕkla, keď nakoniec podľahla úzkosti. Neznášala ten pocit bezmocnosti.

Zaťal čeľusť a ani sa k nej neotočil.

„Všetko je fajn," odvetil s takým prehnaným dôrazom, až bolo jasné, že je všetko inak.

„Fajn?" zopakovala a rozhodla sa, že sú už tak blízko parkoviska, že nemá čo stratiť. „Keď ľudia hovoria ‚fajn', obvykle tým myslia pravý opak."

„Ja nie," odsekol strohým tónom, ktorý by normálne ukončil hovor, ale Izzy bola z tuhšieho cesta.

„Takže to mrazivé ochladenie v aute sa mi len zdalo."

„Presne tak," potvrdil Ross.

To jej toho teda povedal. Pripomínalo jej to hádky, ktoré viedla s Philipom, keď striedal teplo a chlad. Pred všetkými bol jej najlepším priateľom, predstavovala stredobod jeho sveta, ale hneď ako osameli a žiadala od neho akúkoľvek citovú oporu, odcudzil sa. Izzy zaťala zuby a otočila sa, aby sa pozrela z okienka spolujazdca. Nech si Ross robí, čo chce. Nehodlala sa tým trápiť, aj keď ju to ťažilo. Začala ho považovať za priateľa a hlúpo možno aj za niečo viac, ale zjavne to mimo hradu neplatilo.

Keď zastavil pred vjazdom na parkovisko a ponúkol jej, že ju vysadí tam, aby nemusela čakať, kým zaparkuje, okamžite súhlasila.

„Zídeme sa tu o siedmej večer."

„Skvelé," odvetila Izzy priškrteným hlasom a pridala nútený úsmev.

Na okamih mala dojem, že v jeho očiach zahliadla záblesk ľútosti, ale ten zmizol a jej napadlo, že sa jej to možno iba zdalo. Toto bol ten chladný, odmeraný, sebavedomý Ross Strathallan, ktorého prvýkrát stretla na hrade, a urobila by dobre, keby si to zapamätala. Prečo mala dojem, že sa jej chce zbaviť?

„Uvidíme sa neskôr," povedala a so svižnosťou, ktorú ani zďaleka necítila, mu zamávala a otočila sa, aby čo najrýchlejšie odkráčala preč. Dočerta s Rossom, nepodarený Strathallan. Váhavých mužov už mala dosť na celý život. Nehodlala sa znovu vydať na túto zradnú cestu.

* * *

Rozhodla sa, že sa po troch hodinách strávených v aute chvíľku prejde, vydá sa cez mesto do jeho starej časti a odolá lákaniu vianočného trhu na Princes Street. K tomu sa vráti neskôr. Jej prvou zastávkou bol Fabhatrix, nádherný obchod s klobúkmi na Grassmarkete. Predávali tam tie najúžasnejšie kúsky a bola si istá, že tam nájde presne to pravé pre Xanthe.

Odtiaľ sa vybrala hore strmým dláždeným kopcom Candlemaker Row, zastavovala sa v mnohých obchodíkoch, aby si prezrela a vybrala nejaký ten darček. Všetci mali vianočnú náladu, keď kráčali po preplnených chodníkoch, a Izzy sa usmievala a vychutnávala si tú nádhernú slávnostnú atmosféru a vyzdobené výklady. Svetielka blikali, vianočné reťaze sa trblietali a z dverí obchodov sa ozývali vianočné melódie. Prešla k cintorínu Greyfriars, aby rýchlo pozdravila sochu legendárneho verného psa Bobbyho, ktorý tam bol pochovaný. Potom si kúpila kávu so sebou.

Zastavila sa na moste, pozrela sa dole na Cowgate a premýšľala o starobylých budovách, o činžiakoch, ktoré susedili s veľkolepou architektúrou. Nikde to nebolo také ako v Edinburghu, ale jej domovom bol teraz hrad a prvý raz po dlhom čase sa cítila skutočne usadená. Našla svoje miesto vo svete. Aj keď milovala ruch, tvorivosť a históriu, ktorou bolo mesto presýtené, už tu nepotrebovala žiť. Posunula sa ďalej a teraz, keď mala miesto, ktorému mohla hovoriť domov, sa na mesto mohla dívať skôr so zaľúbením než s milostnou nádejou, ktorú si s ním tak dlho spájala.

Usmiala sa, cítila sa svieža a čerstvá. Posunula sa ďalej a začala nový život. Bolo príjemné odhodiť posledné putá, ktoré ju tak dlho viazali k Philipovi. Ľahkým krokom sa vydala späť do turistických obchodov na Kráľovskej míli a Canongate a zastavila sa v obchode s príhodným názvom Thistle Do Nicely, aby kúpila niekoľko magnetiek na chladničku, zopár fľaštičiek miniatúrnej whisky, mydlá Aran Aromatics a niekoľko malých fľaštičiek vresového medu. Keď už mala tašku ťažkú, dopriala si v čajovni Clarinda's Tearoom osviežujúcu šálku a ovocnú buchtičku s džemom a so smotanou. Tiché kúzlo malej kaviarne s nesúrodými starými šálkami a podšálkami so zlatým okrajom pôsobilo po tej ragbyovej skrumáži vonku ako oáza. Prezerala si steny preplnené drobnosťami, vyšívanými obrázkami, modrobielymi tanierikmi s obrázkami škótskych jazier a policami s drobnými náprstkami a až potom sa vydala do druhého kola.

*   *   *

Posilnená dávkou cukru sa cítila pripravená na rušné divadlo vianočného trhu na Princes Street a čarovné drevené chalúpky iskriace rozprávkovými svetielkami, v ktorých sa tiesnili ľudia zahalení do teplých čiapok a dlhých vlnených šálov, aby sa chránili pred chladným vzduchom.

Prechádzala sa medzi stánkami a prezerala si ručne vyrábané šperky, obrázky, pekné záložky a keramiku. Tu zachytila vôňu vareného vína, tam horúcich plnených koláčikov, zatiaľ čo sviečky na stánkoch šírili do ovzdušia vôňu borovice a brusníc.

Keď videla toľko nádherných remeselných výrobkov, mala z čoho vyberať, a tak kúpila Jeanette krásnu misku na šperky, Xanthe pestré náušnice a záložky pre každého do pančuchy. Tiež vzala niekoľko plátenných vreckoviek s čipkou pre dámy a pár pohárov marmelády s whisky od miestnej firmy v Leithe.

Rozhodla sa, že si dá niečo na obed, a zamierila do trochu pokojnejšej štvrte okolo George Street za hlavnou triedou Princes Street. Po rýchlom obede, keď si v jednej z mnohých kaviarní objednala syrovú hrianku, sa zastavila vo veľkom obchodnom dome Jenners, aby vykonala svoju každoročnú púť a kúpila Xanthe vianočnú ozdobu. Chvíľu sa rozhodovala medzi malou plstenou myškou hrajúcou na gajdách a tlstým veselým Santom s obláčikom bielej chlpatej vaty namiesto fúzov.

Už ju začínali bolieť ruky od všetkých tých nákupných tašiek, ale mala za sebou úspešný deň. Chýbalo jej už len niekoľko kúskov do pančúch, hlavne pre knihomoľskú neter pani Carter-Jonesovej.

Waterstones na Princes Street bolo veľké kníhkupectvo, kde predávali veľa darčekových predmetov, ktoré súviseli s knihami. Keď vošla do preplneného obchodu, všimla si, že je v ňom veľa ľudí. Musela sa tam konať autogramiáda. Skôr zo zvedavosti než z nejakého veľkého záujmu vyhľadala plagát s údajmi o autorovi. Ross Adair dnes podpisoval výtlačky svojej novej viazanej knihy. Predierala sa davom, aby ho zahliadla. Aj keď mala jeho knihy rada, kúpiť si výtlačok v pevnej väzbe bolo momentálne trochu mimo jej finančných možností.

Naťahovala krk, hľadala medzeru v rade postávajúcich, až zbadala osamelého muža so sklonenou hlavou, ako podpisuje knihu. Prešlo ňou zvláštne chvenie, akoby jej niečia ruka zovrela srdce v hrudi. Hádam to nie je... Nie! No bolo to tak! Bol to Ross Strathallan. Pootvorila pery a vyšlo z nich podivné pridusené vykríknutie, až sa žena vedľa nej prekvapene otočila. Presne v tej chvíli Ross zdvihol hlavu, a akoby ho pritiahla sila jej šoku, pozrel sa priamo na ňu. Na tvári sa mu objavil zdesený výraz, potom sa rýchlo obrátil k dáme, ktorej podpisoval knihu, a mierne sa posunul tak, aby sa pred Izziným pohľadom skryl za jej červený kabát.

Ross bol Ross Adair! Chvíľu tam stála ako vyplašený králik, stuhnutá neschopnosťou rozhodnúť sa, čo má robiť.

Ako je to možné? Lenže teraz to všetko dávalo zmysel. Tie nedokončené vety o jeho práci. Bože, čo mu to povedala vtedy, keď maľovala? O jeho vlastnej práci? Zvraštila tvár a snažila sa spomenúť si, modlila sa, aby to nebolo nič príliš hlúpe alebo detinsky fanúšikovské.

Odkradla sa preč, zožieraná zmesou poníženia a ľútosti. A vlastne aj hnevu. Hnevu, že sa jej nezveril. Že to pred ňou tajil. Hnevu na seba, že si myslela, že sa medzi nimi rodí priateľstvo a on by jej mohol hovoriť pravdu. Hnevu na to sklamanie, ktoré cítila. Prečo by sa jej mal zverovať?

Mala pocit, akoby vpadla niekam, kam nemala. Bol to ten dôvod, prečo sa dnes ráno stiahol? Ľutoval azda, že ju zobral so sebou do Edinburghu, a zvýšil tak riziko, že Izzy zistí, kto je? A prečo tak túžil zostať v anonymite? Otázky sa jej preháňali hlavou ako rozbehnuté motokáry na pretekárskej dráhe, bzučali a dráždili, trápili ju a znepokojovali. Má odísť? Má zostať? Má počkať, kým sa k nej Ross prihlási? Alebo sa bude tváriť, že ju nepozná?

Prešla k oddeleniu darčekov a pokúšala sa sústrediť na hľadanie drobností do pančúch, pričom celý čas túžila ešte raz kradmo pozrieť smerom k Rossovi, ale neodvážila sa – čo keby ju pristihol?

„Izzy?"

Počula známy hlas a prudko sa otočila. „Philip!" Keď sa ocitla zoči-voči mužovi, ktorého toľko rokov márne milovala, hrdlo jej zovrelo tak, že z neho vyšlo len zahanbujúce pisknutie.

„Ahoj," pozdravila ho a zúfalo sa snažila vyzerať pokojne. Robila zo seba kvôli nemu takého blázna – bolo celkom ponižujúce to teraz vidieť.

„Ako sa máš?" Odmlčal sa a potom sa jeho oči stretli s tými jej a tichým hlasom dodal: „Chýbala si mi."

Prehltla, ochromená tou nečakanou poznámkou.

A zrazu sa znovu ocitla na horskej dráhe, žalúdok sa jej zdvíhal od toho známeho adrenalínového vzrušenia, keď jej srdce tak hlúpo poskočilo nádejou. Philipovi chýbala. Po tom všetkom mu chýbala. Jedna jej časť chcela víťazoslávne a so zadosťučinením jasať, zatiaľ čo tá druhá bola zúfalá.

„Fajn," dostala zo seba. „Ako sa máš ty?"

„Bože, tak rád ťa vidím, Izzy," usmial sa na ňu od ucha k uchu a jeho teplé hnedé oči blúdili po jej tvári, akoby sa opájali pohľadom na ňu. „Vyzeráš... fantasticky. Si späť v Edinburghu? Počul som, že si sa presťahovala na vysočinu." Zavrtel hlavou, akoby tomu nemohol uveriť.

„Som tu iba na deň. A, áno, presťahovala som sa na vysočinu."

„Nie!" zabedákal. „Na ako dlho? Vrátiš sa predsa do Edinburghu, však?" Vydesený výraz na jeho tvári s ňou robil prapodivné veci – žalúdok jej zovrelo zmätkom a bláznivou ľútosťou.

„V tejto chvíli je to pomerne nastálo. Ja aj Xanthe sme sa tam presťahovali."

Zatváril sa skleslo a Izzy by prisahala, že na okamih vyzeral skutočne utrápene. Stíšil hlas a spýtal sa: „To kvôli mne?"

Izzy pevne stisla pery. Rozumný hlas v jej mysli kričal: *Nie kvôli tebe, ty arogantný hajzel!*, ale jej hlava mala vážne čo robiť, aby dokázala bojovať s hlúpym zradným srdcom.

„Je mi to tak ľúto, Iz. Lenže toto sa malo stať. Mali sme na seba takto naraziť. Urobil som príšernú chybu. S Antóniou sme sa rozišli."

Napriek zdravému úsudku jej srdce urobilo ďalší z tých zábavných premetov, zatiaľ čo v jej hlave sa ozval hlas: *Prestaň, už je to tu zase. Už znova to robí. Teplo. Chlad. Teplo. Chlad.*

Aspoňže teraz mala jej nepodarená hlava kontrolu nad hlasom, keď chladným tónom povedala: „To ma mrzí." Bola celkom pyšná, že sa jej podarilo znieť ľahostajne a pokojne, na rozdiel od večera, keď jej oznámil, v úplnom rozpore s vírom emócií, ktoré v jej tele skákali bungee jumping, nevyspytateľne a zmätene.

„Nie tak veľmi ako mne, Iz. Veľmi mi chýbaš." Natiahol sa dopredu a zovrel jej ruku v oboch dlaniach, jedným prstom jej jemne hladil dlaň pod palcom. „Bola si moja najlepšia kamarátka. Neuvedomil som si to, kým si nebola preč." Naliehavé kĺzanie pokožky po pokožke ju vyvádzalo z miery.

„McBrideová." Prerušil ich iný hlas, a tak sa otočila a vytrhla si ruku z Philipových dlaní.

„Ross," vydýchla a hlasivky jej znova priškrtila akási super sila. „Zdravím." Viac povedať nedokázala, ale neskôr bude musieť zanalyzovať, prečo ju oslovenie McBrideová tak potešilo. Možno kvôli prekvapeniu na Philipovej tvári.

Pozrela sa na neho a potom na stolík s knihami na podpis. Venoval jej zvláštny úsmev. „Vysvetlím ti to neskôr, ale zmenil som plány a chcel by som si rýchlo pohovoriť. Skončím skôr, než som plánoval, tak čo keby sme zašli na večeru, než sa vydáme na spiatočnú cestu? Mám zarezervovaný stôl v bare *White Horse Oyster Bar* na Canongate. Mohli by sme sa tam stretnúť."

Odmlčal sa, keď sa zadíval na Philipa a potom dole na všetky tie nákupné tašky okolo jej nôh. „Úspešný nákup?"

„Áno, veľmi," pritakala. „No už ma poriadne bolia ruky. A ešte musím ísť niečo kúpiť."

„A čo tak nechať ich u mňa? Určite môžem požiadať manažérku, aby ich uložila do skladu."

Izzy sa na neho usmiala, vďačná za jeho pozornosť. „To by bolo skvelé. Vďaka."

Keď si Philip odkašľal, obrátila sa k nemu. Chcela sa mu ospravedlniť, že ho ignorovala, ale potom si spomenula, koľkokrát on medzi ľuďmi zrazu zabudol na jej existenciu. „Ross, toto je môj starý priateľ Philip." Hlava bola pánom situácie a, dočerta s ňou, ak sa poddá Philipovej neskrývanej zvedavosti. Aspoň tentoraz ho nechá tápať.

„Tá večera znie skvele."

Ross zdvihol hlavu a zachytil divokú gestikuláciu mladej dámy, ktorá – ako Izzy hádala – musela byť manažérka. „Povinnosť volá, skončím asi o pol hodiny. Uvidíme sa v reštaurácii." Zohol sa po jej nákupné tašky a než stačila povedať čokoľvek ďalšie, odkráčal. Videla, ako ukladá tašky do zmätenej náruče tej ženy pri stole.

„Odkiaľ poznáš Rossa Adaira?" spýtal sa Philip zmäteným hlasom, takmer sklamane, akoby sa o Izzy dozvedel niečo, čo netušil a vôbec sa mu to nepáčilo.

„Je to len kamarát," usmiala sa na Philipa bezstarostne, pretože vedela, že presne takto ju opísal, keď sa prvý raz stretla s Antóniou a začula jej zúrivý šepot: „Kto je to dievča a ako to, že ťa tak dôverne pozná?" Philip ju zľahka pobozkal na tvár, zavrtel hlavou a zasmial sa. „Izzy? Nebuď hlúpa. Je to len dobrá kamarátka. Priatelíme sa už od puberty. Je skôr ako moja sestra."

V tej chvíli Izzy puklo srdce. Zaťala zuby a tú bolestnú spomienku zahnala.

„Poznáš ho dlho?" zaujímalo Philipa.

Izzy pokrútila hlavou.

„Chcel som sa ťa spýtať, či by sme nezašli na pohárik. Kvôli starým časom. Mohli by sme sa spolu navečerať."

Izzy si zahryzla do pery a zbežne si Philipa prezrela. Kedysi dávno by sa na všetko vykašľala, len aby mohla byť s ním.

So žiarivým úsmevom, ktorý zakrýval jej vnútorné chvenie, odvetila: „Možno niekedy inokedy. Ale rada som ťa videla. Môžeme sa napríklad zísť, keď budem nabudúce v Edinburghu."

„Izzy," naliehal, „musíme toho toľko prebrať. Urobil som obrovskú chybu. Teraz to vidím celkom jasne. Keď som ťa uvidel, zasiahlo ma to. Musíme sa porozprávať."

Izzy prehltla, celá zmätená. Slová, ktoré tak dlho chcela počuť, jej nedochádzali. Hovorila si, že sa už cez to preniesla. Musela o mnohom premýšľať. Mala hrad a povinnosti a nemohla Xanthe sklamať. Aj napriek všetkým matkiným chybám boli rodina.

„Nemôžem. Musím sa vrátiť domov." Domov. Tá myšlienka so sebou priniesla nečakané teplo. Usmiala sa. Napriek tomu, že vedela, koľko toho musí ešte urobiť, tešila sa, že sa vráti na hrad so všetkými balíčkami a balíkmi, ozdobí stromčeky a uvidí Jima, Jeanette a Duncana, ktorí ju nebrali ako samozrejmosť.

Mohli by sme si zájsť na rýchly drink hneď teraz."

Izzy na neho dokázala len civieť. „Ešte musím niečo kúpiť."

„Môžem ísť s tebou."

Teraz sa Izzy zasmiala. „Len by si ma zdržiaval, o päť minút by si ma prehováral, aby sme sa zastavili na káve."

Zaškeril sa na ňu. „A práve preto mi tak chýbaš. Poznáš ma lepšie než ktokoľvek iný."

„Poznám." Srdce sa jej z toho náhleho uznania zachvelo. *Možno rýchla káva?* Vtom mu zapípal telefón. Pozrel sa na displej a peknú tvár mu skrivil zachmúrený výraz. „Dočerta, musím ísť."

S ľútosťou sa jej pozrel do tváre a sklonil sa, aby ju pobozkal. Nebola si istá, či ju chcel skutočne pobozkať na kútik pier, alebo to malo byť na tvár. „Nevzdám to s tebou, Izzy, sme priatelia už príliš dlho. Ako som povedal, poznáš ma lepšie než ktokoľvek iný." Zadíval sa jej do očí a pomaly a smutne sa usmial. „Vždy budeš moja najlepšia kamarátka."

Izzy schmatla z regála pred sebou niekoľko vecí. „Musím to ísť zaplatiť." Cítila sa dosť rozrušená. Kiežby na ňu Philip prestal takto hľadieť. Všetky jej dobré úmysly sa kvôli tomu začínali rúcať. Nechcela znova nasadnúť do jeho nebeského vlaku nádeje a zúfalstva.

„Môžem ti zavolať, Izzy?" spýtal sa. Stál tam a díval sa za ňou ako nejaký tragický romantický hrdina. Urobila niekoľko krokov vzad a potom sa otočila a fujazdila preč – svoj nákup zvierala, akoby to boli malé záchranné kolesá, ktoré ju držia na hladine zdravého rozumu.

15. kapitola

Počas krátkej spiatočnej cesty cez staré mesto Izzy hlavou vírili myšlienky. Sotva si všímala, ako ju ľadový vietor svištiaci okolo vysokých kamenných budov štípe do líc. Philip si chcel pohovoriť. Chystala sa azda zapadnúť späť do starých koľají?

Odhodlaná vytesniť ho z mysle sa sústredila na okolie a zjavný pokles teploty. Začali padať osamelé vločky, ako keď orchester ladí pred koncertom, a v každom okne žiarili vianočné svetielka, hrejivé bôjky sviatočnej nálady rozjasňujúce tmavý podvečer.

Ako sa patrí na sviatok, ktorý má svoj pôvod v rozveseľovaní mŕtvolnej zimy, temnotu mesta zaháňalo bujaré svetelné divadlo od obrovských snehových vločiek tancujúcich sem a tam okolo pamätníka Waltera Scotta cez laserovú šou osvetľujúcu hradby až po oslnivý svetelný tunel pri St. Giles na Kráľovskej míli.

Hneď ako vošla do reštaurácie, všimla si Rossa sediaceho na vysokej stoličke pri jednom z rustikálnych drevených stolov v barovej časti. Bol impozantný už len svojimi rozmermi, ale bolo to jeho sebaovládanie, čo ju tak priťahovalo. Okolo seba mal všetky jej nákupné tašky, čo ju prinútilo usmiať sa.

„Ahoj," hlesla s náhlou nevysvetliteľnou ostýchavosťou a s vedomím, že má určite rozžiarenú tvár a špičkou nosa pravdepodobne pripomína soba Rudolfa.

„Ahoj," usmial sa, akoby chápal jej náhly zmätok.

Už to nebol Ross Strathallan, jej hosť, profesor histórie. Bol to Ross Adair, autor niekoľkých bestsellerov, z ktorých prvý bol sfilmovaný a stal sa z neho veľmi úspešný televízny seriál.

„Ahoj," zopakovala a jazyk sa jej ani tak nepokúšal zaviazať na uzol, ako skôr pliesť makramé. Prečo jej nenapadlo nič, čo by mohla povedať? Potom sa jej jazyk sám od seba rozviazal a vyhŕkla: „Teraz už ten range rover dáva zmysel."

Keby nosil okuliare, pohľad, ktorý jej teraz venoval, by bol jedným z tých ponad horný okraj rámov.

Roztrasene sa mu to snažila vysvetliť. „Nemyslela som si, že profesori histórie zarábajú toľko peňazí."

„Aha," prikývol.

„Takže. Ross Adair."

Zvraštil tvár. „Ospravedlňujem sa, ja…"

„Bože, správam sa ako fanúšička?" Izzy si zdvihla ruky k tvári a vypleštila oči, ako sa snažila spomenúť si, čo mu povedala o tej audioknihe, ktorú počúvala, keď maľovala jedáleň. Rozplývala sa nad tým, ako veľmi miluje jeho knihy? „Je to trápne. Samozrejme, že sa mi vaše knihy páčia. Čítala som ich všetky. Bože, to som nechcela povedať. Je to... vážne ich milujem." Cítila, ako červenie na krku. „Prepáčte, robím zo seba hlupáka. Už chápem, prečo to ľuďom nehovoríte."

Natiahol sa a položil jej dlaň na ruky. „McBrideová. To je dobré. Vy ste v pohode. Dáte si niečo na pitie?"

„Ach, bože, áno. Trojitú whisky. Potrebujem ju."

Zdvihol obočie.

„Dobre, možno pohár vína. Áno, pohár vína." Prečo bola zrazu taká zmätená? Bol to Ross. Nezmenil sa. Až na to, že sa zmenil. Teraz z neho bola akási vzdialená superstar. Potajomky si ho prezerala, keď sa rozprával s čašníkom a objednával jej pohárik vína a sebe perlivú minerálku.

Akoby jej čítal myšlienky, povedal: „Stále som ten istý človek."

Sťažka si povzdychla. „Viem. Ospravedlňujem sa. Správam sa smiešne. To bol ten dôvod... prečo to ľuďom nevravíte." Odmlčala sa a tľapla si po čele. „Uf. Kvôli tomuto. Kvôli tomu, ako sa správam."

„Všetci sa takto nesprávajú," doberal si ju.

„Len ja."

„Je to celkom roztomilé."

„Nikdy v živote som nebola roztomilá. Vždy som bola veľmi vysoká. A tiež neohrabaná. Ako teraz."

Zasmial sa a stisol jej ruku. „Nie ste neohrabaná."

Zahryzla si do jazyka, aby už nič nehovorila, a sústredila sa na dýchanie. Držal ju za ruku. Uvedomoval si to? Dotyk jeho dlane, teplej a silnej, bol celkom príjemný. Nemala by z toho nič vyvodzovať. Potom ruku odtiahol, aby mávol na okoloidúceho čašníka.

Aj keď to popieral, mala pocit, že zo seba urobila úplného idiota. Nebolo divu, že to držal v tajnosti. Keď si predstavila Xanthinu reakciu, zarazila sa. Tá by to vykrikovala zo strechy. Bože, túto šťavnatú novinku by si vychutnala a náležite by ju zdramatizovala. Akoby počula matkin silný hlas, ako to hlása všetkým okolo. „Vedeli ste, že u nás momentálne býva svetoznámy spisovateľ Ross Adair? Píše svoj nový bestseller. Pod našou strechou."

Keď im čašník priniesol nápoje, trochu sa zachvela.

„Na zdravie," zdvihla pohár a poriadne si odpila zo studeného bieleho vína. „Och, je vynikajúce." Keď jej vychladený novozélandský Sauvignon Blanc skĺzol do hrdla, cítila, ako sa jej začína vracať rovnováha.

Ross zachmúrene hľadel na svoj pohár s perlivou minerálkou.

„Mohli by ste si dať tiež," ukázala pohľadom na bublinky stúpajúce nahor.

„Radšej nie, skontroloval som predpoveď. Ráno vraveli, že bude zľahka snežiť, ale zmenilo sa to na husté sneženie."

Obaja sa pozreli z okna, kde teraz snehové vločky tancovali v piruetách ako malé baletky. „Tu to nie je také hrozné, ale myslím si, že vo vyšších polohách nás čaká poriadna nádielka. Budem potrebovať byť pri zmysloch. Radšej nebudem riskovať."

Prikývla. „Ešteže máte veľké auto."

„To je plus."

Sebakriticky sa na ňu usmial. „Nikdy sa mi ani len nesnívalo, že by som mohol byť taký úspešný. To je aj jeden z dôvodov, prečo nehovorím, ako sa volám. Keď som konečne dostal zmluvu s vydavateľstvom – mám v zásuvke niekoľko kníh, ktoré nikdy neuzrú svetlo sveta –, držal som to v tajnosti. Posledné, čo som si želal, bolo vychvaľovať sa, že som získal tú vytúženú vydavateľskú zmluvu, a kniha by potom bola prepadák. Akademici sú veľmi súťaživí, pokiaľ ide o publikované práce, takže som to chcel udržať pod pokrievkou. Keď sa potom prvej knihe tak darilo, bolo už ťažké len tak medzi rečou utrúsiť: „Áno, a, mimochodom, Ross Adair som ja."

Izzy prikývla. „Asi áno. A potom sa na vás tiež stále vrhajú fanúšičky."

„Nie každý číta."

Izzy sa vydesene chytila za hlavu a on sa rozosmial. Potom sa rýchlo pozrel z okna.

„Mali by sme si objednať. Čím skôr vyrazíme, tým lepšie."

Izzy vzala do ruky jedálny lístok a poznamenala: „Panebože, je z čoho vyberať. Všetko to znie výborne, až som z toho vyhladla."

O niekoľko minút neskôr, keď si podrobne preštudovala jedálny lístok, vyhlásila: „Nemôžem sa rozhodnúť medzi krabími škótskymi vajcami, čo znie božsky, a hriankou s krevetami, homárom, perlami yuzu a čiernym sezamom. Alebo je tu soté z morského čerta a tiež losos s čili papričkami Scotch Bonnet." Izzy si od úzkosti z takého výberu zahryzla do pery.

„Alebo si môžete dať ustrice."

Pokrčila nos. „Vidím, že by to mala byť úžasná delikatesa, ale," stíšila hlas, „ešte nikdy som ich neskúsila. Nemôžem sa do toho prinútiť."

Ross sa naklonil dopredu a tiež stíšil hlas. „Ja tiež nie. Vyzerajú nechutne a vždy som mal dojem, že je to ako sŕkať slizkú morskú vodu. Považoval som ich za morské cisárove nové šaty. Šikovnejší vedľajší produkt po tom, čo ich oberieš o perly."

Izzy sa zasmiala. „Tak si ich teda nedáme. Myslím, že si objednáme škótske vajcia. Mala by som urobiť tradičné vajcia pre

Carter-Jonesovcov." Vytiahla zápisník a rýchlo si naškriabala poznámku.

„Nosíte ho všade so sebou?"

„Momentálne áno. Je v ňom môj hlavný plán Vianoc. Je toho veľa, čo musím urobiť. Mám zoznam zoznamov." Otvorila zápisník a ukázala mu jednu zo stránok s množstvom textu a dodatočnými poznámkami rôznofarebnými fixkami. Stránky mali ohnuté rohy a nalepené šípky a žlté lístočky.

„Tie Vianoce vám vážne robia starosti."

Izzy prehltla. „Len čo sa týka jedla. Hrad vyzerá úžasne. Nedávno sa mi zdalo, že všetci Carter-Jonesovci prišli dole na večeru, lenže nebola to jedáleň, ale niečo ako chudobinec z Olivera Twista. Podávala sa riedka ovsená kaša s lístkami cezmíny, a keď si rozbalili darčeky, vyskočili z nich obrovské krysy."

„Jediná cesta je smerom hore," doberal si ju Ross.

Keď im čašník doniesol lahodné hrianky s krevetami a homárom, Izzy si poriadne odhryzla a zdvihla oči k nebu, keďže jej v ústach explodovala bohatá chuť morských plodov podfarbená citrusmi a vyváženou orieškovou horkosťou čierneho sezamu. „Je to božské." Zhlboka sa nadýchla číreho uspokojenia. „Toto musíte skúsiť." S neohrabaným nadšením mu nemotorne strčila štvorček hrianky pred ústa, akoby bol vtáčatko a potreboval nakŕmiť. Ross prekvapene otvoril ústa a zahryzol, perami sa dotkol jej prstov. Smiech v očiach oboch utíchol, keď na seba pozerali jednu z tých smiešne dlhých, trápnych sekúnd, počas ktorej si Izzy uvedomila, že kŕmiť niekoho takého je možno príliš dôverné a osobné.

„Musím si urobiť fotku," povedala rýchlo, stiahla ruku a schmatla mobil, „pre skupinu na WhatsAppe. Veď viete, moji priatelia z kuchárskej školy. Všetci sú praví gurmáni." Cítila, ako ju pehavé líca pália, aj keď jej pokožka ešte trochu brnela od mrazu. *Nepozeraj sa mu na pery,* hovorila si. Nepozeraj sa. Trochu ťa pobláznil, pretože je milý, láskavý a dobre vyzerá. Vnútorný hlas jej radil, nech sa na neho vykašle. Príťažlivý. Je to prvotriedny hollywoodsky krásavec. A je úplne mimo tvojej ligy. Je to superhviezda, autor bestsellerov. Nesiahaš mu ani po členky. A búria sa ti hormóny.

Jej hormóny mali nepochybne pravdu. Príťažlivosť medzi nimi ticho iskrila, ale týmto si už prešla. Neopätované city boli na zlosť, zvlášť keď človek sám seba presvedčil, že sú opätované.

Urobila niekoľko fotiek a odložila telefón. Ross si našťastie nič nevšimol alebo to ignoroval. Modlila sa, aby to bola prvá možnosť.

S vedomím hroziaceho zhoršenia počasia sa s večerou príliš nezdržiavali, a keď už nevládali, Izzy navrhla, aby si dali zvyšky zabaliť.

*　*　*

Cestou na sever sa počasie zhoršovalo. Napriek očarujúcim vločkám, ktoré vírili a točili sa v kuželi svetla reflektorov, im to išlo pomerne dobre. Cesty boli odhrnuté a výdatne posypané.

Keď sa svetlá auta odrazili od tabule Crianlarich hneď vedľa hlavnej cesty, Ross si povzdychol. Išli už takmer tri hodiny a zostávalo im prejsť ešte šesťdesiat kilometrov.

„Ste v poriadku?" spýtala sa Izzy. Bolo by pre ňu ľahké zaspať, ale cítila, že by mala Rossovi prejaviť morálnu podporu a robiť mu spoločnosť. Zatiaľ sa nezdalo, že by ho jej nezáväzné trkotanie nudilo, ale počas posledných niekoľkých kilometrov bol čím ďalej, tým tichší. Vedel, že sa potrebuje sústrediť. Až na hučiaci motor auta bol okolitý svet úplne tichý, nemíňali takmer žiadne ďalšie vozidlá. Kto mal štipku rozumu, pravdepodobne zaliezol do tepla.

„Áno." Zívol a pretrel si jedno oko. „Je to ťažké, keď je takto. Človek sa musí sústrediť, pretože nedokáže úplne odhadnúť vzdialenosť."

„Chcete zastaviť?"

„Radšej by som šiel ďalej. Pre všetky prípady mám v kufri lopatu a deky, a keď som tankoval, kúpili ste zásoby jedla aj pitia tak na týždeň."

„A nezabudnite, že mám škatule so škótskymi vajcami," poznamenala Izzy.

„Nemôžem uveriť, že ste to urobili."

„Čo? Že som im povedala, aby nám zabalili zvyšky?" spýtala sa.

„Áno." Zagúľal očami. Zrejme na seba nerád upozorňoval.

„Ospravedlňujem sa, nechcel som rozruch, mali plno."

„Kto šetrí, má za tri." Odložila škatule do priestoru na nohy.

„Bolo to výborné a nechcela som to tam nechať. Ak niekde uviazneme, budete za to rád."

„Ach, vy maloverná."

„Vážne sa to zhoršuje."

„Áno, ale auto má pohon na všetky štyri kolesá. Je navrhnuté tak, aby zvládlo extrémne podmienky. Podľa všetkého hrá rolu v množstve bondoviek a jazdí sa tam s ním po celkom zaujímavých miestach."

„Obvykle však gangstri," namietla Izzy so smiechom.

Nasadil výraz, ktorý asi mal predstavovať gangstra.

„Nedesíte ma."

Založila si ruky na hrudi a vyhliadla z okienka. Nebolo vidieť toho veľa, len tmu a ľahučké vločky, beznádejne nalietavajúce do svetiel auta. Dokonca aj dopravné značky, ktoré míňali, už zakrývala vrstva snehu. Kopce okolo nich sa týčili ako vyčkávajúci prízrační obri s čiernymi tvárami skál zvrásnenými zasneženými trhlinami a vytvárali prísne, chladné profily. Keď stúpali na obzvlášť strmý kopec, Ross spomalil. V údolí Izzy rozoznávala tenkú tmavú stuhu tam, kde ho pretínala rieka.

Aj s pohonom všetkých kolies auto plávalo do strán, bolestne sa trmácali tridsiatkou, kolesá vŕzgali na čerstvom snehu. Keď vyšli na vrchol kopca, Ross znížil rýchlosť a stálym tempom schádzal kľukatiacou sa cestou. Rukami zvieral volant presne na dvoch hodinách, akoby ich učebnicový štýl riadenia mal spasiť.

Viditeľnosť sa zhoršovala a Ross sa musel nakláňať dopredu, aby poriadne videl na cestu. Izzy prehltla a pritiahla si kabát v lone až k brade. Napriek tomu, že kúrenie išlo na plné obrátky a vďaka vyhrievanému sedadlu mala zadok opečený dochrumkava, pri pohľade von jej bola zima. Hoci sa narodila a vyrástla v Škótsku, väčšinu života strávila v meste a teraz si uvedomovala, ako málo je tu ľudí. Obklopená víriacim snehom sa cítila klaustrofobicky a atmosféra v aute začala byť ťažká, keď Ross zachmúrene išiel ďalej a obaja mlčali. Na okrajoch cesty sa začali vŕšiť záveje, ktoré sužovali tmavý asfaltový pruh a zvyšovali pocit uväznenia. Minúty sa ťahali ako hodiny a zakaždým, keď sa Izzy potajomky pozrela na hodinky, mala pocit, že sú od domu rovnako ďaleko ako predtým. Bola už takmer jedna hodina ráno.

„Sme tu. Glencoe," oznámil Ross pri pohľade na tabuľu. „Odtiaľto je to už len osem kilometrov."

Slimačím tempom vošli do mestečka. „Keby sme neboli tak blízko domova, navrhla by som zastaviť."

„V túto nočnú hodinu bude všade zatvorené."

Ross opatrne spomalil a Izzy si všimla, že nepoužil brzdu, ale aj tak pri odbočovaní z hlavnej cesty doprava na vedľajšiu cestu auto na niekoľko sekúnd skĺzlo nabok.

„Nebojte sa," povedal Ross, hneď ako sa auto znova vyrovnalo. Natiahol sa k nej a potľapkal ju po ruke. „Nie sme až tak ďaleko. Keď to zoberieme pekne v pokoji, čoskoro budeme doma."

Keď nechali svetlá mesta za sebou, znovu sa ponorili do tmy, s čiernou vodou Loch Leven po ľavici a so zalesneným úbočím kopcov po pravici.

Ak tadiaľ prešli posypové vozidlá, nezostalo po tom už ani stopy. Cesta pred nimi do Kinlochlevenu bola úplne biela. Izzy sa zachvela, keď auto znovu podkĺzlo do strany, a sledovala Rossove napäté ruky na volante.

„V niečom takom zlom som vonku ešte nebola," poznamenala Izzy. „Asi by som si mala zvykať."

„Je potrebné mať vždy v kufri deky, lopatu a baterku, a pokiaľ viete, že bude snežiť, vziať si so sebou fľašku niečoho teplého."

„A chybami sa človek učí." Izzy sa snažila znieť veselo, ale najradšej by sa schúlila do postele, aj keď na hrade bude zima.

Ross sa na ňu rýchlo pozrel. „Mali by sme si zaspievať."

„Zaspievať?"

„Áno, zdvihnúť si náladu. Vyberte si niečo v mojom iPhone." Dal jej svoj PIN, ona ho naťukala a našla jeho účet na Spotify.

„Čo by sa vám páčilo?" spýtala sa zaujato, keď uvidela jeho hudobný vkus. Pripadalo jej to dosť osobné, ako keby jej dal kľúč od zamknutej skrine.

„Niečo, čo si spoločne zaspievame. Jazda týmto miestom pôsobí trochu stiesňujúco. Takmer ako z iného sveta."

„Áno, stále čakám, kedy sa z jazera vynorí *kelpie*, aby nás vylákali na smrť."

Ross sa zadíval na čiernu studenú vodu lemovanú bielym snehom a Izzy videla, ako sa pri pohľade na tú drsnú čiernobielu krajinu zachvel. Akoby boli posled.ní dvaja ľudia na svete. Už viac než hodinu nestretli iné auto a na dohľad nebolo ani svetielko.

„Ha! Niečo mám." Stisla tlačidlo *play*. „Trocha Craiga a Charlieho zaženie temnotu."

Keď sa ozval známy rytmus, Ross zosilnil zvuk. „Klasika."

„Na spievanie nie je nič lepšie než The Proclaimers."

„Viete, že pochádza z Auchtermuchty?" Ross sa široko usmial. „Pardon, je to jeden z mojich obľúbených miestnych názvov, ktovie prečo ma vždy rozosmeje." Zopakoval to slovo a zdôraznil škótske samohlásky. „Auchtermuchty. Možno preto, lebo sme sa tam vždy zastavovali na zmrzlinu cestou za babičkou, ktorá bývala v St. Andrews."

Keď zaznel známy refrén o chôdzi dlhej päťsto míľ, obaja spievali z plných pľúc a už len vďaka zvýšeniu hlasu sa Izzy cítila oveľa lepšie, takmer akoby vzdorovala živlom. Zrazu si spomenula na dnešné nečakané stretnutie. Philip by nikdy neurobil nič také bláznivé.

Zaspievali si niekoľko pesničiek a potom prešla k skupine Franz Ferdinand, s ktorou si dali refrén *Take Me Out*, zatiaľ čo sa auto trmácalo sotva päťdesiatkou.

Keď sa prehupli cez vrchol mierneho stúpania kilometer a pol od hradu, všimli si snehový jazyk blokujúci polovicu cesty. Ross inštinktívne dupol na brzdu. Auto sa otriaslo náhlym nárazom a začalo sa kĺzať bokom ku krajnici. Ross zápasil s volantom a snažil sa zvládnuť šmyk, ale vozidlo malo iný názor, a keď sa dostalo na kraj cesty, začalo sa šmýkať dozadu k jazeru.

„Izzy, pozor!" zakričal Ross, keď auto poskakovalo po nerovnom teréne. Oboma rukami zvieral volant a pokúšal sa získať späť kontrolu nad vozidlom, pričom zo všetkých síl šliapal na brzdu. Náhle sa auto zatriaslo a trochu naklonené na mieste zastavilo. Izzy s Rossom sa dívali dole.

„Ste v poriadku?" Chytil ju za ruku a obzrel sa ponad plece. „Vďakabohu, že sme sa zasekli v záveji. Myslel som si, že skončíme vo vode."

„Ja tiež," vydýchla Izzy chrapľavým hlasom. Kolená sa jej premenili na rôsol a srdce jej tĺklo ako vydesený vták uviaznutý v komíne.

Obaja chvíľu sedeli mlčky. Akoby im to postupne dochádzalo. Jazero bolo až znepokojivo blízko.

„Čo teraz?" spýtala sa, keď sa auto mierne zatriaslo. Motor stále bežal.

Ross sa rozhliadol. „Najlepšie bude opustiť loď a nechať auto tu. Aj keby som sa vyhrabal z tohto záveja, nie som si istý, či sa dostanem späť na cestu, a vážne nechcem, aby sme sa skotúľali do jazera."

Izzy sa niekoľkokrát zhlboka nadýchla. „Máte pravdu. A nie je to tak ďaleko, môžeme ísť peši."

Zdvihol obočie. „Až na to, že ani jeden z nás nie je oblečený na arktický prieskum."

„Mohli by sme zostať tu. Čo najhoršie sa môže stať? Budeme premočení a prechladnutí. Nemyslím si, že by sme sa za kilometer a pol stihli podchladiť, však že?"

„Keď sa budeme držať cesty, nič sa nám nestane. Alebo môžem džentlmensky zájsť po pomoc."

Izzy sa zasmiala. „Nebuďte smiešny. Nie som žiadna krehká kvetinka. Okrem toho, kto by prišiel na pomoc v túto nočnú hodinu? Duncan? Zapriahne Dolly a Rebu do saní?"

„Zaujímavá predstava," zasmial sa Ross.

„No tak, nie je to ďaleko." Izzy sa otočila a schmatla zo zadného sedadla kabát, klobúk a šál.

„Ste si istá? Mohli by sme sedieť so zapnutým motorom, nechať pustené kúrenie a vzadu mám deky."

„V čom je rozdiel oproti dennému svetlu? Môže ešte snežiť a my môžeme skončiť v aute zavalenom snehom." Pri tejto možnosti si všimla jasnú výhodu v tom, že deliť sa o telesné teplo bol jeden z najlepších spôsobov, ako sa zahriať. Predstava schúliť sa na Rossovej širokej hrudi mala istý pôvab.

„To je pravda. Budem musieť vyliezť na vašej strane, pretože sa mi nepodarí otvoriť dvere."

Izzy otvorila dvere a striasla sa pod okamžitým náporom nočného vzduchu. Nohy sa jej zaborili do snehu až po kolená. Teraz nebola vhodná chvíľa ľutovať, že si vzala džínsy a obľúbené conversky namiesto pevných martensiek a hrubých pančúch, v ktorých obvykle v zime chodila.

Ross sa ponad sedadlo spolujazdca vysúkal von do snehu.

„Tak ideme, kapitán Scott."

„Dúfam, že budeme o niečo úspešnejší než on," poznamenala Izzy a začala sa brodiť snehom k ceste.

Ross bol vyšší, a tak sa mu kráčalo o niečo lepšie. Podal jej ruku, aby ju vytiahol do kopca.

„Vďaka," zafunela, keď sa dostali na rovinu. „Išlo to stuha."

Pozrel sa na ňu a na tvári sa mu objavil ironický úsmev.

„Čo je?"

„Pripadáte mi veľmi pokojná."

Pokrčila plecami. „Nemá zmysel vystrájať a trápiť sa situáciou, nad ktorou človek nemá žiadnu kontrolu. Musí sa s tým jednoducho zmieriť."

„Nie všetky ženy sú také." Uškrnul sa, akoby mal na mysli nejakú konkrétnu.

„Nie všetci muži sú takí flegmatickí a neuveriteľne praktickí, ako by si radi mysleli."

„Bingo. Mal som na mysli isté ženy, ktoré poznám."

„Aha." Izzy ten náhly obdiv v jeho očiach podivne hrial.

„Ste nezávislá, praktická, nevzdávate sa a nenecháte sa ovládať inými ľuďmi, ale zároveň poznáte hodnotu podpory a tímovej práce."

„Ďakujem. Bol to kompliment?" pozrela sa na neho.

Prehltol. Videla, ako mu poskočil ohryzok. „To rozhodne bol, McBrideová."

„Ach," vydýchla, vyvedená z miery tým zvláštnym vzrušením v podbrušku.

„Poďte, musíme ísť ďalej. Nech sa zahrejeme." Znovu ju chytil za ruku, so sklonenými hlavami sa spoločne brodili ďalej a bojovali so snehom, ktorý im lietal do tvárí. Na Izziných mihalniciach stále pristávali vločky, ktoré sa snažila žmurkaním striasť.

Našťastie sa mohli ľahko orientovať podľa snehových jazykov na tmavom asfalte a išlo sa im pomerne ľahko. V jasnej krajine uvideli hrad.

„Môžeme sa držať cesty alebo to vziať skratkou cez pole, čo bude oveľa kratšie, ale pôjde sa nám horšie."

Izzy sa zamračila na hrad priamo pred sebou a potom sa obzrela na cestu, ktorá sa stáčala opačným smerom. Sledovala závetrie kopca. Keby sa vybrali priamo, museli by prejsť cez pole v nepríjemnom sklone. V jednom z okien sa rozžiarilo svetlo. S každým krokom sa jej nohy v topánkach krčili a snažili sa uniknúť všadeprítomnému chladu. Jediné, na čo dokázala myslieť, bolo dostať sa domov, do kuchyne, zahriať sa pri piecke a dať si *hot toddy* z horúcej whisky.

„Poďme skratkou, je to tu celkom priechodné. Možno je sneh naviaty ku kraju a nebude taký hlboký."

Pole nebolo také hrozné a podarilo sa im vyhnúť najhorším závejom, aj keď si Izzy už sotva cítila nohy. Pri každom kroku silno dupla v márnej snahe zahriať sa, a bola tým taká zaneprázdnená, že nesledovala, kam šliape.

„Izzy, pozor!"

No bolo už neskoro. Stúpila priamo do kaluže, voda sa preliala ponad okraj topánok a naplnila ich. K vstupným dverám do hradu to bolo len päťsto metrov. „Bože, to chladí." Roztrasene nasala studený vzduch a všetky svaly sa jej napli. Napriek tomu si už necítila nohy, ľadová voda sa jej zabodávala do prstov ako ostrie noža. Zaťala zuby a kráčala ďalej, voda v jej topánkach čvachtala pri každom ďalšom kroku. Zavrela oči, odhodlaná neplakať. Každý pohyb bol utrpenie.

Ross sa zastavil. „Oprite sa o tento plot a vyzujte sa."

„Zmrznú mi nohy."

„Nie. Dajte si ich dole. A aj mokré ponožky. Zvyšok cesty vás odnesiem. Zabalím vám nohy do šálu."

„To nejde. Navyše to už nie je ďaleko," protestovala.

„Jednoducho aspoň raz urobte, čo vám poviem." Už bol pri jej nohách, vyzúval jej topánky a sťahoval mokré ponožky. Potom ju zdvihol do náručia. „Zoberte si ten šál," nariadil.

Bolo jej príliš zima, než aby sa zmohla na čokoľvek iné než poslúchať jeho príkaz. Odmotala mu šál a vnímala pritom jeho zarastenú bradu a červené líca, ktoré boli dosť blízko na to, aby ich mohla pobozkať. Nejako sa jej podarilo omotať si teplú vlnu okolo bosých nôh, čo bol v objemnom kabáte sám osebe celkom výkon.

V jeho náručí nevedela, kam s očami, bol až príliš blízko a ona sa cítila smiešne rozpačito, ale nedokázala odolať príležitosti, aby si potajomky neprezerala jeho tvár a neskúšala prísť na to, čo na nej bolo také pekné. Tak veľmi sa líšil od Philipa, ktorý mal jemné, takmer krásne rysy. Tie Rossove boli drsné a vedela si predstaviť, ako mu prstami prechádza po tvári a skúma silné lícne kosti, tvrdú bradu, lesklé husté obočie...

Zadíval sa na ňu. Rýchlo sklopila pohľad.

„Už to nie je ďaleko.“

„Vďakabohu.“ Snažila sa nevrtieť, ale bolo ťažké zostať úplne v pokoji, zvlášť keď jej bola taká zima. „Dúfam, že vám nerupne v chrbte alebo také niečo.“

Slabo sa na ňu usmial. „Budem v poriadku.“

Naľavo od spodnej pery mal tú najzvodnejšiu pehu v tvare srdiečka, ktorú si predtým nevšimla. Dobre, bola to lož. Samozrejme, že si ju všimla už skôr. Veľakrát. Ak niekedy existovalo „to“ miesto označené krížikom, bolo to práve toto. Zadržala dych a usilovala sa nemyslieť na to, že by ho pobozkala. Cítila sa napätá. Sledovala, ako mu z úst vychádzajú biele obláčiky, zatiaľ čo namáhavo kráča k dverám, a snažila sa ostať čo najviac v pokoji, s jednou rukou ovinutou okolo jeho pliec a krku.

„To je v poriadku, nepustím vás,“ uistil ju, s úsmevom sa jej pozrel do tváre a zovrel ju pevnejšie.

„Ja... to som si nemyslela," podarilo sa jej zo seba vysúkať a trochu sa uvoľniť v jeho náručí. Vnímala každý jeho dotyk. Jeho ruku obtierajúcu sa o jej stehná, dotyk jeho hrude na vlastnom hrudníku. Ach, bože, začínala si pripadať ako naivná debutantka, ale na páre jeho veľkých silných paží zvierajúcich jej telo bolo niečo také krásne. Chcela si predstavovať, ako ju nesie do postele. Znovu stuhla pri tej myšlienke, ktorá sa k nej vkradla bez pozvania.

„Už tam budeme. Prestaňte sa tak mykať, McBrideová. Nepustím vás."

Cesta ku dverám sa vliekla celú večnosť, ale nakoniec strčil plecom do veľkých dverí a prekročil prah. Mala chuť zavrtieť sa ako dieťa, ktoré sa chce postaviť na zem, ale podarilo sa jej zachovať si istú dôstojnosť, kým ju nepostavil na podlahu. Skĺzla po ňom s rukou stále obtočenou okolo jeho krku a chvíľu tam stáli pritlačení telo na telo.

„Pardon. Ďakujem." Ich oči sa stretli v ďalšom z tých okamihov plných poznania. Zadržala dych a na okamih jej napadlo, že tentoraz ju *skutočne* pobozká.

„Ross," neubránila sa povzdychu. Nedokázala ovládnuť prosebný pohľad. *Pobozkaj ma.* Zdvihla k nemu hlavu. Určite cítil to isté.

„Izzy." Rukou ju pohladil po tvári. Potom si povzdychol, smutne sa usmial a odstúpil, jeho ruka sa jej zviezla k pásu. „Musíte si zahriať nohy. Nestojte na tej studenej dlážke."

Od bolesti jej zovrelo srdce. Vážne robila stále tie isté chyby. Čo to s ňou bolo?

„Ohrievacia fľaša," navrhla Izzy a prudko sa od neho odtiahla. Rozšírili sa mu zreničky.

„Potrebujeme fľaše s horúcou vodou a vy si pravdepodobne

potrebujete dať dole tie mokré nohavice. A mokré topánky. A tiež ponožky."

Prikývol.

„Nechcete niečo horúce na pitie?" Ponáhľala sa po chodbe do kuchyne a ignorovala bodanie ihličiek v pätách.

Na rozdiel od haly bolo v kuchyni ešte teplo, niekto tu nechal rozsvietené a na stole vedľa fľaše whisky ležal odkaz.

Dúfam, že cesta nebola príliš drsná. Jim (nie ja) uvaril na zajtra polievku a chleba je dosť, takže nemusíš vstávať skoro. Zapálila som vám v izbách oheň. Uvidíme sa ráno. V termoske máte horúcu čokoládu, keby ste mali chuť.

J & J

„Bože, ako ja tých dvoch milujem," vydýchla Izzy a prinútila sa usmiať. Postrčila odkaz tak, aby ho Ross videl, a hneď prešla ku komode a schmatla dva hrnčeky. „Sú to zlatíčka," povedala s predstieranou veselosťou. „Horúcu čokoládu s whisky? Myslím si, že si to zaslúžime, no nie?"

„Izzy..." Natiahol k nej ruku, ale predstierala, že ten pohyb nevidela, a odvrátila sa, aby naliala horúcu čokoládu.

„Nalejte si whisky radšej sám." Posunula k nemu hrnček bez toho, aby mu venovala čo i len jediný pohľad.

„Vďaka, že ste boli hrdina a odniesli ma späť. Keď sa na to pozriem spätne, možno sme mali zostať na ceste. Dúfam, že Duncan pozná niekoho, kto zajtra vytiahne auto. Určite áno." Vedela, že bľaboce, ale nezniesla by, keby ju Ross odmietol, čo by zrejme jemne urobil. Vedela, že áno.

„Tu je to. Jedna horúca čokoláda."

„Vďaka," prikývol Ross, opatrne sa na ňu pozrel a posadil sa oproti nej na stoličku. „Môžem povedať, že tá posledná polhodinka v aute bola dosť náročná. Vďaka za…" zahľadel sa na ňu a pousmial sa. „Za to, že ste zachovali rozvahu. Pokojná zoči-voči možnej katastrofe."

Napriek tým slovám Izzy sebou trhla. Myslel si azda, že je ako jej matka?

„Plač by nepomohol."

„Nie, ale ani raz ste sa nesťažovali, nenariekali. Poznám niekoľko ľudí, ktorí by z toho urobili úplnú drámu."

Izzy pokrčila plecami. Väčšinu života sa snažila nariediť matkine povahové rysy, svoje vlastné si celkom dobre vedela nechať pre seba.

V útulnom teple kuchyne sa ponorili do ticha a každý sa pohrával so svojím hrnčekom, akoby obaja chceli niečo povedať, ale nevedeli, ako začať.

„Izzy… k tomu dnešku."

„Nebojte sa, nikomu neprezradím, kto ste."

„To by bolo fajn. Vďaka. Pokiaľ vám to neprekáža."

„Vôbec nie. Myslím si, že by som mala ísť hore." Vzala si svoj hrnček, ale dívala sa mu skôr na krk než do tváre. „Mohli by ste potom zhasnúť?"

„Izzy…" začal znova.

„Dobrú noc, Ross. Uvidíme sa zajtra." S tým odkráčala z kuchyne. Dnes už zo seba urobila dosť veľkého hlupáka. Kedy sa konečne poučí?

16. kapitola

Nasledujúce ráno Izzy roztiahla ťažké zamatové závesy a chvíľu tam len tak stála a tešila sa z kúzelného výhľadu. Po výdatnom spánku s nohami pekne v teple a pohodlí sa mohla na zasneženú scenériu pozerať pozitívnejšie. Zatínala prsty na nohách, vyhriate v hrubých vlnených ponožkách, a zaháňala spomienky na včerajšok. Mraky sa stiahli a odhalili prenikavú modrú oblohu a jasné slnečné lúče, v odraze ktorých sa sneh trblietal a leskol.

Z malej vežičky videla na kilometre ďaleko, ponad jazero až k horským masívom za ním. Sneh ako hrubá perina zmäkčoval rysy krajiny, vyhládzal ostré línie a uhly. Zasahoval až k samotnému okraju jazera, v ktorom sa odrážal zrkadlový obraz žiarivej bledomodrej oblohy.

Keď zbehla zo schodov, privítala ju v hale Jeanette, poskakujúca z nohy na nohu. „Napadol sneh! Nasnežilo! Videla si to? Jasné, že áno. Prepáč.“

Izzy sa na ňu usmiala a objala ju okolo pliec. „Chceš ísť von a užiť si trochu ten sneh?“

„Snehový deň?“ spýtala sa s nádejou.

Izzy si spomenula na snehové dni z čias, keď chodila do školy a celý deň sa mohli sánkovať. Jim aj Jeanette si zaslúžili voľno, pretože tvrdo pracovali. „Tak si dajme teda snehový deň,“ súhlasila.

„Paráda,“ rozžiarila sa Jeanette. „Som rada, že ste sa vrátili v poriadku. Aká bola cesta?“

„Teraz, keď som doma, poviem, že to bolo v pohode, ale museli sme nechať auto asi kilometer a pol odtiaľto. Brodiť sa snehom nebola až taká zábava, ako by sa mohlo zdať. Ani nevieš, akí sme boli vďační za horúcu čokoládu, oheň a ohrievaciu fľašu.“

„To nič. Úprimne povedané, bol to Jimov nápad. On je z nás ten praktický.“

„Ale nie,“ podpichla ju Izzy.

„Uvaril kašu s trochou smotany a hnedým cukrom. Jeho špecialita. Dúfam, že to neprekáža.“

„Jeanette, znie to fantasticky. Som taká hladná. Veľmi pekne ďakujem. Bola som rada, že som si dnes ráno mohla poležať. Vrátili sme sa až po jednej.“

„Izzy! Si späť!“ Xanthe sa vrhla Izzy okolo krku a jej prenikavý hlas sa rozliehal po hale. „Kde je auto? Myslela som si, že ste uviazli v snehu, museli prespať v aute a v tej zime prechladli. Alebo že ste museli ísť kilometre peši, než ste našli, kde by vás ubytovali.“

Izzy sa sama pre seba usmiala. Typická Xanthe sústredená na drámu.

Druhý raz vysvetlila, čo sa stalo.

„Dobre. Kúpila si mi nejaké ozdoby?“

„Áno.“

„Kde sú?“

Izzy neveriacky zavrtela hlavou.

„Kde asi tak myslíš, že budú?“

„Nechala si ich v aute? Čo ak ich niekto v noci ukradol?“

„Ak sa vybral niekto von v tomto počasí, nech je mu to dopriate.“

„Kedy po ne zájdeš?“

Izzy po nej strelila pohľadom.

„Keď sa mi podarí zariadiť odtiahnutie auta.“ Izzy bola rada, že je všetko ešte v kufri Rossovho auta. Matka by si nepochybne vzala jeho kľúče a všetko by prehrabala.

„Tak to je dobre, že som niečo objednala. Bála som sa, že toho nekúpiš dosť. Tiež som zohnala svetielka na stromček.“

Izzy vytiahla obočie. „Chceš povedať, že si neverila, že to zvládnem.“

Xanthe jej prevliekla ruku pod pazuchu. „No tak, miláčik, o to vôbec nejde, ale videla som na internete niekoľko krásnych vecí, ktoré doplnia tie základné, o ktoré som ťa požiadala. Poďakuješ sa mi, až tie stromčeky uvidíš. Budú nádherné. Vlastne by bolo dobré, keby stromčeky doniesli ešte dnes. Duncan vytypoval nejaké miesta, takže sme pripravení.“

„Uvidíme, mami. Ross nám dnes asi nebude pomáhať, pretože včera stratil celý deň.“

„Ide len o zrúbanie niekoľkých stromov, nebude to trvať dlho,“ pohodila hlavou Xanthe a vyjadrila svoj odborný názor.

Izzy vedela, že nemá zmysel hádať sa, a tak prikývla a nasledovala Jeanette do kuchyne.

Jim a Duncan popíjali čaj a na sporáku stála misa s ovsenou kašou.

„Vonia to dobre, Jim. Možno by si si mohol vziať na starosť varenie.“

„Bože, nie. Ovsenou kašou sa moje varenie končí. Naučila ma ju pripravovať mama.“

„Som ti veľmi vďačná.“

„Bré ráno, Izzy,“ zdvihol Duncan hrnček na pozdrav. „Myslím si, že dnes bude dobrý deň na vyrúbanie niekoľkých stromčekov. Máme sane a vďaka snehu, ktorý napadol, bude oveľa jednoduchšie dostať ich na hrad. Hej, Ross, čo by ste povedali na drevorubačskú výpravu?“

„Najprv si dám kávu a potom môžeme ísť,“ odvetil Ross, ktorý práve vošiel do miestnosti.

„Ste si istý?“ chcela vedieť Izzy. Robilo jej starosti, že ho už aj tak pripravila o dosť času.

„Áno, moja redaktorka je spokojná s tým, čo som urobil, a prestala mi volať. Mám celkom dobre zvládnuteľný termín odovzdania. Okrem toho by som si to za nič na svete nenechal ujsť," poznamenal. „Keď je dnes vonku takto, kto by chcel byť zavretý doma? Môžem pracovať neskôr popoludní, aj keď ešte musím vyriešiť to auto."

„Nebojte sa," upokojoval ho Duncan. „Hovoril som s Alistairom z farmy Highways. Popoludní zoberie traktor a tu káru vám vytiahne. Pôjdem tiež."

„Skvelé, vďaka, Duncan."

„Žiadny problém. Musím teraz nakŕmiť kravy, ale nabrúsil som nám sekery. Sú za zadnými dverami spolu so saňami. Xanthe chce tri stromy. Dva dvojmetrové do jedálne a obývačky a jeden aspoň trojmetrový do veľkej haly."

„V živote som ešte žiadny strom nevyrúbal," priznal sa Ross. „Lenže čo môže byť na tom ťažké?"

„Tak to máte šťastie," usmial sa Jim a pohladil si fúzy. „Vlani som pracoval v stromčekovej škôlke."

„Vlastne áno," spomenula si Jeanette. „A dostal zadarmo stromček… bol to ten najnaježenejší, najzakrpatenejší stromček, aký ste kedy videli."

„Nikto ho nechcel," pokrčil Jim plecami. „Bolo mi ho ľúto. Potreboval domov."

Jeanette sa postavila na špičky a pobozkala ho na tvár. „Ty si ale somárik. Taký správny mäkkýš."

*　*　*

O hodinu neskôr boli už všetci nabalení, pripravení odvážne vyraziť do ľadovej pustatiny a vydať sa rúbať stromy. Okrem toho, že im pod nohami vržďal panensky čistý sneh, bol jediným zvukom široko-ďaleko vtáčí spev. Jim na čele si veselo pohvizdoval a ťahal jedny sane, vedľa neho kráčala Jeanette a rozprávala. Izzy zosúladila krok s Rossovým. Cestou kopali do snehu, pričom sa im zdvíhal v nadýchaných obláčikoch vysoko nad členky.

„Lepšie než včera večer," podotkol. „Čo nohy?"

„Sú v teple, vďakabohu."

Na niektorých miestach vytvárali záveje snehu elegantné mäkké oblúčiky opreté o steny a ploty. Štvorica obišla jazero a skrátila si cestu k lesu cez planinu. Duncan ich nasmeroval k jednému miestu, kde bola kopa mladých jedličiek douglasiek.

Izzy si prezerala stromy – všetky jej pripadali dosť podobné, ale vedela, že keby nevybrala ten pravý, Xanthe by ju bez rozpakov poslala po iný.

„A čo tento, Izzy?" spýtal sa Jim a ukázal na jeden z nich. „Má asi dva metre." Postavil sa vedľa neho a zdvihol ruku nad hlavu, aby demonštroval výškový rozdiel medzi sebou a stromom.

„Mne príde dobrý."

„Poďte, Ross. Ukážem vám, ako sa to robí."

Izzy a Jeanette pokračovali v hľadaní, zatiaľ čo Jim dával Rossovi lekciu v rúbaní stromov.

„Jaskynní ľudia," zachichotala sa Jeanette, keď Jim ukázal Rossovi, kadiaľ má viesť prvý sek, a podal mu sekeru. Jim držal strom, zatiaľ čo Ross sa presekával kmeňom a mával sekerou s prekvapivou, dobre mierenou gráciou.

„Vy ste to už niekedy robili," prejavil mu Jim uznanie.

„Nie, ale počas života som už narúbal kopu polien. Keď chce mať otec pokoj, ide rúbať drevo. Je veľký fanúšik štiepania dreva." Ross sa smutne usmial. „V búde má staré kreslo a petrolejovú piecku. Trávi tam dosť času. Keď som bol mladší, vždy som sa vykradol za ním. Tam ma to naučil. Pod kreslom mal plechovku sušienok. Nie som si istý, či o tom mama vedela." Zamyslene sa odmlčal.

Izzy premýšľala, či si bol s otcom blízky. Keď o ňom hovoril, v jeho slovách bolo cítiť ľútosť.

Pri poslednej rane sa strom s vŕzganím a praskotom vyvrátil a Jim ho pri páde pohotovo zachytil. Spolu s Rossom ho naložili na sane a Jeanette ho upevnila niekoľkými gumovými lankami.

„Teraz už viete, čo robiť, tak čo keby sme sa rozdelili?" navrhol Jim. „Je tu zima a ja musím dokončiť nejaké maľovanie." Pozrel sa na Jeanette, ktorá trochu špúlila pery. „Neboj sa, poobede si postavíme snehuliaka." Rozžiarila sa. „S týmto snehom by sme mohli postaviť celú snehovú rodinu."

Dohodli sa, že Jim bude hľadať väčší strom a Ross s Izzy sa pozrú po tom menšom.

„Budete musieť ísť hore na kopec. Všetky tieto stromy boli vysadené v rovnakom čase, sú prakticky rovnako veľké," upozornil Jim, a tak sa Izzy a Ross vydali opačným smerom.

Keď Jeanettin a Jimov hlas utíchli, rozhostilo sa úplné ticho, až na vŕždanie snehu pod ich nohami a šušťanie ťažkých kabátov.

„Ťažko uveriť, že sme si ešte včera užívali žiaru svetiel Edinburghu," poznamenal Ross. „Rád by som si vyšiel do mesta, ale toto mám oveľa radšej. Pokoj a ticho."

„Svojím spôsobom je to povzbudzujúce," súhlasila Izzy a zhlboka sa nadýchla čistého, sviežeho vzduchu. „Vďaka tejto bielej perine je všetko zasa ako nové. Keď prvý raz šliapnem do čerstvého snehu, pripadám si ako dieťa. Prvý odtlačok nohy. Akoby som na svete zanechávala stopu, aj keď len dočasnú. Som jediný človek, ktorý tam vkročil. V meste už bude v tomto čase sneh šedivý a bude z neho čľapkanica." Pokrčila nos.

„Presne viem, čo máte na mysli. Poďme, musíme nájsť nejaký strom a zoťať ho," povedal Ross a zdvihol sekeru.

„Vy si to užívate. Priam vidím, ako sa v nejakej knihe objaví vrah so sekerou."

Zaškeril sa. „Tak to je nápad. Krvavá vražda na snehu, na cintoríne v Edinburghu. Stredoveká sekera... alebo možno *claymore*."

„Často premýšľate o vraždách?" spýtala sa Izzy spola vážne.

„Veľmi často. História môjho vyhľadávania na Googli je zaujímavé čítanie. A keď ma niekto naštve, často sa stane ďalšou obeťou vraždy."

Izzy sa zasmiala. „Budem sa snažiť správať čo najlepšie."

Kráčali svahom k ďalšej skupinke stromčekov.

„Tak sme tu. Čo myslíte, ktorý?" opýtal sa Ross. „Nerád by som sa dostal do konfliktu s Xanthe."

„Hrad bude vyzerať nádherne." Predstavila si jedľu v miestnosti a zrazu sa zachvela od vzrušenia. S úsmevom sa otočila k Rossovi. „Už sa nemôžem dočkať Vianoc."

„To vidím."

„Tak sa do toho pustite a zotnite tú beštiu."

Zatiaľ čo rúbal strom, Izzy ho pozorovala a premýšľala, či je rozumné hodiť doňho snehovú guľu, keď sa oháňa sekerou. Usúdila, že by to asi nebolo múdre, a počkala, kým ju pustí a naloží strom na sane. Rýchlo zamierila, hodila guľu a mala radosť, keď videla, že zasiahla cieľ, priamo do zadku. Keď sa obrátil, nevinne si prezerala ďalší strom a ruky v rukaviciach pokrytých snehom schovávala za chrbtom. Prižmúril oči, ale nič nepovedal a znovu sa mlčky sklonil k svojej úlohe. Bolo to príliš veľké pokušenie, a tak Izzy urobila ďalšiu snehovú guľu a vypálila. Aj druhý raz zasiahla cieľ. Ross sa napriamil, ale nič nepovedal. Cítila sa šibalsky a jeho chladná ľahostajnosť ju provokovala, a tak to spravila ešte raz. A to bola chyba. Tentoraz na ňu Ross uprel pohľad, ktorý sľuboval poriadnu odplatu. Zamrazilo ju od strachu.

„McBrideová, prvý raz som si mohol myslieť, že to bola veverička, druhý raz šťastná náhoda na strane zmienenej veveričky, ale tretí raz..." Zavrtel hlavou, rýchlo sa zohol, nabral do rúk sneh a vykročil k nej.

„To neurobíte!" vykríkla a snažila sa tváriť ako neviniatko, ktoré si rozhodne nezaslúži odplatu.

„Že nie?" Spravil ďalší krok. Izzy skríkla, so smiechom sa otočila a utekala, zatiaľ čo jej hodená snehová guľa preletela okolo hlavy.

„Netrafil!" zvolala so zjavným náznakom víťazstva a rýchlo sa prikrčila, aby nabrala vlastnú snehovú guľu a poslala ju jeho smerom. So samoľúbym uspokojením sledovala, ako ho pleskla do pleca a rozletela sa na snehový prach. Vykríkla od radosti a odskočila za strom, zatiaľ čo on na revanš nabral hrsť snehu, prižmúril oči a krok mal plný odhodlania. Toto je vojna. Izzy si uvedomila svoju chybu, keď sa k nej stále približoval a jej improvizovaná hradba ho ani v najmenšom nevyvádzala z miery. Stále sa blížil a celý čas hrozivo a posmešne utľapkával snehovú guľu medzi dlaňami. Myslel to vážne.

Izzy sa rozbehla medzi stromy a kľučkovala z dostrelu. Hodil guľu a ona uskočila práve včas, ale len čo sa narovnala, už v ruke formoval ďalšiu. Obrátila sa, aby sa znovu rozbehla, borila sa v hlbokom snehu a jej svaly začínali protestovať proti nezvyklému pohybu.

A potom sa jej stala nehoda. Pod vrstvou snehu sa jej noha zachytila o skrytú vetvičku a Izzy letela tvárou vpred. Pobodali ju ľadové kryštáliky a do úst sa jej dostal sneh, až jej začali tŕpnuť predné zuby. Vyškriabala sa na nohy a snažila sa niečoho zachytiť. Potom sa prevalila a zistila, že sa nad ňou týči Ross s víťazoslávnym úsmevom na tvári a so snehovou guľou v zdvihnutej ruke.

„Nech vám to ani nenapadne," povedala zadýchane, zľahka omráčená pádom, a prosebne sa na neho zadívala.

„Som vo veľkom pokušení, ale nebolo by veľmi džentlmenské zneužiť vašu momentálnu pozíciu, však?" Jeho úškľabok však naznačoval, že o tom, že by bol džentlmen, neuvažuje práve usilovne.

„Nie, to by nebolo." Nasala vzduch a pokúšala sa tváriť dôstojne i napriek ponižujúcej polohe chrobáka uviaznutého na krovkách.

Natiahol k nej ruku, aby ju zdvihol, a ona sa jej vďačne chytila. Keď sa postavila, rozpľasol jej snehovú guľu o hlavu, až vykríkla, ako jej studený sneh skĺzol po krku. „To bolo..." nedopovedala, strčila do neho a smiala sa, pretože si to zaslúžila. Chytil ju za ruky, keď sa prevrátil dozadu, a strhol ju so sebou. Pristála na ňom a s lapaním po dychu dokončila: „... podlé."

Jej oči sa stretli s tými jeho a zrazu jej z hrude unikol všetok dych. Civeli na seba v jednom z tých okamihov úplného poznania. Bola tak blízko, že videla tmavomodré škvrnky v jeho očiach, zatočené tmavé mihalnice a iskričku záujmu, ktorá tancovala pod povrchom. Neozýval sa žiadny zvuk okrem jej vlastného dychu, hrudníky sa im zdvíhali a klesali v tichom súzvuku.

Izzy zablúdila pohľadom k jeho perám – chcela, aby ju pobozkal –, ale s vedomím predchádzajúceho večera, keď si bola taká istá, že ju pobozká, a on sa potom odvrátil, sa nehodlala znova poníži. Aj keď mala na jazyku otázku: „Chystáš sa ma pobozkať?“, odmietala ju vysloviť. Bol rad na ňom.

Srdce jej divoko búšilo a v žilách sa jej rozprúdila krv, keď čakala a sledovala ho s nádejným očakávaním a úplným pokojom.

Takmer vzdychla od úľavy, keď k nej priblížil pery a neprestával na ňu upierať pokojné modré oči. Pri jemnom dotyku ich pier jej v žalúdku vybuchoval adrenalín. Zostala úplne nehybná, desila sa, že by sa mohol ešte odtiahnuť, neodvažovala sa uveriť, že ju skutočne bozkáva. Potom ich oboch pretočil na bok a tentoraz prevzal aktivitu. Podvolila sa a silno pritisla svoje pery na jeho. To očakávanie stálo za to. Bozkával ju pomaly, ale s úplnou istotou, akoby mal všetok čas sveta a ona mu zaň stála a nič ho nesmelo rozptyľovať. Tento muž vedel, ako sa má bozkávať. V jeho dotykoch nebolo nič neisté ani váhavé, bol to typický Ross: úplne suverénny, tým svojím pokojným, odmeraným spôsobom.

Jeho sústredená pozornosť bola úplne opojná a Izzy sa do bozku ponorila, jej telo v snehu zvláčnelo. Stálo ju úsilie zdvihnúť ruky, aby mu jednu ruku obtočila okolo krku, zaborila prsty do hebkých vlasov a druhou zovrela široký chrbát, akoby sa snažila ukotviť v realite. Keď sa ich bozk prehĺbil, otvorila pery. Opieral sa o lakte a dlaňami držal jej tvár. Žiadne náhlenie sa, žiadne preteky do cieľa, len opatrný, dôkladný bozk.

V hlave jej vybuchoval ohňostroj so zvončekmi a s píšťalkami. Cítila sa nebezpečne na hrane, zatiaľ čo on mal akoby všetko pod kontrolou. Nebolo to fér. Keď sa konečne odtiahol, v očiach mu chápavo zaiskrilo.

„To bolo pekné,“ zašepkal a pohladil ju po tvári.

„Pekné!“ vyhŕkla pohoršene. Otriaslo to zemou, podlamovali sa jej kolená a nebola si istá, či jej o chvíľku nevzplanú nohavice.

Zažila už oveľa vášnivejšie, náruživejšie, túžbou poháňané bozky, ale žiadny z nich sa nevyrovnal tomu pomalému, malátnemu ovládnutiu jej zmyslov. Znovu získala rovnováhu, keďže sa pripomenul studený sneh na zátylku, a dodala: „Na spisovateľa dosť chabé vyjadrenie sa."

Tvár mu rozžiaril pomalý úsmev. „Obviňuješ ma z chabosti?"

„Nie teba, ten opis."

„No... je pekné a *pekné*," stíšil hlas. Dôverný tón jej takmer rezonoval v hrudi. „A toto bolo *pekné.*"

„Hm," trochu sa upokojila Izzy. „Nie som si istá, či práve toto miesto tak veľmi nabáda na bozkávanie sa. Bojím sa, že pozriem hore a zistím, že sa na mňa díva grizly."

„Keď som sa naposledy pozeral, tak sa po vysočine žiadni grizlyovia netúlali."

Zachvela sa, začínala jej byť zima.

„Tak si vezmime náš úlovok a poďme domov. Cítim sa ako pravý lovec a zberač." Vstal, vytiahol ju hore a naposledy ju pobozkal. Potom sa sklonil, aby sa chopil lana saní.

Každý kráčal z jednej strany vyjazdených koľají a stromček ťahali za sebou. Predierali sa trblietajúcim sa snehom, ktorý vyzeral ako kyprá vrstva polevy na vianočnej torte. Keď sa priblížili k jazeru, drobné vetvičky vtáčích stôp vytvárali na povrchu snehovej pokrývky jemné čipky. Jediným zvukom bol ich dych sprevádzaný unikajúcimi obláčikmi bielej pary a šinutím saní za nimi. Objavil sa pred nimi hrad. Zastali, priťahovaní pohľadom na zlatistý kameň lesknúci sa v slabom slnečnom svetle a diamantové odlesky snehu na streche.

„Je taký krásny," povzdychla si Izzy a pocítila to známe vzrušenie, že jej patrí. Nebola si istá, či ju pohľad na jej hrad niekedy omrzí.

„*Aye,*" súhlasil Ross. „To je."

Pozrela sa na neho a usmiali sa na seba v spoločnom okamihu úžasu, že sú nepatrnou súčasťou tejto chvíle. Vnútri pocítila zlatistú žiaru šťastia. Možno (len možno) to konečne pochopila správne a priťahuje Rossa rovnako ako on ju.

17. kapitola

Sotva si Izzy vyzula topánky, priskočila k nej Xanthe.

„Ukáž," strkala hlavu do okna a chcela vidieť tri stromčeky opreté o stenu hospodárskej budovy.

„Nechaj nás vydýchnuť," ohradila sa Izzy a trela si ruky o seba. Mala chuť na veľký hrnček čaju a horúci plnený koláčik. Nevšímala si matkine výkriky nad veľkosťou stromčekov a ich košatosťou ani Jimovo presviedčanie, že postaví stromček do pripraveného ťažkého stojana. Strčila plech s koláčmi do rúry. Všetci si po svojom rannom úsilí zaslúžili odmenu a mala pocit, že sa budú potrebovať posilniť, aby prežili matkine snahy o dokonalosť. Raz jej trvalo vyše hodiny, než vybrala vhodný stromček.

„Dočerta!" O desať minút neskôr sa Jim zosunul na jednu z kuchynských stoličiek. „Tá ženská je fúria. Už sme urobili, čo sme mohli. Je po všetkom."

Ross nepovedal ani slovo, len si zobral koláčik.

Izzy sa uškrnula. „Ešte nie je."

Obaja muži prižmúrili oči a sledovali ju. „Ako to myslíš?" spýtal sa Jim. „Tri stromy je dosť, nie?"

„Treba ich ozdobiť," poznamenala Izzy. „No to príde neskôr."

Jim pokrčil plecami, akoby chcel povedať, že časť svojej práce už urobil a je z toho vonku.

„Nie, ty tomu nerozumieš," skonštatovala Izzy s úsmevom. Jej mame neunikne nikto. „Je to tradícia McBrideovcov." Spomenula si na minulé Vianoce a zdvihla bradu. S mamou vždy zdobili stromček spoločne. Boli síce len dve, ale mali svoje rodinné rituály a ona sa práve rozhodla, že odteraz to bude tradícia hradu Kinlochleven. „Všetci sa zídu o šiestej v hale," povedala, aby zdôraznila, že to myslí skutočne vážne a že sa nikto z toho nevyvlečie, aj keď pri pohľade na Rossa zmäkla. „Je to oficiálny začiatok Vianoc a všetci v dome sa musia pripojiť."

„Znie to ako zábava." Jeanette sa pozrela na Jima. „Musíme si začať vytvárať vlastné tradície, keď už sme manželia."

„Mne sa celkom páči tá, keď v lese zotnete strom a..."

Jeanette očervenela, schmatla najbližšiu utierku a ťapla ho ňou, aby radšej mlčal.

„Priveľa informácií," vyhlásil Ross s výrazom človeka, ktorý je v tom úplne nevinne. Len Izzy postrehla šibalský úsmev, ktorý k nej vyslal.

„Už nikdy sa nebudem motať po lese," povedal Duncan a viditeľne sa otriasol.

Jim si vzal tretí plnený koláčik a Jeanette nesúhlasne zavrtela hlavou.

„Chlap sa musí udržovať pri sile," usmial sa široko.

O šiestej hodine, keď sa všetci zhromaždili v hale, ich Izzy obišla s podnosom s pohármi z edinburského skla, naplnenými zimným koktailom *whisky sour*.

„Izzy, vyzerajú úžasne! Slávnostne. Páči sa mi tá zlatá." Xanthe mala na sebe šarlátové saténové šaty s hlbokým výstrihom a dlhou sukňou, pozdĺž lemu zdobenou našuchoreným bielym pštrosím perím. Vyzerala ako niečo medzi pani Clausovou a sviatočnou tortou.

„Vážne vyzerajú veľmi pekne," pritakala Jeanette a viditeľne sa usilovala odpútať pozornosť od Xanthiných šiat a zamerať sa na jedlé zlaté trblietky lemujúce horný okraj pohára.

Trblietky Izzy objednala vďaka dobre načasovanej rade, ktorú jej pred niekoľkými týždňami dala Fliss cez WhatsApp, a teraz jednoducho namočila okraj každého pohára do medu a potom do trblietok. Samotný kokteil bol veľmi ľahký na prípravu – stačila lyžica čerstvej pomarančovej a citrónovej šťavy, trocha whisky a pol lyžičky cukrového rozvaru. Izzy ho pripravila za dve minúty.

„Hm, je to dobré," ocenil Ross a poriadne sa napil, pričom tón jeho hlasu naznačoval viac, keď spočinul pohľadom na Izzinej tvári. Keď si spomenula na *ten* bozk, rozbúrili sa v nej emócie.

Vyslala k nemu dôverný úsmev a dúfala, že sa im čoskoro zase naskytne spoločná chvíľka. Od príchodu na hrad sa už štyrikrát pristihla, ako sa zasnívane dotýka svojich pier.

Ross jej úsmev vrátil a ten pohľad ju zahrial rovnako ako whisky.

„Dobre, najskôr svetlá," oznámila Xanthe. „Ross, chcem vás tu hore na rebríku. Duncan, radšej vylez iba do polovice schodíkov, aby si nespadol." S náročnými požiadavkami a so štekotom vrchného seržanta začala rozdávať rozkazy. Jimovi strčila do rúk dlhú šnúru svetielok. „Vyššie už nie. Nie, Duncan, tam nie. Na tamtú vetvičku, Ross. Tadiaľto. Nie! Nie, tam ich nedávajte."

Jeanette a Izzy si vymieňali pobavené pohľady, keď Xanthe všetkých troch mužov dirigovala, usmerňovala a jačala na nich, akoby boli malí chlapci v škôlke, ktorých je potrebné stále organizovať.

Bola by z nej obávaná veliteľka. Keď chcela niečo urobiť, muselo byť po jej.

Keď Izzy sledovala, ako sa Ross naťahuje a nakláňa, túžila cítiť pod prstami jeho teplú pokožku, vnímať, ako sa jej pod rukami uvoľňujú a sťahujú jeho svaly. Modlila sa, aby jej nikto nedokázal čítať myšlienky a nevšimol si, ako často k nemu blúdi pohľadom.

Po dobrých dvadsiatich minútach Xanthe konečne usúdila, že Izzy môže zažať svetlá. Xanthe urobila niekoľko krokov dozadu, aby si stromček prezrela, nakláňala hlavu a špúlila pery.

Zatiaľ čo ostražitým pohľadom prechádzala po jedličke, napätie v miestnosti rástlo.

„Izzy!" vyštekla jej mama. „Čo si myslíš?" Jej nevrlý tón neveštil nič dobré, ako Izzy na základe skúseností vedela.

„Vyzerá skvele," povedala so zdravou dávkou falošného nadšenia. Pokiaľ išlo o ňu, stromček sa jej páčil, ale nemala položenú latku tak vysoko ako Xanthe. Pre istotu dodala: „Vážne skvele."

„Hm." Xanthe sa priblížila k stromu, preštudovala si ho zhora dole, ako keď si nejaký návrhár *haute couture* prezerá svoj výtvor, než pošle modelku na mólo.

V miestnosti sa rozhostilo ticho a Izzy takmer cítila kolektívnu vôľu vinúcu sa smerom ku Xanthe, zúfalú túžbu, aby bolo všetko v poriadku.

„Tie prostredné svetlá sú zle," vyhlásila náhle Xanthe, ako keď hlavná herečka nájde mŕtvolu. „Všetky sú nakope. Mali by byť rozložené rovnomernejšie."

„Mne sa zdajú byť v pohode," ozval sa Duncan.

„Nie, nie, nie. Budeme musieť začať znova."

Jim, Duncan a Ross sa na seba nedôverčivo pozreli, ale než stačili čokoľvek povedať, Xanthe zatlieskala, aby ich nahnala späť k stromu, akoby zaháňala sliepky do kurníka. „No tak, šup-šup. Ross, vy rozmotajte vrch a podajte to dole Jimovi. Opatrne." Xanthe poskakovala. „Tadiaľto nie. Vyššie. Ďalšiu vetvičku. A potom zasa späť."

Aj zo svojho miesta na druhej strane stromu Izzy videla, ako Ross pevne zaťal zuby.

„Trochu hore. To je lepšie. Nie, Duncan! Na túto vetvičku nie." Jeanette sa mimovoľne usmievala, ale Izzy v duchu vrtela hlavou. Xanthe by určite vyskúšala aj trpezlivosť všetkých svätých.

Nakoniec bola s usporiadaním svetiel spokojná a povedala: „Izzy, zažni svetlá."

Ross, Jim a Duncan sa začali zakrádať preč. Ross vyzeral, že sa dá na útek ku dverám, a Jim hneď za ním. Xanthe na nich uprela prenikavý pohľad. „Nikam nepôjdete, kým ten strom nebude hotový."

Izzy rozsvietila svetlá a pri pohľade na Xanthe všetci zatajili dych. Okrem Jeanette, ktorá sa ešte stále dobre bavila. „Vyzerajú ako traja školáci pred riaditeľnou," zašepkala Izzy.

Xanthe si prezerala strom. „Čo si myslíš, Izzy? A zmeň nastavenie svetiel, mám radšej to, ktoré sa pomaly stmieva a potom rozsvecuje, nie toto blikanie. Je to ako na diskotéke a to nechceme."

Izzy poslušne prepla spínač na nastavení, pri ktorom svetlá nevyvolávali migrénu. Zaletela zrakom k tým trom mužom so vzdorovitými výrazmi v žiari svetiel. Keby Xanthe navrhla svetlá znovu prerobiť, odišli by.

„Vyzerá to rozprávkovo," rozplývala sa Jeanette, ktorá si očividne všimla blesky v manželových očiach.

„Skutočne rozkošné," súhlasila Izzy a potláčala smiech.

„Teraz sa môže začať skutočná práca," vyhlásila Xanthe a veselo ukázala na škatule s ozdobami, naukladané pod schodmi. Zdvihla pohár. „Pripijeme si. Na Vianoce na hrade, ktoré týmto vyhlasujem za začaté. Teraz, Izzy, otvor tamtú škatuľu s ozdobami. Začneme s nimi."

„Budem sa pozerať," poznamenal Duncan a uvelebil sa na jeden z kožených gaučov pri kozube. „Na tieto veci nemám nadanie." Ross sa solidárne posadil na operadlo vedľa.

Xanthe sa chvíľu mračila a potom s nádychom mačacieho správania predniesla: „Predpokladám, že by si to aj tak neurobil dobre. Jeanette, Izzy, toto chce ženskú ruku." Jeanette sa znova zachichotala, zatiaľ čo Izzy zagúľala očami. Xanthe bola zasa samý úsmev. Zalovila v škatuli a vytiahla z nej niekoľko kúskov zabalených v obrúsku, ktoré rozdala, akoby udeľovala oltárnu sviatosť.

Xanthe ten svoj rýchlo rozbalila. „Pozri sa, Iz," vybrala so smiechom trblietavého skleneného jednorožca s veľmi disproporčným rohom. „To je nevhodná Una. Pamätáš sa, ako nám ju babička dala, keď si mala pätnásť, a nemohla pochopiť, prečo nám to pripadá také zábavné." Odmlčala sa a vysvetlila Jeanette: „Veľmi falické, aj keď moja mama to nikdy nepochopila." Izzy si ju od nej s úsmevom vzala. Vyvolávala spomienky. Uvedomila si, že sa na ňu mama pozerá s očakávaním labradora minútu pred jedlom.

„Čo je?" zámerne podpichovala mamu.

Xanthe vytiahla jedno zo svojich ceruzkou dokonale vykreslených obočí a Izzy ustúpila, vzala spod jedného z kresiel papierové vrecúško a pridržala si ho pred sebou. „Myslíš toto?"

Mama vyskočila a z kabelky zavesenej na stĺpiku naspodku schodiska vybrala podobné vrecúško.

„Tu máš, miláčik." Vymenili si balíčky a každá rozbalila svoj darček.

Izzy vybalila krásnu krasokorčuliarku v trblietavej tylovej sukni, bielych topánkach a červenej zamatovej čiapke, ktorá predvádzala nejakú figúru na jednej nohe, zatiaľ čo Xanthe odmotala hodvábny papier z malej plstenej myšky hrajúcej na gajdách, ktorú jej kúpila v Edinburghu.

„Drahá, je nádherná. Budem mu hovoriť pán Myšiak a tento rok to budú Vianoce na škótskom hrade."

Jeanette nechápavo pokrčila čelo a Izzy jej to objasnila: „Každý rok pomenovávame Vianoce podľa niečoho, čo sa stalo." Zasmiala sa. „Jeden rok to boli Vianoce prdiaceho psa."

„Ach, Iz. Prečo o tom musíš hovoriť? Odporné stvorenie. Xanthe znechutene skrivila ústa. „Sused prišiel na obed a trval na tom, že privedie svojho smradľavého mopslíka, ktorý spal pod stolom a počas celej večere púšťal vetry." Xanthe sa divoko rozosmiala. „Už sme ho nikdy znova nepozvali, však?"

Izzy sa pozrela na Rossa a zistila, že čelo mu zbrázdili hlboké vrásky a hľadí na ňu s náhlym zdesením, akoby jej z hlavy vyrastali rohy.

Xanthe vybrala zo škatule novú ozdobu, malého dreveného Luskáčika. „Táto je z Vianoc, keď babička zabudla darčeky. Bola z toho vydesená, však, miláčik?"

Izzy prikývla.

„Aj keď to nebolo také hrozné ako Vianoce, keď som zabudla dať moriaka do rúry." Xanthe sa rozosmiala. „Bola to katastrofa. Museli sme zjesť pečenú fazuľu na hrianke. Od tej chvíle sa varenia ujala Izzy."

Izzy sa pri tej spomienke zasmiala a zavrtela hlavou. Jej mama vtedy umierala od smiechu nad vlastnou hlúposťou a ani jednej neprekážalo, čo jedia. Boli rady, že sú spolu. Vždy si spomenula, ako sedela s mamou a babičkou v teple obývačky pri vianočnom stromčeku s tanierom na kolenách. Bola to pekná spomienka.

Ako Xanthe vybaľovala zo škatule poklady spolu s čriepkami rodinnej histórie, dirigovala Izzy a Jeanette, kam majú dať na stromček ozdoby.

„Nie, Jeanette, drahá. Vyššie."

Duncan a Jim si ju doberali a posmievali sa jej: „Jeanette, na čo si myslela?"

Zakaždým, keď na stromček zavesili ozdobu, Xanthe sa priblížila, nazrela im ponad plecia, dala ju dole a povedala: „Možno by to bolo lepšie tu, nemyslíš, drahá?"

Ross bol čoraz tichší a na tvári mal zmätený výraz. Už si nevymieňali žiadne iskrivé úsmevy ani nenápadné pohľady. Izzy premýšľala, čo ho trápi.

„Zhasnite svetlá!" prikázala Xanthe, keď bol stromček konečne hotový. „Ross, vy ste najbližšie."

Poslušne sa postavil a zhasol.

Stromček v rohu miestnosti sa trblietal a iskril, až sa Izzy musela usmievať. Bol dokonalý. Vianoce sa začali. Toto bol začiatok skutočného odpočtu. Do príchodu Carter-Jonesovcov jej nezostávalo veľa času. Mala šesť dní na to, aby pripravila posledné izby a dokončila vianočné plány.

„Je čas buchnúť prosecco!" zvolala Xanthe a hlas jej od nadšenia preskakoval. „Oficiálne a ešte raz vyhlasujem tieto sviatky za začaté. Ross, môžete predniesť prípitok. Poháre sú tamto."

Ross so zdvorilým úsmevom otvoril fľašu prosecca a nalial Jeanette a Xanthe pohárik s obvyklým pokojom a dôstojnosťou, ale Izzy podľa jeho čeľusti spoznala, že matkino pišťanie a dramatické vyhlásenia mu lezú hore krkom. Nebolo to nič, čo by Izzy ešte nevidela. Xanthe bolo potrebné prísť na chuť, dokonca aj Izzy jej bezmedzné nadšenie a *naspeedovaný* prejav občas unavovali, a to bola na ňu zvyknutá. Pre niekoho, kto si vychutnával pokoj a pohodu ako Ross, to muselo byť dosť rušivé. Počas rokov sa Izzy zdokonalila v úlohe sprostredkovateľa a upokojovala situácie, keď Xanthe ostatných rozčuľovala, pretože vedela, že jej mama nie je nevľúdna, zlomyseľná ani zlá. Možno bola hlučná, ale v podstate neškodná a Izzy ju milovala.

„Dobrá práca, mami," pochválila ju Izzy, zdvihla pohár a objala ju. Strom vyzeral skutočne fantasticky a bol ozdobou starej, drevom obloženej haly. Vyžarovala z nej útulnosť, leštené kožené kreslá vo svetle ohňa, plamene poskakovali a tancovali na veľkom rošte a pozdĺž kozubovej rímsy bola natiahnutá girlanda z tyčiniek škorice a plátkov sušeného pomaranča.

„Je to super stromček a predstavuje srdce nášho vianočného hradu. Kiežby boli všetci, ktorí tu sú, veselí a šťastní a tešili sa zdraviu a šťastiu po celé vianočné obdobie."

„To je krása, pani McBrideová," povedala Jeanette a zdvihla pohár. Svetlo sa lámalo v bledej zlatistej tekutine.

„Nehovorte mi pani McBrideová. Znie to, akoby som mala sto rokov a bola nejaká stará mrzutá čarodejnica. Preto som Izzy nikdy nedovolila, aby mi vravela mama. Veľmi to pridáva na veku a ja som bola mladá nevesta, vieš? Nie som ani zďaleka taká stará, aby mohla mať moja dcéra viac ako dvadsať."

Izzy sa pozrela na mamu so smutným úsmevom. Dvadsať rokov. Ha! Kiežby. Bola oveľa bližšie k tridsiatke, než bolo Xanthe milé si pripomínať. Izzy sa zadívala na Rossa. Tváril sa zamyslene, keď povedala to slovo. *Mama.*

Skutočne to nevedel? Spomenula si na všetky tie chvíle, keď sa s ním bavila o Xanthe, a na to, ako sa jej spýtal, či pre ňu pracuje. Nikdy mu neodpovedala. Kto si myslel, že Xanthe je? Skutočne sa domnieval, že Izzy je jej obchodná manažérka?

Zatiaľ čo sa Xanthe rozplývala nad stromčekom, Izzy upratovala prázdne škatule od ozdôb a hromady prázdnych hodvábnych papierov a bublinkových fólií a úhľadne ich ukladala do jednej škatule. Duncan mal plné ruky práce so zakladaním ohňa a s prikladaním ďalších polien a Jim s Jeanette podľa svojho zvyku zmizli na jednej z chodieb, odkiaľ Izzy začula slabé chichotanie. Vzala škatuľu a položila ju na široký spodný schod, aby ju potom mohla odniesť. Ross sa držal zábradlia a zamyslene hľadel do ohňa.

„Si pripravený na večeru?" spýtala sa Izzy.

Trhol sebou a krátko sa na ňu pozrel, než sa vrátil k plameňom oblizujúcim polená na rošte.

„Netušil som, že Xanthe je tvoja matka. Neviem, ako som to mohol prehliadnuť." Smutne sa usmial.

Izzy sa zamračila. Prekvapilo ju, že mu to skutočne nedošlo. „A kto si si myslel, že je?"

„Tvoja zamestnávateľka a ty jej domáca a obchodná manažérka. Nikdy si nepovedala, že je to tvoja matka."

„Nikdy som nepovedala, že nie je." Izzy rýchlo pokrčila plecami.

„No vravíš jej Xanthe. Ako som mal vedieť, že je to tvoja mama?"

Izzy zavrtela hlavou, akoby sa snažila rozptýliť oblak zmätku, ktorý jej zahmlieval myslenie. „Nemal si to odkiaľ vedieť, ale nie je to tajomstvo. Nemá rada, keď jej hovorím mami. Keď som bola v puberte, bolo celkom *cool* oslovovať ju menom a odvtedy mi to zostalo." Ak mala byť úprimná, teraz jej to pripadalo ako hrozná pretvárka vypovedajúca o matkinej smiešnej márnivosti, ale nehodlala to priznať Rossovi, ktorý sa teraz správal akosi zvláštne.

„Takže si jej dcéra."

„Tak to obvykle býva, keď je niekto tvoja matka," odvetila pomaly Izzy.

„Hm," zamumlal Ross a zľahka zavrtel hlavou, akoby sa pokúšal vytesniť nevítanú myšlienku. „Musím ísť pracovať. S večerou si kvôli mne nerob starosti, najem sa neskôr."

Sledovala ho, ako bez obzretia stúpa po schodoch, a premýšľala, čo sa zmenilo.

18. kapitola

Niekoľko dní pred Vianocami

„Kde je Ross?" spýtal sa Jim a pustil sa do čerstvo pripravenej kávy a kúska orechového koláča. „O toto by som nechcel prísť, je to jeho obľúbený koláč. Robíš ho skvele, Izzy."

Jeanette sa triasli plecia od neutíchajúceho chichotania sa. „Toto určite vravíš všetkým."

„Pre mňa existuje len jedno dievča." Chytil ju za zápästie a pritiahol si ju do lona.

„Nechajte si to na neskôr, vy dve hrdličky," ozval sa Duncan. „Búri sa mi z vás kaša v bruchu."

Dvojica sa na neho usmiala a Jim rýchlo vtisol svojej žene bozk na pery, aby Duncana ešte viac vytočil. Ten zastonal a zdvihol svoj čaj. „Kde je ten mládenec?" spýtal sa. „Od utorka, keď sme ozdobili stromček, nie je po ňom ani stopy."

„Myslím si, že pracuje," odvetila Izzy. „O chvíľu mu odnesiem trochu kávy a koláč." Ani ona posledné dva dni Rossa nevidela, ale hovorila si, že tak to asi so spisovateľmi chodí a že ho zrejme pohltila inšpirácia.

Keď ostatní odišli, položila na podnos termosku s čiernou kávou, kanvičku s mliekom a veľký kus koláča a ignorovala nepríjemné mrazenie na chrbte. Ten bozk v lese si prehrala v duchu desaťkrát. Usúdil azda, že to bola chyba?

Obrnila sa, ignorovala rozochvenie z očakávaného stretnutia, zdvihla ruku a zaklopala na jeho dvere. Ticho. Počkala. Stále bez odpovede. Izzy zovrela pery. Ak bol práve ponorený do práce, nechcela ho vyrušovať. Možno by mala vkĺznuť dovnútra a diskrétne položiť podnos na stôl...

Znovu zaklopala a potichu zavolala: „Ross, priniesla som trochu kávy!"

Čo to bolo za zvuk? Tiché zaklopanie? Napínala uši, veľmi nerozhodná. Čo keď si neprial byť vyrušovaný? Čo keď bol chorý? Mohol spať.

A od nej bolo láskavé, že mu niesla kávu a koláč. Narovnala si chrbát, opäť zaklopala a otočila guľou na dverách. Okamžite ju zaplavil pocit déjà vu.

Ross sedel pri stole a na ušiach mal slúchadlá. Prehltla, toto bola dilema. Nechcela, aby nadskočil od úľaku, ale už tam bola.

„Ehm, ahoj," povedala hlasnejšie.

Otočil sa. Po tvári mu preletelo niekoľko výrazov – prekvapenie, podráždenie – a potom privrel oči a niečo dôkladne zvažoval, akoby mal urobiť nejaké dôležité rozhodnutie.

„McBrideová," šepol. „S čím ti môžem pomôcť?"

Formálnosť, ktorú cítila v jeho hlase, ju zasiahla tak, že chvíľu hľadala slová.

„Priniesla som koláč a kávu. Myslela som si, že by si si rád dal." Náhle sklamanie v jeho očiach ju trochu utešilo, ale vedela, že sa niečo zmenilo. Akoby zhaslo svetlo alebo vyrástla stena.

„To je od teba láskavé, vďaka. Prepáč, s niečím tu zápasím. Redaktorka mi poslala nejaké zmeny. Veľké zmeny. Zásadné. Veci, v ktorých sa musím vŕtať. Necháš to tu?" Urobil miesto na stole a obrátil sa späť k počítaču, istými pohybmi ťukal do klávesnice s hlavou nasmerovanou k monitoru.

Poskytol jej až príliš veľa informácií. Klasické výhovorky. Bolo očividné, že s ňou nechce hovoriť.

Vyhadzoval ju. Bolelo to.

Podráždene položila podnos.

„Nie je zač," odvetila s vrelosťou robota, otočila sa a vypochodovala z izby. Tresla za sebou dverami. Detinské, ale fajn.

Nepodarený chlap!

* * *

Poobede vzala Jeanette so sebou do Fort Williamu.

„Sú Vianoce!" jačala Jeanette, celkom slušne napodobňujúc Noddyho Holdera. Potom pridala hlasitosť v rádiu, keď sa ozvalo *Merry Christmas Everyone* od Slade, a ďalej spievala slovo po slove. Izzy sa pridala, odhodlaná dodať si trochu povzbudenia. Nechcela premýšľať nad Rossovým správaním, na to mala príliš veľa práce. V supermarkete urobili posledný veľký nákup potravín, prebojovali sa uličkami v oddelení zeleniny, pretekajúcimi vrecúškami s ružičkovou kapustou, hromadami zemiakov, mrkvy a paštrnáku a nekonečnými regálmi s plechovkami čokolád, čokoládovými sobmi a so Santami, než narazili na oddelenie vína.

Izzy sa neprítomne pozrela na regály, vystrašená radmi fliaš, a potom na Jeanette. „Carter-Jonesovci budú chcieť niečo kvalitné."

„Mňa sa nepýtaj, ja zakaždým schmatnem to najlacnejšie prosecco."

Izzy si vzdychla. „Neviem, kde začať."

„Zdá sa mi, že Ross hovoril, že pomôže."

„Musí písať, nechcem ho žiadať o pomoc." Neurobí to, má svoju hrdosť.

„Prečo sa nespýtaš kamaráta Jasona? Vravela si, že pracuje v nóbl reštaurácii. Nevie o niekom, kto sa vyzná vo víne?"

„Geniálny nápad." O jednu otázku viac… už tak jej poriadne pomáhal, bola si istá, že mu to nebude prekážať. Aj keď kvôli tomu bude musieť ísť nakupovať ešte raz. Lenže obe už mali plný vozík a na jeden deň to stačilo. Navyše, cestou späť sa ešte musia zastaviť vo farmárskom obchode.

„Tak," pozrela sa spokojne na svoj zoznam, kde boli odškrtnuté všetky položky, „pôjdeme. To víno zatiaľ necháme."

Kým stáli v rade na platenie, rýchlo vyťukala správu.

Zasa ja. Toto je pre Jasona a kohokoľvek, kto sa vyzná vo víne. Poradíte mi, aké vína sa hodia k tomuto menu?

Pripojila ambiciózne menu, ktoré naplánovala na Štedrý večer a Prvý a Druhý sviatok vianočný.

O tridsaťpäť minút neskôr zaparkovali vo skvelej nálade pred farmárskym obchodom – cestou si zaspievali poriadny kokteil vianočných pesničiek.

„Vieš ty čo?" spýtala sa Izzy, keď vystúpili z auta a prešli po štrku k starej stodole. „Začínam sa cítiť tak…"

„... vianočneee!" zakvílila Jeanette v ďalšej chrapľavej imitácii Noddyho Holdera.

Izzy sa zasmiala. „Presne tak." Chytila Jeanette za ruky. Zabudne na Rossovo chladné správanie sa z dnešného rána. Musí toho urobiť ešte veľmi veľa, nebude vyvádzať kvôli tomu nepodarenému chlapovi. „Užijeme si to. Aj keby boli Carter-Jonesovci hrozní, v zákulisí si užijeme zábavu."

„Bude to ako v *Panstve Downton*. Budeme tie slúžky pod schodiskom, ktoré sa bavia. Teším sa, že príde tak veľa ľudí." Trošku zosmutnela. „Počas Vianoc boli doma vždy všetci."

„Chýba ti mama?"

„Trochu. „Vieš, toľkokrát za deň si poviem, že toto by mala vedieť aj mama? Boli sme si..." zlomil sa jej hlas, „... dosť blízke."

„Prepáč, nechcela som ťa rozrušiť." Mladšia žena sa rozplakala a Izzy ju objala.

„Nerozrušila si ma. Chýba mi a cítim sa zle, pretože viem, že asi chýbam aj ja jej. Lenže ja tak veľmi milujem Jima a ona to nechce vidieť. Povedala mi, že nie je pre mňa dosť dobrý a náš vzťah nemá žiadne vyhliadky. Chcel robiť nábytok. Učil sa za stolára. Je šikovný, ale tá spoločnosť skrachovala a on prišiel o prácu."

Izzy chápala pohľad Jeanettinej mamy. Aj keď na hrade bol obrovským prínosom, na papieri nemal okrem maturity žiadnu kvalifikáciu. No nebál sa nijakej práce a obaja boli takí mladí.

„Určite si praje pre teba len to najlepšie," poznamenala Izzy diplomaticky a znova Jeanette objala. „Čo keby si jej zavolala? Mala čas premýšľať a možno už emócie trochu opadli. Určite by ste sa dokázali porozprávať. Iste si o teba robí starosti."

„To by som asi mohla," potiahla nosom Jeanette. „Vďaka, Izzy. Musí byť pekné žiť s mamou, keď ťa nechá robiť si veci po svojom.

Ona nie je ako normálna mama, však? To musí byť super. Mám Xanthe rada, je s ňou zábava, ale viem, že ťa nesúdi. Berie ťa takú, aká si. Aj ku mne sa správa ako k seberovnej. A odviedla krásnu prácu v našej obývačke, aj keď má toho tak veľa. V podkroví to teraz vyzerá ako skutočný domov. Je to tam útulné."

„Hm," usmiala sa Izzy neurčito. Jeanette nepoznala ani polovicu. Xanthe mala kopu dobrých vlastností, ale rodičovské schopnosti k nim práve nepatrili. Veľa premýšľala, ako Jeanettine a Jimove izby v podkroví zútulniť a prehriať, dokonca nechala vymiesť komín, aby mohli používať kozub, ale Jim urobil ťažkú prácu a Jeanette poupratovala. A Xanthe všetkých len komandovala.

„Dobré ráno, dámy," pozdravil ich John, keď prešli preskleními dverami do bývalej stodoly. „Môžem vám ponúknuť nejaké imelo?"

Zdvihol veľkú vetvičku a trúfalo sa usmial. Izzy zatiaľ schmatla jeden pekný prútený košík z prednej časti obchodu.

„Ja imelo nepotrebujem," uškrnula sa Jeanette, „ale ty, Izzy, by si si ho rozhodne mala vziať. Je najvyšší čas na vianočný bozk od Rossa. Úprimne, obaja ste single, neviem, prečo sa ešte o nič nepokúsil. Som si istá, že sa mu páčiš. Videla som, ako sa na teba pozerá. A pozerá sa často."

Izzy na ňu vrhla zachmúrený pohľad. Uvedomovala si Johnov previnilý, opatrný výraz. No zaslúžil si to. Ďalší muž, ktorý sa s ňou zahrával. A keď sa to tak vezme, čo Philip? Keď ho stretla v Edinburghu, vyzeral tak úprimne a zdalo sa, že ju túži znovu vidieť, ale odvtedy o ňom nepočula.

„Určite nie. Sme len priatelia."

„Je veľmi príťažlivý, mohla by si s ním mať románik."

Izzy vyprskla do smiechu. „Kto tu hovorí, že stojím o nejaký románik?"

„Nie si ešte taká stará."

Teraz sa rozosmial John. „Tak vidíš."

Izzy si odfrkla a otočila sa k nemu. „Prišli sme po moriaka, zverinu a klobásy."

„Tak to ste tu správne, donesiem ich. Ešte niečo?"

Izzy sa rozhliadla po sviatočnej atmosfére obchodu. „Som si istá, že tu máš kopu pokladov, ktoré si odnesiem."

„Mám tu veľa lákavých pokladov," odvetil a nehanebne na ňu žmurkol.

Zagúľala očami a zaškerila sa. Uvedomila si, že vie flirtovať. Bol jeden z tých, ktorí to skúšajú na každú novú. Nebolo potrebné brať to vážne. „To iste máš, ale mám svoj zoznam."

„Na zoznamy je zaťažená," prikývla Jeanette. „Má zoznamy na všetko."

„Rada mám všetko zorganizované."

„Nechám vás a zájdem po toho vtáka. Bude čakať pri pokladnici."

„Je milý," vyhlásila Jeanette, keď sa vzdialil. „Mala by si ho niekam pozvať, keď sa ti nepáči Ross."

V takých chvíľach si Izzy pripomínala, že Jeanette má ešte len osemnásť. Asi takéto je mať otravnú mladšiu sestru.

„Vďaka za radu." Dostal príležitosť a premárnil ju. Bolo to v nej? V tej starej, závislej Izzy, s ktorou sa každý priatelil, kým sa neobjavilo niečo trblietavejšie a lákavejšie?

„No, nemladneš. Jej, pozri sa na tie pekné čokoládové tučniaky. Mohla by si ich dať na vianočnú roládu, vyzerajú roztomilo."

Izzy bola veľmi rada, že zmenila tému.

„Mala by si kúpiť nejaký osviežovač," ukázala Jeanette na vonné sviečky a difúzory s tyčinkami. „Škótska borovica s brusnicami, Vianočný sen… Stavím sa, že pani Carter-Jonesová bude tieto veci očakávať."

„Pani Carter-Jonesová je veľmi náročná."

„Viem, ale platí si za to. Zdá sa, že jej na peniazoch nezáleží." Izzy ich niekoľko vložila do košíka, aj keď sa jej nepáčila ich cena. Lenže Jeanette mala pravdu – boli to tieto drobnosti, ktoré si hostia zapamätajú. Sama mala rada, keď v reštaurácii alebo v bare mali pekné voňavé tekuté mydlo.

Bolo veľmi ťažké dodržiavať rozpočet, keď sa ponúkalo toľko fantastických vecí. Neodolala cukrovým ozdôbkam, zasneženým jedličkám, ktoré dá na vianočnú tortu, potom likéru z ginu s ostružinami a malinami v nádherne tvarovanej fľaši, smotane, hľuzovkám s whisky a slanine, ktoré mala na zozname. Vďakabohu, na hrade bolo veľa miesta na skladovanie, pretože chladnička bude napchatá na prasknutie, keď kúpi ešte aj mäso.

„Slečna McBrideová."

Hryzavý tón primäl Izzy zdvihnúť hlavu od celofánových vrecúšok s tyčinkami škorice a so sušenými plátkami pomaranča, ktoré práve brala do ruky, aj keď ich nepotrebovala. „Pani McPhersonová, ako sa máte?"

„Dobre." Prepichli ju čierne korálkové oči. S podliezavým úsmevom sa rozhliadla, akoby v tovare mohli byť ukryté ploštice, naklonila sa k Izzy a zašepkala: „Šušká sa, že na Silvestra priletí Rod Stewart."

„O tom nič neviem." Izzy potláčala smiech.

„Potom teda Beckhamovci," pokračovala pani McPhersonová s horúčkovitým leskom v očiach. „Buď to mali byť oni, alebo Rod. Škoda, milujem spievanie."

„Čože?" Predstava pani McPhersonovej spievajúcej duet s Rodom Stewartom Izzy skratovala mozog. Desilo ju aj to, že vôbec kolujú také extravagantné klebety.

Pani McPhersonová si poklopala po nose. „Viem, že mi to nemôžete prezradiť. Netrápte sa. Nikomu ani muk. Som ako hrob, dievča." Usmiala sa, zobrala svoj prútený nákupný košík a odplávala uličkou.

Izzy sledovala, ako odchádza, a Jeanette za ňou sa chichotala.

* * *

„Tu to máte." John postrčil moriaka po pulte. „Nezabudnite vybrať drobky."

„Nezabudnem," uistila ho Izzy a myslela na všetky ďalšie veci, ktoré jej nesmú vyfučať z hlavy. Pridá si to na zoznam úloh na Štedrý deň.

„Urobíte z neho veľa porcií. Budete mať množstvo morčacieho karí, keby hostia zapadli snehom. Hoci," zažmúril na oblohu cez jedno zo strešných okien, „snežiť bude nasledujúcich niekoľko dní. Vraj môže napadnúť až pol metra snehu za menej ako dvadsaťštyri hodín. Hrad bude odrezaný od sveta, ale hádam ti nemusím vravieť, že v tomto ročnom období musíš mať dosť zásob."

„Pokiaľ hrad zapadne snehom pred Štedrým dňom, tak..." Skôr ako stihla dokončiť vetu, prerušil ju krik na druhej strane obchodu.

„John, nevieš, kde je objednávka pani McPhersonovej? Nemôžem ju nájsť."

„Musím tu, dočerta, robiť všetko?" odfrkol si podráždene a odkráčal. Cestou ponad plece zvolal: „Veselé Vianoce! Dúfam, že si ich užijete a Rod bude v speváckej forme!"

Izzy zagúľala očami. Pani McPhersonová mala čo vysvetľovať. Práve keď s Jeanette naložili nákup do kufra auta, zazvonil jej mobil. Žonglovala s kľúčmi, a tak prijala hovor bez toho, aby sa pozrela, kto volá.

„Izzy, tu je Duncan. Prišiel za tebou nejaký chlapík. Xanthe ho oslovuje Philip."

19. kapitola

Izzy vošla do hradu s búšiacim srdcom a vysoko zdvihnutou hlavou. Krátku spiatočnú cestu absolvovala čo najvzornejšie, aj keď sa jej ruky na volante triasli. Philip počká, nebude sa ponáhľať. Aj keď nemohla poprieť, že na ich stretnutie v Edinburghu myslela. Samozrejme, len do toho bozku s Rossom.

Z ranného salónika sa rozliehal matkin zvonivý smiech a Izzy na nepatrný okamih zaváhala. Jedna jej malá časť túžila vybehnúť hore a rýchlo si naniesť aspoň maskaru.

„Zoberiem nákup dovnútra," ponúkla sa Jeanette a oči je žiarili zvedavosťou. Izzy cestou domov takmer neprehovorila. V jej hlave to vyzeralo, ako keď zúri víchrica pred vyvezením smetí, náhodné myšlienky poletovali jej mozgom ako prázdne vrecká od chrumiek.

„Vďaka," odvetila Izzy neprítomne a išla za matkiným hlasom do knižnice, na ktorej teraz pracovala. Vo dverách sa na chvíľu zastavila. Stále jej vŕtalo v hlave, čo sem Philipa privádza.

„Nemôžem uveriť, že si išiel taxíkom z Fort Williamu, drahý. Muselo to stáť balík. Musíš tu zostať cez noc."

Počula Philipov hlas, keď ticho zamumlal odpoveď, ale nezachytila všetky slová: „Izzy... cíti... odpustiť mi.“

Odpustiť mu. Mohla by? Dych sa jej zatajil a nádej jej poletovala v hrudi ako pinballová guľôčka. Náhodne, bláznivo, divoko. Prišiel jej Philip povedať, že ju miluje? A čo Ross? Nemohla na ten bozk prestať myslieť, ale čo znamenal pre neho? Skutočne mal tak veľa práce alebo sa jej vyhýbal?

Strčila do dverí s rozochveným úsmevom na tvári.

„Izzy, miláčik. Pozri sa, kto je tu.“

Philip stál vedľa Xanthe s plachým úsmevom na tvári a jasné zimné slnko prenikajúce oknom sa mu odrážalo od svetlých vlasov.

„Ahoj, Iz.“ Natiahol k nej obe ruky.

„Philip.“ Zostávala stáť vo dverách. Zrazu sa vynorila zatúlaná myšlienka. Ako to, že si nikdy predtým nevšimla, že má zvesené plecia?

„Iz, ospravedlňujem sa, že som sem tak vtrhol, ale...“ Snažil sa jej pozrieť do očí.

Prehltla.

„Vážne som ťa potreboval vidieť. Od chvíle, keď som ťa minule stretol, som na teba nemohol prestať myslieť.“

Xanthe zatlieskala. „Nie je to rozkošné? Teraz sa posaď, Izzy. Rozprávala som Philipovi, koľko sme toho na hrade urobili. Budeš ho musieť po ňom poriadne previesť. A tiež ho nadchol tvoj orechovo-kávový koláč,“ ukázala rukou na stolík, prázdne šálky a podnos s koláčom. Izzy sa zamračila, pretože v hlave sa jej objavila ďalšia nepodstatná myšlienka. Ten koláč bol pre Rossa.

Ako poslušná sliepka prikývla a posadila sa.

„Je vynikajúci. Nepamätám si, že by si predtým piekla.“ Potľapkal si po plochom bruchu tesne nad pásom bledohnedých nohavíc. „Vždy si ma vykrmovala.“

Izzy na neho civela. *Naozaj?* Väčšinou sa do jej bytu pozval Philip na večeru sám. Keď ho pozvala ona, mal vždy nejakú prácu. Zasmial sa. „Počul som, že si bola vo Fort Williame. Keby som to vedel, nechal by som sa odviezť a nevzal by som si taxík zo stanice."

„Philip," ozvala sa Izzy a pri zmienke o Fort Williame sa jej v mysli konečne rozsvietilo. V aute bolo veľa tašiek, ktoré musela vyložiť. Mala by to urobiť, namiesto toho, aby to nechala na Jeanette. „Čo tu robíš?"

Xanthe nesúhlasne zamľaskala.

„Prišiel som za tebou."

„Myslím, že by som vás asi mala nechať na pokoji," spojenecky žmurkla na Philipa.

„To by si asi mala," utrúsila Izzy.

Xanthe pobozkala Philipa na tvár. „Rada ťa vidím. Je romantické prekvapiť nás takto. Uvidíme sa neskôr." S tými slovami vypochodovala z izby a zanechala za sebou typický závan silného parfumu od Guerlain.

Philip okamžite vstal a sadol si vedľa Izzy.

„Miláčik..."

Izzy sa mimovoľne rozosmiala. To oslovenie znelo od neho tak... smiešne.

Philip sa zamračil. „Čo?"

„Prepáč," vyprskla. „Len to znelo..." pokrčila neisto plecami, „Veď vieš. Zvláštne."

Prižmúril oči. „Na tom, že za tebou cestujem štyri hodiny, aby som ťa videl, nie je nič zvláštne."

Povzdychla si. „Prečo si mi nedal vedieť, že prídeš?" Premýšľala o svojich zoznamoch. „Teraz naozaj nie je vhodný čas."

Philip sa zarazil. „Izzy! Prišiel som až sem, aby som ťa videl. Musel som ti to povedať. Chýbala si mi. Skutočne si mi chýbala."

Prikývla. Netušila, ako má na jeho slová zareagovať. Mala v hlave toľko iných vecí – či Jeanette ukladá nákup na správne miesta a či vie, že zeleninu má dať do druhej chladničky v komore a to hovädzie je na Štedrý deň. A či ju Ross ešte niekedy pobozká. Rukami si potiahla látku džínsov. Jeden téglik smotany bol do polievky, ale ten druhý bolo potrebné uložiť do druhej chladničky. Vyhýbal sa jej Ross po bozku, ktorý ju pripravoval o rozum?

„Izzy. S Antóniou som urobil veľkú chybu. Nemal som sa s ňou tak rýchlo zasnúbiť."

„Bolo to pred rokom," zamračila sa Izzy.

„Viem, ale chvíľu mi trvalo, než som si uvedomil, čo mi v živote chýba. Si to ty, Iz. Poznáš ma oveľa lepšie než ktokoľvek iný. Antónia ma jednoducho nechápala. Ty..." usmial sa na ňu a snažil sa jej pozrieť do očí, „... si vždy znášala moje chyby a slabosti. Dokonale mi rozumieš." Izzy sa znovu zamračila. *Lenže čo ona? Toto všetko bolo len o ňom. Čo bolo dobré pre ňu?*

Otvorili sa dvere. Philip uprel na ne pohľad a na tvári sa mu okamžite objavilo znechutenie. „Čo tu ten robí?"

Izzy sa otočila a vo dverách uvidela stáť Rossa

„Pardon," povedal stroho, „netušil som, že tu niekto je." Chvíľu sa na Izzy díval až príliš vnímavými modrými očami. Zahľadela sa mu na pery, pretože sa nezmohla na nič iné. Nebola schopná uvažovať. Čakal, čo bola jasná výzva, aby Izzy prehovorila, pokiaľ by chcela, ale nedokázala nájsť slová. Keďže mlčala, pokýval hlavou a odišiel.

„Býva tu," povedala Izzy potichu. Bolo zrejmé, že Ross sa prišiel pozrieť, či nepotrebuje zachrániť. Spravil to už veľakrát. To predsa priatelia robia. Vstanú uprostred noci, aby vyliali vedrá. Odvezú človeka do Edinburghu, aj keď to ohrozí ich tajomstvo. Odnesú vás, keď máte zmrznuté nohy.

Ako už Philip toľkokrát zdôraznil, poznala ho lepšie než ktokoľvek iný a úplne iste vedela, že by pre ňu žiadnu z týchto vecí neurobil. Potreboval ju iba vtedy, keď nebol k dispozícii nikto iný.

„Miluješ ma, Philip?"

Klasický výraz prekvapenia s otvorenými ústami, keď sa snažil niečo povedať, jej prezradil všetko.

„Samozrejme. Poznáme sa odjakživa. Vieš, že áno."

Vstala.

„Kam ideš?"

„Zavolať ti taxík, aby ťa odviezol späť do Fort Williamu."

„Čože?! Neblázni. Čo to má znamenať?"

„Jednoducho mám veľa práce. Nemám na teba čas ani dnes a nebudem ho mať ani zajtra, ani pozajtra. Ozvi sa mi na Nový rok. Môžeme zájsť v Edinburghu na večeru."

„Izzy! Toto mi nemôžeš urobiť!"

„Čo?"

„Nechať ma v štichu, keď som sem meral takú dlhú cestu, aby som ťa videl."

Zasmiala sa a zavrtela hlavou. „Philip, vždy sme boli kamaráti, ale to je všetko, čo budeme. Mrzí ma, že nám trvalo tak dlho pochopiť to." Mala pocit, že je od nej veľkorysé odmietnuť ho tak jemne.

Zradil ju už veľakrát. Naposledy vtedy, keď jej tak bezohľadne oznámil, že sa zasnúbil s inou ženou. Bolo to bezcitné a zbabelé, pretože vedel, čo k nemu cíti, ale nehodlala nasledovať jeho príklad a správať sa k nemu nevľúdne. Nebol to jej štýl. „Zaslúžiš si nájsť tú pravú, ktorá ťa bude milovať rovnako, ako ty budeš milovať ju."

Philip sťažka prehltol. Sledovala, ako mu poklesol ohryzok, a potom so smutným úsmevom vzhliadol. „Kedy si tak zmúdrela?"

Pokrčila plecami.

„Určite nemôžem zostať? Nerozmyslíš si to?"

„Zavolám ten taxík."

„Aspoň ma objím. Ako spomienku na staré časy." Pristúpil k nej skôr, než ho stačila odstrčiť.

Zrazu sa otvorili dvere. Stál v nich Duncan, ktorý vrhol na Philipa zúrivý pohľad. „Zháňam Xanthe, nevidela si ju?"

Izzy mala čo robiť, aby potlačila úsmev. Duncan by dobrovoľne hľadal Xanthe iba tak na svätého dindi.

Philip ju pobozkal na čelo práve vo chvíli, keď Duncan odišiel. „Vďaka, Izzy. A keby si si to rozmyslela, vieš, kde ma hľadať."

„Nerozmyslím si to. Môžeš mi však pomôcť vrátiť všetky tie knihy späť na police, zatiaľ čo budeš čakať na taxík."

„Mám…"

„Áno, máš," odvetila Izzy prísne a potom sa na neho usmiala. Prešlo mu toho priveľa a bola to rovnako jej chyba ako jeho. Odteraz si povie, keď bude od neho niečo chcieť.

20. kapitola

„Vďaka, Izzy." Jim sa posadil na svoje obvyklé miesto pri kuchynskom stole. „Som hladný ako vlk."

„To si stále," podpichovala ho Jeanette, zatiaľ čo prestierala stôl. „Ešteže ma Izzy učí variť."

Izzy sa uškrnula, hovoriť tomu varenie bolo veľkorysé. V kuchyni jej ešte stále skôr prekážala.

„Vonia to skvele, dievča. Tvoj kamarát už vypadol?" Duncan sa jej zadíval do očí s neskrývanou zvedavosťou a so štipkou neistoty.

„Je preč a je to len kamarát," uistila ho.

„Tak to je dobre," usmial sa na ňu. „Zaslúžiš si to najlepšie a je jasné, že ten tvarohový chrt nie je nič pre teba."

Izzy zovrelo srdce, dojala ju jeho očividná úľava.

„Neboj sa," pohladila ho po ruke, pretože na objímanie si nepotrpel. „Nikam sa nechystám."

„To je dobrá správa," zabručal. „Chceš pomôcť s prestieraním?"

Pousmiala sa a prikývla. „To by bolo od teba milé, Duncan. Môžeš dať na stôl parmezán?" Izzy scedila cestoviny a naplnila nahriate taniere špagetami. Jeden bol aj pre Rossa, keby sa náhodou objavil, keď tam už boli všetci.

Spokojne si privoňala k výbornej bolonskej omáčke a preliala ňou cestoviny. Duncan rozdal prvé štyri. „Toto strč do rúry, pro... Ross! Idete práve včas. Posaďte sa, chlapče."

„Ahoj, cudzinec." Jim štuchol nohou do stoličky, aby ju odsunul pre Rossa. „Napráskate sa."

Hm, pomyslela si Izzy. Na rozdiel od Jima, ktorý v poriadnom zhone celý deň maľoval, aby pripravil posledné dve izby, Ross celý deň sedel na zadku. Prižmúrila oči a premerala si ho pohľadom. Popravde povedané, vyzeral unavene a vlasy mal ešte strapatejšie než obvykle. Takmer to vyzeralo, akoby celý deň usilovne pracoval.

„Tvrdo driete?" spýtal sa Duncan, keď už všetci sedeli za stolom.

„Áno," odvetil Ross, „ale som už takmer hotový. Chcel by som dokončiť prvú verziu do Vianoc, aby som mohol pomôcť s Carter-Jonesovcami. Ospravedlňujem sa, že som teraz veľmi nepomáhal."

„Si hosť. Nemusíš pomáhať," povedala Izzy ostrejšie, než zamýšľala. „Jeanette, môžeš mi podať korenie? Dá si niekto niečo na pitie?"

Ross sa na ňu zahľadel, ale nepovedal nič, pretože pri stole sa rozprúdil rozhovor. Zakaždým sa pozrela späť do taniera a ignorovala ho.

„Bolo to skvelé, vďaka, Iz." Jim odsunul tanier a pokrčil plecami. „Nemôžem sa rozhodnúť, či sa mám večer vrátiť a dokončiť ďalšiu stenu, alebo sa pokúsiť dorobiť všetko zajtra. Ešte musím maľovať."

„Zajtra by som mohol pomôcť," ponúkol sa Ross, než Izzy stačila odpovedať.

„Nemusíš to robiť," ozvala sa presne vo chvíli, keď Jim zajasal: „To by bolo skvelé. Vo dvojici sa tapetuje oveľa lepšie. Budeme to mať hotové raz-dva."

Založila si ruky na hrudi a so vzdorovitým výrazom sa oprela o stoličku, zatiaľ čo tí dvaja preberali pracovné plány na nasledujúce dni. Duncan na ňu žmurkol, zle si vyložil dôvod jej nespokojnosti. „Nechaj ich, nech sa do toho pustia. Ak chce ten chlapec pomôcť, nech pomôže."

Ross mohol pomáhať, ak chcel, ale nemal by očakávať, že mu vďačne padne k nohám. Mužov chvíľu vrúcnych a chvíľu ako ľad si už užila dosť na celý život. V jednom momente ju bozkával a potom s ňou tri dni neprehovoril. S tým už skončila. Dnešné stretnutie s Philipom jej ukázalo, že si zaslúži oveľa viac, než len byť niekoho záložná možnosť alebo užitočná kamarátka.

Vstala a začala upratovať v kuchyni.

„Pomôžem ti," ponúkla sa Jeanette.

„Nie, choď si odpočinúť. Celý deň si Jima nevidela, budeš mať absťák," podpichla ju.

Jeanette sa uškrnula a odtiahla Jima do ich izieb v podkroví. Izzy bola taká sústredená na vkladanie riadu do umývačky, že si nevšimla, že sa Duncan vytratil. Zostala tam len s Rossom.

„Takže si ho poslala baliť?"

„Áno, je preč."

„Nezdržal sa dlho. Myslel som si, že ťa prišiel požiadať o ruku alebo také niečo. Veľké gesto, objaviť sa bez ohlásenia."

Izzy sa usmiala. „Niečo také, ale zhodli sme sa na tom, že bude lepšie, keď zostaneme priateľmi. Mám z toho skutočne dobrý pocit." Potom sa na neho šibalsky usmiala. „Okrem toho bolo neuveriteľne drzé takto sa tu zjaviť a čakať, že kvôli nemu všetko nechám, a to len niekoľko dní pred Vianocami. Donútila som ho, aby mi pomohol vrátiť knihy na police v rannom salóniku, zatiaľ čo čakal na taxík."

Ross sa zasmial. „To si neurobila! Chudák, docestoval z takej diaľky a ty si mu dala prácu."

„To je pravda, dala. Stále je tu kopa roboty."

„Čo mi pripomína, že som ti pripravil vínny lístok," povedal a vytiahol z vrecka zložený list papiera.

„Ach."

„Mal som ti ho dať skôr. Jeanette hovorila, že ste už boli nakupovať."

„Štedrý deň bude pozajtra," podotkla.

„Prepáč, stratil som pojem o čase."

„Skutočne?" odsekla rázne a ostro sa na neho zadívala, aby mu dala najavo, že vie, že sa jej vyhýba.

Zaškeril sa. „Izzy."

Teraz bol rad na nej, aby zdvihla obočie. Dlžil jej ospravedlnenie a prinajmenšom vysvetlenie.

Pristúpil k nej a položil jej ruku pod bradu, aby sa na neho pozrela. „Mrzí ma to."

Zdvihla hlavu a jeho oči sa vpili do tých jej, modrá farba ju nečakane elektrizovala.

„To by malo," skonštatovala, založila si ruky na hrudi a čakala, čo odpovie. Váhavých mužov už mala dosť.

„Je mi to ľúto."

Z jeho zastreného hlasu spoznala, že sa ospravedlňuje za oveľa viac. Zamrkala, ostražito a s hlúpou nádejou. *Bolo* to hlúpe. Azda sa nič nenaučila?

Zatiaľ čo zvádzala boj s logikou a emóciami, objal ju okolo pása a jemne si ju pritiahol k sebe bez toho, aby z nej spustil oči. Ten pohyb bol taký pomalý, zámer taký jasný, že by sa mohla pohnúť, keby skutočne, ale skutočne chcela, ale bola úplne očarená jemným ospravedlnením a starostlivým záujmom, ktorý sa zračil v jeho pohľade.

Uchopil jej tvár do dlaní a jemne ju pobozkal. Palcom jej prešiel po lícnej kosti. Ten dotyk zbúral posledné chabé opevnenie okolo jej srdca a pootvorila pery.

„Skutočne ma to veľmi mrzí," zašepkal. „Potreboval som čas na premýšľanie. Úplne ma rozhodilo zistenie, že Xanthe je tvoja matka."

Odtiahla sa. „Nemôžem za to, kto je moja matka."

„Viem. Ja len, že je veľmi…"

„… hlučná?" spýtala sa Izzy s ľadovým nádychom v slovách.

„No je tiež láskavá, nadšená… jednoducho je to *moja mama* a ja ju mám rada."

„Viem. Prepáč, niekoho mi pripomína." Zavrtel hlavou, akoby sa snažil zaplašiť spomienku.

„Čo presne ťa mrzí?" zaujímalo ju, pretože tu nešlo iba o jej matku.

„Že som ťa pobozkal a potom opustil."

„Prečo si to urobil?"

Znovu zdvihol ruku k jej tvári. „Ten bozk ma ohromil."

Nevedela, čo má na to povedať. Vôbec to nečakala.

„Nechceš ísť na chvíľu na čerstvý vzduch?" opýtala sa náhle.

„Áno."

O päť minút neskôr sa chúlili v nočnom vzduchu a zostupovali k jazeru. Nebo nad nimi bolo jasné, posiate tisíckami bodiek vzdialeného svetla, ale nad obzorom ožiareným mesiacom sa vznášali mraky, hroziví votrelci číhajúci na hranici.

„Ráno bude poriadne mrznúť," podotkla Izzy.

„Ďalší sneh je na ceste. Je ho cítiť vo vzduchu. Zvláštny druh chladu."

„Mal by som radšej počkať, kým neprídu naši hostia." Snehová búrka bola to posledné, čo potrebovali. „Na Štedrý deň môže pokojne snežiť a budeme mať biele Vianoce. To poteší."

„McBrideová, neplánoval som hovoriť o počasí."

„Predtým si mi vravel Izzy."

„Vravel." Zastal a pevne ju objal okolo pása. „Svoje slová tam vnútri som myslel vážne. Ospravedlňujem sa, že som sa ti vyhýbal. Snažil som sa predstierať, že ťa dokážem ignorovať, ale keď som ťa pobozkal, bolo to niečo iné. Nie som... dobrý vo vzťahoch. Za každú cenu sa usilujem vyhýbať drámam a intenzívnym emóciám. Samozrejme, že som mal vzťahy, ale rád ich udržiavam stabilné." Sarkasticky sa zaškeril. „Ten bozk ma zhodil z útesu."

„Aha." Tie slová do nej narazili tak, že sa nezmohla na nič, len na neho pozerala s pootvorenými perami a očami plnými údivu.

Muži predsa také veci nehovoria. Alebo áno? Nie ženám, ako bola Izzy. Vždy bola iba taká tá dobrá kamarátka odvedľa. Preto bolo dobre, že ju znova pobozkal.

V žalúdku jej poletovali motýle, zatiaľ čo v žilách jej šumela krv ako aspirín na speede. Dotyk jeho pier bol rovnako opojný ako slová *zhodil ma z útesu*, ktoré jej dookola zneli v hlave.

Radosť a vzrušenie v nej vzkypeli a uvoľnili pokrievku držiacu pocity, ktoré sa posledných niekoľko dní snažila mať pod kontrolou. Až sa jej z tej úľavy a šťastia zatočila hlava. Tento muž k nej cítil to isté, čo cítila ona k nemu. Po rokoch honby za nádejou a neopätovanými citmi to bolo ako zjavenie.

V jednej chvíli začal padať sneh, ale boli takí zabraní jeden do druhého, že si ho nevšímali, kým medzi nich neprenikla veľká vločka, ktorá pristála na Izzinom nose. Izzy vzdychla a odtiahla sa. Rossove čierne vlasy už pokrývala jemná biela vrstva.

„Ak tu zostaneme ešte chvíľku, budú z nás snehuliaci," usmial sa Ross smutne.

„To by bola pekná smrť," odvetila Izzy trochu zasnívane. Brneli jej pery.

Zavesil sa do nej. „Poďme sa ohriať. Vidím to na *hot toddy*."

„Hm, znie to pekne."

* * *

S pohárom whisky v ruke a sediac vedľa Rossa pred kozubom pozorovala Izzy plamene tancujúce v ohnisku a olizujúce polená, ktoré praskali a vyletovali z nich iskry. Povzdychla si, nezvyčajne spokojná. Posledný mesiac mala pocit, že sa rútila vysokou rýchlosťou, a uľavilo sa jej, keď mu teraz položila hlavu na plece. Od chvíle, keď vošli dovnútra, toho veľa nenahovorili, ale Rossovo mlčanie bolo ako obvykle družné a upokojujúce. Necítila potrebu rozprávať.

„Toto je pekné,“ zašepkal s rukou okolo jej pliec a hladil jej predlaktie.

„To si vravel o našom prvom bozku.“ Vážne sa na neho pozrela. „A potom si sa vyjadril, že ťa zhodil z útesu. Povedala by som, že si majster eufemizmov.“

Vzdychol a obrátil sa k nej.

„Na tridsaťpäťročného chlapa asi nebude znieť veľmi dospelo, keď poviem, že som spanikáril, však?“

Chvíľku o tom uvažovala. „Nie som si istá. Asi to závisí od toho, ako reaguješ na paniku.“

„Pochopiteľne, že zle. Stiahol som sa, snažil sa zaliezť do jaskyne. Po rozchode s Nicol som si predsavzal, že vo svojom živote budem dodržiavať pokoj a rovnováhu. Asi preto som tajil svoju identitu spisovateľa. Spanikáril som, pretože som sám seba ukolísal do falošného pocitu bezpečia. Cítil som sa s tebou veľmi príjemne, žiadne drámy ani hysterické scény,“ zasmial sa. „Preto to bol taký šok. Neznie to veľmi lichotivo, však? Ale bol to okamžitý výbuch. Chcem povedať, že som ťa chcel pobozkať, túžil som po tom už nejaký čas, ale nečakal som…“ Zavrtel hlavou a zmätene sa zamračil. „Nie som veľký romantik. Nerobím veľké gestá, neprejavujem city na verejnosti.“ Pretiahol tvár. „Videl som príliš veľa prípadov, keď to nič neznamenalo. Takže keď som ťa pobozkal, úplne ma to vykoľajilo. Je mi to ľúto.“

To tiché, úprimné priznanie, že ona, obyčajná Izzy McBrideová, mala taký vplyv na nádherného, úspešného a sebavedomého Rossa Strathallana, ňou otriaslo. V srdci sa jej divoko a jasne rozhorel plamienok ženského uspokojenia. Na prvé počutie neboli jeho slová príliš romantické, ale boli úprimné a srdečné.

Philip bol veľmi dobrý v romantických detailoch, vo večeriach pri sviečkach, víkendoch s prekvapením a v extravagantných kyticiach, ale už vedela, že to bola premyslená stratégia, ktorá ju mala prilákať späť po tom, čo bol odmeraný alebo chvíľu neprítomný.

„Nech je ti odpustené, ale pod podmienkou, že to už neurobíš. Preto som dnes poslala Philipa preč. Celé roky striedavo bol a nebol môj priateľ. Stretli sme sa na univerzite, ale on sa nikdy úplne nerozhodol, či so mnou chce byť, alebo nie. Milovala som ho, a tak som to svinstvo znášala." Chytila ho za ruku a usmiala sa na neho. „Dalo by sa povedať, že som mu tie svinstvá uľahčila."

Ross sa zaškeril. „Sme len ľudia. A mám podozrenie, že to vedel."

Prikývla. „Dnes to vlastne priznal, ale ja som si uvedomila, kto je skutočný priateľ." Pobozkala ho na tvár. „Je to niekto, kto na teba myslí, záleží mu na tebe a nezištne ti pomáha, pretože vidí, že potrebuješ pomoc."

„Dúfam, že budeme oveľa viac než len priatelia."

Izzy trochu placho prikývla. „To by som rada."

21. kapitola

„*Uf!*" Na ďalší deň ráno Ross šoféroval po príjazdovej ceste späť k hradu s kufrom plným cinkajúcich fľašiek. „Zvládli sme to."

„Veľká vďaka. Viem, že by si dnes ráno radšej zostal v posteli." Izzy sa dívala z auta na zasneženú krajinu. Okolo nich poletovali snehové vločky ľahučké ako pierko.

„Haló?" Pozrel sa na ňu a tvár mu rozžiaril široký úsmev. „A ty azda nie?"

Srdce jej na sekundu zaplesalo, plné spomienok na predchádzajúcu noc.

Zavrtela sa na sedadle, jej nervové zakončenia sa stále chveli z jeho pozornosti. Na niekoho, kto tvrdil, že nie je na veľké emócie, rozhodne vedel, ako žene urobiť dobre. Od chvíle, keď ju pobozkal pri ohni, mala pocit, že je stredobodom jeho vesmíru, a keď sa Ross na niečo sústredil, bol veľmi cieľavedomý. Zatiaľ čo ju viedol za ruku do svojej spálne, neváhala, pretože nebol jediný, kto spadol z útesu.

Napriek nádherne tancujúcim motýlikom v hrudi jej z času na čas pri pomyslení na výdatnú snehovú nádielku, ktorá sa mala podľa predpovede dostaviť neskôr popoludní, stiahlo žalúdok. Vo vrecku zaťala päsť a chytila sa za palec pre šťastie. *Prosím, prosím, prosím, nech Carter-Jonesovci dorazia.* Neodvažovala sa ani pomyslieť na peniaze, ktoré utratili za jedlo a víno, nieto ešte za renováciu, hoci, aby sme boli spravodliví, hrad vyzeral ako pripravený pre kráľa. Keď vkĺzli do poslednej zákruty, povzdychla si. „Vďakabohu, že sme to zvládli."

„Áno. Nie som si istý, či by som ťa tentoraz zvládol odniesť aj s tým vínom."

Usmiala sa na neho, ale napriek tomu sa spýtala: „Myslíš si, že cesty budú v poriadku?"

„Ak nie, máme dosť vína, aby sme vydržali aj obliehanie, nie iba zapadnutie snehom." Mala podozrenie, že Ross jej otázku zámerne zle pochopil, aby ju upokojil, akoby bolo nemysliteľné, že sa sem ich hostia nedostanú. Vzala si z neho príklad.

„A ak bude jedlo príšerné, môžeme Carter-Jonesovcov opiť tak, že si to nebudú pamätať." Prinútila sa do úsmevu a potom si všimla cudzie auto zaparkované pred hradom.

„Myslíš, že to sú oni?" ukázala na elegantné kombi značky Jaguár. „Majú prísť až o niekoľko dní. Možno sa rozhodli prekabátiť počasie." Začala si zbierať veci z predného sedadla. „Chcela som ich privítať a urobiť to poriadne," zanariekala.

„Som si istý, že Xanthe..." Zastavil sa a zamračene žmúril na auto.

„Ani to nehovor. Božemôj. Xanthe." Izzy zavrela oči, keď si predstavila uvítanie v matkinom poňatí, a už aj vystupovala z auta. „Pravdepodobne ich donútila, aby si sami odniesli kufre hore, ukázala im izby a začala skákať po posteli, aby im predviedla, aké sú matrace pohodlné. A ani jej nenapadlo ponúknuť im po dlhej ceste občerstvenie. Prišli z Edinburghu. Museli vyraziť skoro."

Ross ju objal. „Dýchaj, McBrideová. Dýchaj."

„Áno. Dýchať. Bude to v poriadku."

„Prišli na pravý škótsky hrad, navyše sú biele Vianoce. Izby vyzerajú perfektne, jedlo bude vynikajúce, a ako si vravela, keď bude najhoršie, opijeme ich. Máš vedľa seba mňa, Jeanette, Jima a Duncana. Sme tím. Bude to v pohode."

Napriek jeho slovám rýchlo zamierila do hradu a nechala ho, aby odniesol víno dovnútra. Ponáhľala sa tak, že div nezakopla o opustený kufor, ktorý stál na verande. S divoko búšiacim srdcom sa ponáhľala do hlavnej haly. V kozube ju však neprivítali žiadne plápolajúce plamene, ako čakala. Našťastie miestnosť vyzerala sviatočne vďaka girlande z jedľových vetví omotanej okolo stĺpov schodiska, na ktorej sa striedali zamatové a saténové tartanové mašle, a vetvičkám cezmíny šikovne upevneným nad rámami obrazov. Izzy vedela, že toto by nedokázala ani za milión rokov. Keby to bolo na nej, vyzerali by ako náhodne pohádzané opité vetvičky ponechané osudu. Na kozubovej rímse stáli hrubé biele sviečky obklopené jedľovými šiškami nastriekanými zlatou farbou. Bolo to vkusné a okúzľujúce bez toho, aby to pôsobilo prezdobene. Izzy sa trošku uľavilo, napätie ju opúšťalo ako vzduch z vyfučaného balónika. Prvý dojem bude príjemný. Presne toto by človek čakal od škótskeho hradu.

Na chodbe vedúcej do kuchyne sa ozýval vzdialený hlasný smiech. Ross vošiel dnu so škatuľou vína.

„Sú v kuchyni?" neveriacky zavrtela Izzy hlavou. Vybrala sa tam a Ross ju nasledoval

Aspoňže Xanthe ponúkla hosťom občerstvenie, pomyslela si s úľavou Izzy, keď strčila do dverí a našla matku a párik v strednom veku sedieť pri stole s tanierom sušienok a hrnčekmi horúceho čaju. Tá žena ani trochu nevyzerala tak, ako Izzy očakávala, že bude pani Carter-Jonesová vyzerať. Predstavovala si niekoho oblečeného celkom elegantne, ale trochu ako matróna. Táto žena mala svetlé vlasy s fialovým nádychom ostrihané nakrátko, na sebe džínsové šaty doplnené žiarivou dúhovou hodvábnou šatkou, pruhované pančuchy v horčicovej, zelenej a oranžovej farbe a vyblednuté červené kožené topánky pripomínajúce mäsové pirohy.

„Izzy!" privítala ju matka, akoby bola preč niekoľko dní, a nie niekoľko hodín. „Zoznám sa s Aliciou a Grahamom."

„Dobrý deň," pozdravila Izzy čo najveselšie a premýšľala, prečo ich sem, preboha, Xanthe priviedla. S veľkým stolom z borovicového dreva, príborníkom plným kameninového riadu a liatinovými kachľami to tu síce bolo útulné, ale matka vložila všetko úsilie do toho, aby obývačka vyzerala nádherne. „Teší ma. Dúfam, že…"

„Mami! Oci!" Ross so žuchnutím položil škatuľu s vínom. „Čo tu robíte?"

Žena sa postavila a usmiala sa od jedného ucha s mnohými pírsingami k druhému. Izzy si nebola istá, či niekedy predtým videla toľko náušníc na jednom človeku. „Ross!" Jej fajčiarsky chrapľavý jakot o niekoľko decibelov prekonal obvyklú hlasitosť Xanthe. „Dieťa moje!"

Izzy stuhla pri pohľade na zdesenie na Rossovej tvári, keď Alicia vyskočila a záhyby jej objemných šiat a vejúce cípy šatky sa rozleteli, ako sa k nemu hrnula s roztiahnutými rukami.

Ross cúvol. „Preboha, matka. Mám tridsaťpäť."

„Vždy budeš moje dieťatko," namietla a vrhla sa na neho s extravagantným objatím. „Ty jeden veľký hromotĺk, poď sem a objím ma."

Ross ju pevne objal a potľapkal po chrbte.

Pobozkala ho na obe líca a potom odstúpila, aby ho zhodnotila. „Ty si cvičil, mladý muž. Cítim tie svaly."

„Nemôžeš cítiť žiadne svaly. Som rovnaký ako vždy."

„Pf. Tvoj otec nebol nikdy v živote svalnatý, však, Graham?!" zavolala na manžela, na ktorého sa Ross veľmi podobal.

„Nie, drahá," súhlasil. Keď zachytil Izzin pohľad, smutne sa usmial. Izzy zrazu presne vedela, o kom Ross hovoril, keď vravel, že mu Xanthe niekoho pripomína a že je na podobných ľudí zvyknutý.

„Čo tu robíte?" spýtal sa Ross znova.

„Prišli na Vianoce," ozvala sa Xanthe, očividne celkom spokojná sama so sebou.

„Ale…"

„Spomenula som Alicii, že tu bývaš, a ona mi povedala, že sa nevrátiš domov a že ťa už dlho nevidela. Je tu kopa miesta, tak som ju a Grahama pozvala, aby k nám prišli." Xanthe položila ruky na stôl, akoby čakala potľapkanie po chrbte.

„*Spomenula si* Alicii?" Izzy si prekrížila ruky na hrudi v postoji: *Čo máš zase za lubom?*

„Nepovedala som ti to, miláčik?" prehodila Xanthe s bezstarostnou nenútenosťou. Izzy prižmúrila na ňu oči v tichej výzve. Obe dobre vedeli, že Xanthe sa jej nezmienila o tom ani slovkom.

„Na Aliciinej webovej stránke bol jeden kúsok, o ktorom som si myslela, že by sa skvele vynímal v ružovej izbe. Rozhodla som sa, že sa naň spýtam." Ten bezstarostný tón Izzy ani na okamih neoklamal. Jej nepodarená matka využila zámienku, že tu Ross zostane, a kontaktovala Aliciu.

„Tak sme tu," zatrilkovala Alicia. „Keď som sa dozvedela, že je to hrad, nemohla som odmietnuť. Strčila som moriaka do mrazničky, zbalili sme sa a vyrazili sme. Toto miesto je úžasné, Xanthe. Je od teba milé, že si nás pozvala."

„Veľmi láskavé," zamumlala si Izzy hlavne pre seba, pretože Xanthe a Alicia boli príliš zaneprázdnené, než aby to počuli.

„Je fantastické spoznať ťa. Zbožňujem tvoju prácu."

„To mi pripomína, Graham, to auto." Alicia zatlieskala rukami v panovačnom geste.

Vstal, a keď míňal Rossa, potľapkal ho po chrbte. „Rád ťa vidím, synak."

„Ja teba tiež, oci." Slabo sa usmial a Izzy to zahrialo pri srdci. Tá rýchla tichá výmena medzi oboma mužmi vypovedala o ich vzťahu veľa.

„Takže, Ross, Xanthe mi vravela, že píšeš knihu. Prečo som o tom nevedela? A čo tvoja práca na univerzite? Vyhodili ťa?"

„Nie, mami, vzal som si voľno."

„Akú knihu a prečo si mi to nespomenul? Je to také vzrušujúce. O čom je? Som v nej tiež?"

„Nie. Ako dopadla posledná výstava?"

„Tá galéria v Londýne má prehnané požiadavky, som unavená." Otočila sa ku Xanthe. „Netušíš, koľko ťažkej práce so sebou prináša byť umelkyňou. Človeka to skutočne vyčerpáva." Keď si chrbtom ruky prešla po čele, Izzy potláčala smiech. „Preto bolo od vás také fantastické, že ste nás pozvali trochu si odpočinúť. Počula som, že ste vynikajúca kuchárka, Izzy."

„Nie som si istá, či vynikajúca, ale robím, čo môžem." Izzy mala chuť mamu uškrtiť. Takže teraz ich bude na obed osemnásť. „Pozvala si ešte niekoho, matka?"

Alicia zvýskla a Izzy sa zarazila. Toto bola pre Xanthe spriaznená duša.

„Ach, Xanthe, nevyzeráš na to, že si Izzina matka. Tipovala som vás na sestry."

„Páčiš sa mi čím ďalej, tým viac, Alicia. A, miláčik, pre lásku Božiu, nehovor mi, prosím, matka. Pridáva mi to roky."

„Ani na to nemysli, mami," varoval ju Ross, keď uvidel Aliciin zamyslený výraz.

„Rozmaznanec," uškrnula sa dobromyseľne.

Graham sa vrátil s balíčkom v čiernom hodvábnom papieri, previazanom širokou fialovou šifónovou stuhou s extravagantnou mašľou. Podal ho Alicii, ktorá ho hneď odovzdala Xanthe. „Malá pozornosť pre našu veľmi štedrú hostiteľku."

Xanthe sa rozšírili zreničky. „Pre mňa?" Pritisla si ruky na hruď.

Izzy bolo do smiechu. Tie dve vyzerali ako idoly z popoludňajších predstavení zo štyridsiatych rokov.

Potiahla za mašľu a otvorila balíček. „Panebože, Alicia!" zalapala po dychu. „To je krása! Úžasné! Ach, urobila si mi obrovskú radosť." Xanthe sa v očiach zaleskli slzy a pridusene povedala: „Vždy som si priala nejaké tvoje dielo, ale nikdy som si ho nemohla dovoliť. Je to od teba veľmi milé. Pozri sa, Izzy." Zdvihla nepravidelne tvarovaný kus tyrkysového skla, ktorý sa trblietal odtieňmi modrej a zlatej. Bol to veľkolepý a veľmi typický kúsok od umelkyne, ktorú Xanthe obdivovala už veľa rokov. Izzy cítila štipku dojatia nad matkinou nefalšovanou radosťou, lebo vedela, ako veľa pre ňu to ohromujúce dielo znamená, a zároveň sa cítila aj trošku previnilo za to, ako príkro ju súdila. Jej matka bola skutočne dlhé roky Aliciinou obdivovateľkou. Nie div, že si nenechala ujsť príležitosť spoznať ju.

„Je to úchvatné," pritakala Izzy, pristúpila k mame a pobozkala ju na tvár. „Viem, ako veľa to pre teba znamená."

„Presne viem, kam ho dám. V obývačke na poličku vo výklenku." Xanthe vyskočila, pritisla si ten kus skla k hrudi a druhú ruku podala Alicii. „Poď sa pozrieť, čo ty na to? A je to tam oveľa krajšie. Pôjdeme všetci. Izzy, čo keby si nám dala vedieť, keď sa bude podávať obed?"

Hneď ako obe ženy odišli, atmosféra v miestnosti sa trochu uvoľnila, ako keď zo šampanského vyprchajú bublinky. Graham zdvihol obočie a usmial sa na syna. „Radšej pôjdem na ne dohliadnuť. Ktovie, čo tie dve vymyslia."

„Si statočný muž, otec."

„Roky praxe," usmial sa šibalsky, až sa mu rozžiarila tvár a ešte viac vynikla podoba medzi otcom a synom.

Hneď ako Rossov otec opustil miestnosť, Izzy zdvihla hlavu.
„Takže to je tvoja matka."

„Áno. To je moja matka."

„A o Rossovi Adairovi nevie nič."

„Nie." Zachvel sa. „Vieš si to predstaviť? Nemal by som chvíľu pokoj. Kamkoľvek by sme vkročili, všetkým by to rozprávala."

„Myslím si, že je možno ešte hlučnejšia než moja matka." Izzy sa zrazu rozosmiala. „Prečo ti napadlo prísť sem? Z blata do kaluže."

„Keď som sa tu ocitol prvý raz, myslel som si, že je to jedno. Plánoval som zostať celý čas zalezený vo svojej izbe, ale," usmial sa na ňu, „potom sa objavili ďalšie lákadlá."

Izzy si ho premerala pohľadom. „Moja káva a orechový koláč?"

„Áno, ale aj tie plnené koláčiky."

Pristúpil k nej, objal ju a sklonil sa, aby ju pobozkal. „A toto," zašepkal a priblížil svoje pery k tým jej.

Izzy sa podvolila objatiu, ešte stále očarená tým bláznivým ohňostrojom, ktorý sa spustil zakaždým, keď sa ich pery dotkli. To iskrenie medzi nimi bolo šialené, ale v jeho blízkosti sa zároveň cítila pokojne. Predstavoval pre ňu bezpečný prístav.

22. kapitola

Izzy sa usmiala, keď si na WhatsAppe znova prečítala správu s radou, ako urobiť najlepšiu polevu na vianočnú tortu. Keď sa toto všetko skončí, pošle Fliss veľkú kyticu a Jasonovi niečo tekuté. Obaja jej v posledných týždňoch zachraňovali život. Do jedného rohu štvorcovej vianočnej torty naaranžovala jedličky medzi zasnežené vrcholky hustej bielej polevy, ktorá teraz tortu pokrývala. Jednoduché, ale účinné, presne ako navrhla Fliss.

„Ideš práve včas, aby si mohla vylízať misku,“ ponúkla Jeanette, keď vtrhla do kuchyne. Dobre vedela, ako miluje sladké.

„Super!“ Jeanette prešla prstom po mise a nabrala si veľa polevy. „Hmm, vyzerá to fantasticky. Oveľa lepšie než z obchodu.“ Krúžila okolo torty s rukami za chrbtom a zadržiavala úsmev.

„Čo je?“ spýtala sa Izzy a odniesla špinavý riad do drezu.

„Hovorila som s mamou!“ vyhŕkla. „A bolo to v pohode. Plakala.“

„Jeanette, to je skvelé!“ Izzy nechala všetko tak a vrhla sa Jeanette okolo krku. „Teda nie to, že plakala, samozrejme, ale že si sa s ňou rozprávala.“

„Navrhla to tvoja mama. Vravela, aká by bola smutná, keby ste spolu nehovorili, a že si nedokáže ani len predstaviť, že by s tebou nestrávila Vianoce.“

Izzy sa trochu prekvapene odmlčala. „To Xanthe povedala?“

„Áno. Vraj od čias, čo zomrela tvoja babička, ste boli vy dve vždy ako dvaja mušketieri a bez teba by to neboli žiadne Vianoce. To ma prinútilo premýšľať. Ešte nikdy som nebola na Vianoce bez mamy.“ Jeanette sa poškriabala na tvári. „Potom som už na ňu nemohla prestať myslieť a Jim mi tiež povedal, že by som jej mala zavolať. Tak som to urobila.“

„A pochopila som, že to dopadlo dobre.“ Izzy si prezerala Jeanettinu červenú, ale šťastnú tvár.

„Hoci som dostala za uši, že som utiekla, myslím si, že bola taká rada, že som sa ozvala, že mi odpustila. V každom prípade dúfam, že je to v poriadku. Tvoja mama spomínala, že príde deň po Vianociach, aby s nami strávila Nový rok. Nebudú s ňou žiadne problémy a môže sa ubytovať hore v našej malej obývačke.“

„Nevymýšľaj!" okríkla ju Izzy okamžite, pretože čo iné mohla povedať. Jeanette a Jim boli súčasťou jej rodiny. „Tam zostať nemôže." Izzy sa trochu hystericky zasmiala, pretože o jedného viac sa už stratí. Počty sa jej úplne vymkli z rúk. „No budeš musieť pridať v šúpaní zemiakov. Budeme tu mať až osemnásť ľudí."

„Nie! Pani Carter-Jonesová pridala na zoznam niekoho ďalšieho, však že?"

„Nie. Dnes ráno sa tu objavili Rossovi rodičia."

Jeanette vypleštila oči. „Jeho rodičia? Tu? Spýtal sa ťa?"

Izzy sa znovu zasmiala a povedala si, že sa musí spamätať, pretože jej to začína liezť na mozog.

„Nie. Nič o tom nevedel. Pozvala ich Xanthe. Počkaj, až spoznáš Aliciu, jeho mamu. Myslím si, že ona a Xanthe sú vlastne utajené príbuzné."

„Ako to myslíš?"

„Čoskoro uvidíš. No znamená to pripraviť ďalšiu miestnosť. Budeme musieť nejako rozdeliť izby a zabezpečiť núdzové upratovanie." Izzy sa zúfalo rozhliadla po kuchyni.

„Neboj sa. Upracem ja. Jim mi pomôže, keď s Rossom dokončí tapetovanie izby. Keď sem zajtra dorazia Carter-Jonesovci, bude všetko tip-top."

„Vďaka, Jeanette. Ak sa však objaví ešte niekto ďalší, budeme potrebovať morku navyše."

„Nestresuj, zvládneme to. Úprimne, Izzy, vieš, že ja a Jim urobíme pre teba čokoľvek. Zachránila si nás. Museli by sme ísť domov, a aj keď príde mama, bude to za našich podmienok."

Jeanette zapípal telefón, a tak ho vytiahla zo zadného vrecka džínsov. „Ach, bože. Čo chce pani Carter-Jonesová tentoraz?"

Pri čítaní správy sa usmiala. *Aký druh sviečok použijete? Musia byť ekologické.* Zdvihla ruku, do ktorej Izzy ochotne tľapla. „Hovorila som ti to."

„Áno, hovorila. Skvelá práca. Teraz ich už môžeš vybrať. Schovávala som ich pred Xanthe. Keby sa jej dostali do rúk, zapálila by ich všetky naraz."

„Si na ňu taká zlá. Je fantastická."

„Je úžasná. Keď spoznáš moju matku, zistíš, že je veľmi spoľahlivá. Vôbec nie ako tá tvoja. S Xanthe je taká zábava."

„To si už vravela. Musím sa pustiť do omáčky k mäsu." Jason jej odporučil, aby si omáčku podľa receptu, ktorý ju naučila Adrienne v kuchárskej škole, pripravila vopred, pretože to šetrí čas.

Zatiaľ čo krájala cibuľu a šúpala zeleninu, kvapkala olivový olej a sypala bylinky na kuracie krídla, stále vyzerala z okna a zakaždým dúfala, že prestal padať sneh. No sivá obloha bola stále rovnaká, snehová fujavica už niekoľko hodín nepoľavovala.

Hneď ako vložila pekáč do rúry, vrátila sa v myšlienkach k dnešnej večeri pre osem ľudí. Našťastie mala v pláne urobiť dvoje lazane a jedny dať do mrazničky, takže mala dostatok surovín a bolo rovnako jednoduché urobiť jednu dávku ako dve. So šalátom a s cesnakovým chlebom to bude perfektné.

Keď vybrala z chladničky mleté mäso, zadívala sa na veľký kus zveriny, ktorý sa stal jej nočnou morou. Možno mala natrénovať prípravu hovädzieho Wellingtonu vopred. Teraz už bolo trochu neskoro.

Zajtra o tomto čase tu budú hostia a ona bude musieť v praxi uplatniť všetko, čo sa v priebehu tých týždňov v Írsku naučila. Všetko bude v poriadku. Ak sa sem teda dostanú.

* * *

O pol šiestej Xanthe napochodovala do kuchyne. Obliekla si šarlátové šaty s bielym lemovaním a obula červené semišové topánky.

„Prišla si o niekoľko dní skôr, pani Santová," povedala Izzy a strčila lazane a francúzsku bagetu plnenú cesnakovým maslom zabalenú vo fólii do rúry.

„Na Štedrý deň mám vybraté iné oblečenie, ale vravela som si, že keď sú tu Alicia s Grahamom, dáme si v obývačke pohárik. Čo keby si sa tiež skočila hore prezliecť? Nech si kočka." Xanthe ju chytila za lakeť a snažila sa ju nasmerovať ku dverám, až sa jej zladený červený fascinátor pohojdával.

„Je mi dobre tak, ako som," nedala sa Izzy.

„Nie, si celá lepkavá. Ja zatiaľ prestriem stôl a ty sa skoč trochu osviežiť."

Izzy sa nad tou neprirodzenou starostlivosťou zamračila. Toto sa na Xanthe nepodobalo.

„Myslela som si, že sa najeme tu a jedáleň si necháme na zajtrajší večer."

„Výborný nápad, drahá. Tak už bež. Viem, kde máme nože a vidličky." Zamávala rukami, akoby Izzy bola sliepka, ktorú je potrebné zahnať.

„Tak dobre," súhlasila. Než sa upečú lazane, mohla si odskočiť. Bolo by fajn stráviť nejaký čas pre zmenu mimo kuchyne, posadiť sa na jednu z tých pohodlných pohoviek… Musela si však dať pozor, aby nezaspala.

„Nezdržuj sa veľmi dlho. Grahamovi som dala na starosť nápoje a všetkým som povedala, aby tam boli o trištvrte na šesť, tak sa poponáhľaj."

„Áno, Xanthe." Súdiac podľa matkinho dokonalého mejkapu a rúžu presne v rovnakom odtieni ako jej šaty si dopriala na prípravu viac než pätnásť minút. Izzy bola síce nenáročná, ale občas sa rada pekne obliekla a upravila. Štvrťhodinka jej nepripadala ako veľa času, ale sľúbila matke, že sa bude snažiť prísť čo najskôr.

Z obdobia, keď sa venovala organizovaniu akcií, mala celkom dosť šiat vrátane niekoľkých nevyhnutných malých čiernych, ktoré jej matka kedysi označila za pohrebnú eleganciu. Pretože vedela, že obliecť si jedny z nich vyvolá presne taký komentár, vytiahla zo skrine šaty, ktoré sa mimoriadne hodili k hrdzavým vlasom a lichotili jej postave, pretože obopínali jej krivky na tých správnych miestach. Nikdy nebola ani nechcela byť chudá. Po rýchlej sprche si naniesla jemný rúž, jednu vrstvu maskary a postriekala sa parfumom. „To bude stačiť," povedala svojmu odrazu v zrkadle, rozpustila si svoj obvyklý vrkoč a prešla si dlhé kadere hrebeňom.

„Fíha!" okomentoval jej výzor Ross, keď ju stretol hore na schodoch. Doširoka otvorila oči. Pozrime sa na neho. Prezliekol sa do elegantných čiernych nohavíc a bielej košele, ktorú si nechal pri krku rozopnutú, a, čuduj sa svete, vyzeralo to, že si učesal vlasy, aj keď by ju zaujímalo, ako dlho potrvá, než mu spadne do tváre obvyklý prameň.

Všimol si jej rýchly pohľad. „Nezačínaj s tým. Mama mi už povedala, že potrebujem ostrihať."

„Myslela som si, že to vyzerá nezvyčajne elegantne."

„Nevydrží to."

„To si viem predstaviť," usmiala sa na neho.

„Mimochodom, vyzeráš úchvatne. Tie šaty sa mi páčia."

„Vďaka." Prešla si dlaňou po sukni a vychutnávala si luxusný dotyk zamatu. „Kedysi dávno som bývala celkom elegantná."

„Nedokážem si ťa teraz predstaviť inde než na hrade. Hodí sa k tebe. Myslíš si, že tu zostaneš?"

„Asi áno. Jedine, že by som ho predala."

Rýchlo si ju premeral pohľadom. „Predala?"

„Pokiaľ si na seba nezarobí, budem musieť. Preto všetko tak veľmi závisí od Carter-Jonesovcov."

„Tak som to nemyslel. Komu ten hrad patrí?"

„Mne."

Vyprskol do smiechu. „A Xanthe sa hrá na hradnú paniu. Bol som presvedčený, že ho zdedila ona."

„Nie, prastrýko Bill ho odkázal mne, čo nedopadlo práve najlepšie. Aj keď chápem, prečo to urobil." Zavrtela hlavou. „Mám svoju mamu rada, ale chýba jej zdravý rozum. Keby to bolo na nej, spadlo by jej to tu na hlavu. Skončí v jednej miestnosti s mačkami a bude sa ho snažiť udržať v chode, namiesto toho, aby ho predala. Vždy tu chcela bývať. To som jej nemohla odoprieť. A jediná možnosť, ako si ho udržať, bolo prerobiť ho na hotel."

„Takže strýko ti odkázal hrad, ale žiadne peniaze."

„Presne tak, ale hovoril, že sa to vyrieši. Počítal s tým, že som tá praktická."

„Ťažké bremeno."

Izzy pokrčila plecami. „To áno, ale teraz, keď som tu skúsila žiť, skutočne sa mi odtiaľto nechce ísť preč."

Zastavili sa na spodnom schode. „Som si istý, že tento týždeň dopadne perfektne. Carter-Jonesovci ťa vychvália svojim bohatým kamarátom a budeš mať rezerváciu na mesiace vopred. Vyzerá to tu fantasticky." Zdvihol ruku. „A neopovažuj sa vravieť niečo o jedle. Kŕmiš nás už niekoľko mesiacov a nikto sa neotrávil ani neumrel na podvýživu."

„Medzi každodenným varením a michelinskou hviezdičkou je rozdiel. Carter-Jonesovci sa zdajú takí...“

„... egocentrickí. Takže sa netráp. Buď sa im zavďačíš, alebo nie, ale teraz nemáš dôvod čokoľvek predpokladať. Zaslúžiš si drink a pauzu. Poď.“

* * *

Aj keby nevedeli, kde hľadať Xanthe a Aliciu, ich spoločné híkanie by zalarmovalo aj najbližšieho chovateľa v zoo. Keď Izzy s Rossom vošli do miestnosti, sedeli tie dve bok po boku na jednej z pohoviek a ich veselý škrekot pripomínal dvojicu hyen na rajskom plyne.

„Môžem vám naliať niečo na pitie, zlatíčko?“ spýtal sa Graham a usmial sa. „Myslím si, že tie dve nechali na dne fľaše tak akurát za pohár prosecca.“

„Zdá sa, že sa dobre bavia.“

„Vaša matka je celkom osobnosť,“ poznamenal a naplnil jej pohár. „Ešte som nezažil, aby si Alicia obľúbila niekoho tak rýchlo.“ Venoval jej taký ten skutočný úsmev, ktorý mu siahal až k očiam. „Sú ako dve hrdličky.“

„Dúfam, že sa necítite odstrčený,“ zľakla sa Izzy.

„Bože, nie. Som rád, že si Alicia našla kamarátku.“ Mrkol na ňu. „Aspoň si oddýchnem.“

Ross zagúľal očami, ale mlčal.

Vošiel Duncan, podozrievavo sa na nich pozrel a prišuchtal sa k nim na krivých nohách.

„Čo sa deje?“

„Duncan, toto je Rossov otec Graham a tam je jeho mama Alicia.“

Duncan zamumlal niečo na pozdrav a zobral si fľašku piva, ktorú mu Ross ponúkol. Duncan mal rád svoje zvyky.

„O koľkej prídu zajtra tí hostia?" spýtal sa Duncan, keď do miestnosti vstúpili Jeanette a Jim a po krátkom predstavení oboch novo prichádzajúcich sa k nim pripojili.

„Pani Carter-Jonesová hovorila, že dorazia okolo štvrtej popoludní," pozrela sa Jeanette do telefónu.

„Skvelé," zapojil sa do rozhovoru Jim. „Pripravím kozub v hale a nachystám sa na podávanie welcome drinku."

„Oblečiem si kilt," pripomenul Duncan.

„Ja tiež," prikývol Jim.

„Aj ja," pripojil sa Ross.

„Keď ich nemôžeš poraziť, pridaj sa k nim," zavtipkoval Graham. „Tiež si vezmem ten svoj."

Izzy sa na nich široko usmiala. „Bude to pôsobivé. A kým budú piť, Jim a Duncan im môžu vziať kufre hore. Môžeme ich previesť po hrade a povedať im, že večera sa bude podávať o pol siedmej."

„A máš na ňu všetko pripravené?" podpichol ju s úsmevom Ross.

„Mám na to zoznamy," poklopala Izzy po notebooku, ktorý mala v poslednom čase stále poruke.

„Teším sa na večeru," zasníval sa Graham. „Xanthe vravela, že ste šéfkuchárka z Le Cordon Bleu."

Izzy zabehol nápoj. „Nie, preháňa. Preboha, hlavne to nespomeňte pred Carter-Jonesovcami."

Jeanette sa zaškľabila.

„To neurobila!"

S obavou v očiach Jeanette prikývla. „Obávam sa, že urobila."

„Prečo si mi to nepovedala?!" vykríkla Izzy.

„Pretože by si spanikárila ako práve teraz."

„Ja nepanikárim," bránila sa Izzy a obrátila do seba zvyšok prosecca. V žalúdku sa jej rozlialo teplo a zdvihlo sa ako vlna. Nahlas nasala vzduch. „Fajn, tak panikárim."

„McBrideová, dýchaj," upokojoval ju Ross. „To zvládneš."

„Nezvládnem. Ach, bože. Musím. Je mi zle." Vážne sa necítila dobre. Celý čas bolo jedlo jej najväčšou starosťou. Nebola profesionálka. Absolvovala šesťtýždňový kuchársky kurz, aby vylepšila svoje základné zručnosti. Čakala, že bude hosťom, ktorí chcú zostať na hrade, podávať raňajky a na obed výdatné teplé jedlá. Nikdy nemala v pláne vytvoriť z tohto miesta luxusný päťhviezdičkový hotel.

* * *

Nasledujúce ráno sa Izzy zobudila skoro a zamierila do kuchyne. Pripravila polievku *partan bree*, ktorú chcela podávať s domácimi rožkami ako prvý chod. Potom bude rozbif s francúzskymi zemiakmi a so zelenou fazuľkou, šalotkou, s cesnakom a praženými mandľami. Jedlo bude dobré, ale jej prezentácia zďaleka nebola podľa jej predstáv. *Ide o ingrediencie,* vravela si. Hovädzie mäso bolo z miestnych zdrojov, veľmi čerstvé zemiaky z farmárskeho obchodu a fazuľku bude blanšírovať, aby bola dokonale chrumkavá s príjemnou orieškovou chuťou.

Pripravila si, čo mohla, vrátane škótskeho dezertu *cranachan* – maliny namočila do malého množstva whisky a opražila vločky.

Keď urobila všetko, čo sa dalo pripraviť vopred, pobehovala s Jeanette okolo a znovu kontrolovala, či sú všetky izby perfektné. Xanthe dala Grahamovi a Alicii jednu z novo vyzdobených spální a Izzy dúfala, že skupina Carter-Jonesovcov budú samé páry. Keby došlo na najhoršie, obetuje svoju vlastnú izbu.

Okolo druhej hodiny s úzkosťou a napätými nervami pozorovala vytrvalo padajúci sneh, ale mala toľko práce, že nemala čas zastaviť sa a premýšľať. O trištvrte na štyri sa všetci zhromaždili v hale a Jim, nádherný v kilte doplnenom naleštenými topánkami s ozdobným dierkovaním, obradne zapálil oheň. Jeanette mala na sebe Izzine jednoduché čierne šaty s tartanovou šerpou ladiacou s jeho kiltom, zatiaľ čo Duncan si obliekol svoj pléd a obaja Strathallanovci mali rovnaké kilty. Izzy si vzala svoje najlepšie čierne šaty a elegantné čierne topánky na podpätkoch, ktoré boli len na ukazovanie – len čo bude späť v kuchyni, obuje si svoje conversky.

„Samozrejme, nie je zaručené, že tu budú včas," pripomenula Izzy. „Počasie je stále príšerné."

„Pani Carter-Jonesová sa mi neozvala. Určite by nám dala vedieť, keby prišli neskoro." Jeanette zmietla maličkú smietku z rukáva šiat.

„To je pravda," súhlasila Izzy. Keď teraz nemala čo robiť, nervozita sa stupňovala. Posadila sa na pohovku čo najbližšie ku kozubu, na dosah od edinburskej sklenenej karafy naplnenej desaťročnou sladovou whisky z Billovej zbierky. Brúsené poháre, ktoré Jeanette vyleštila, sa blýskali vo svetle ohňa, sklo zväčšovalo zlatooranžové plamene.

Po polhodine, keď Izzine kolená viditeľne poskakovali hore a dole, Ross navrhol, aby sa všetci vrátili do práce. „Budem dávať pozor a dám vám vedieť, keď dorazia."

„To znie ako dobrý plán," pripustila Izzy a nemohla sa dočkať, až sa vráti do kuchyne. „Keby sa skutočne oneskorili, vždy môžu večeru trochu posunúť."

Rozišli sa. Izzy zamierila do kuchyne a prezerala si zoznam na dnešný deň. Dočerta, zabudla vybrať ovsené vločky z rúry a boli spálené.

Zatiaľ čo nadávala, niečo začula. A bolo to čím ďalej, tým hlasnejšie. Vyzrela z okna a v rovnakej chvíli vbehli do kuchyne Jeanette s Xanthe a Aliciou v pätách.

„Prileteli vrtuľníkom!" zvolala Xanthe.

„Pristáva vpredu na trávniku!" vykríkla Jeanette.

„To je dosť neobvyklé," dodala Alicia. „Myslím si, že som ešte nevidela niekoho niekam priletieť vrtuľníkom."

Izzy od nervozity stiahlo hrdlo a dusila ju úzkosť.

„Dobre, všetci na značky." Bolo tu to, na čo sa pripravovali posledných šesť týždňov.

Dvadsaťpäťtisíc libier na záchranu.

Xanthe, Alicia, Jeanette, Jim, Duncan a Izzy sa zhromaždili na schodoch a Ross s otcom, zjavne zalarmovaní hlukom, sa pridali k nim. Sledovali, ako sa z vrtuľníka vynorili tri postavy – dve zoskočili dole, skrčili sa pod lopatkami rotora a ponáhľali sa s cestovnými taškami k hradu. Tretia osoba, dôkladne zabalená do bieleho prešívaného kabáta, vďaka ktorému takmer splývala so snehom, vytiahla obrovský sivý kufor, ktorý im z vrtuľníka div nespadol na hlavy. Ťahali ho po snehu ako ťažké sane a ohýbali sa v páse proti ťahu rotora vrtuľníka. Keď sa postavy priblížili, Izzy sa zamračila. Vyzeralo to, akoby to boli len mladší Carter-Jonesovci.

Zvuk motora vrtuľníka začal silnieť, hluk bol ohlušujúci. Lopatky rotora sa roztočili rýchlejšie, vrtuľník začal stúpať k oblohe a pri vzlete zdvíhal sneh v malej snehovej búrke. Dve z postáv mávali na pilota ako šialené, než si všimli ženu bojujúcu s kufrom. Jedna z nich jej išla na pomoc. Všetci traja sa brodili snehom po kolená a mierili ku skupinke na schodoch.

„Všetci sa poriadne vystrite!" zavelila Xanthe. „Vitajte na hrade Kinlochleven."

„Tým ich akurát vydesíte," utrúsil Ross.

„Nebuď nepríjemný, drahý!" štuchla Alicia syna do rebier. Keď sa tí traja priblížili, Xanthe im zamávala, ale Izzy sa zamračila. Prví dvaja na ňu kývali s obrovským úsmevom na tvári. Izzy zažmurkala. To nebolo možné.

„Hej, Izzy, prekvapenie!"

„Napadlo nám, že ti prídeme pomôcť."

„Fliss! Jason! Božemôj! Čo tu robíte?"

Jason sa k nej vrhol a Fliss sa k nemu pridala, takže skončili s chichotaním sa vo veľkom hromadnom objatí.

„Nemôžem tomu uveriť," povedala Izzy.

„Superhrdinovia sú tu. Prišli sme zachrániť vianočný obed," vysvetlil Jason a žiarivo sa na ňu usmial.

Fliss do neho drgla. „Prišli sme ti ponúknuť pomoc. A priniesli sme si spacáky, tak hádam ti nebude prekážať, keď nás ubytuješ."

„Stajňa bude stačiť," dodal Jason veselo.

Fliss zagúľala očami a zastonala. „Vôbec to nebolo vtipné."

„Ľudia, tak rada vás vidím." Izzy mala slzy na krajíčku. Obaja boli vážne dobrí kuchári. Jason bol v kuchyni tak trochu génius a ani Fliss nebola žiadna amatérka, navyše vynikala v prezentácii. S tými dvoma po boku by to mohla zvládnuť.

„Ehm, zdravím," ozval sa nejaký hlas, a keď sa Izzy otočila, uvidela ženu v bielom kabáte. Všetci ostatní na ňu civeli.

„Prepáčte," ospravedlnila sa Izzy.

„Toto je Hattie," predstavila ju Fliss. „Zviezla sa s nami z edinburského letiska. Jasonov šéf nám ponúkol, že nás odvezie do Edinburghu, ale potom pilot povedal, že nás zoberie so sebou, pretože letí týmto smerom. A Hattie sa ozvala, že má tiež namierené sem. Svet je malý, však?"

„Ahoj, Hattie, ja som Izzy." Izzy kývla na ženu, ktorá mohla mať asi toľko rokov ako ona. Pleť mala ako snehulienka, bledú ako magnólia, a spod kožušinovej čiapky v ruskom štýle jej trčali pramienky tmavých vlasov.

„Ahoj, ospravedlňujem sa, že som sa pridala, ale bolo mi povedané, že sa môžem pripojiť k rodinnej oslave. Dúfam, že to nebude príliš veľký problém. Pokiaľ áno, môžem spať na pohovke."

„Aha, vy ste jedna z Carter-Jonesovcov!" zrazu to Izzy došlo.

„Áno, som Harriet. Už sú tu?"

„Nie, ešte nedorazili." Izzy si v tej chvíli uvedomila, že ide o hosťa a že toto nie je práve to privítanie, ktoré si naplánovala. „Veľmi sa ospravedlňujem. A nebláznite, samozrejme, že pre vás máme izbu." Prehltla a v duchu si prechádzala izby na druhom poschodí v snahe zistiť, ktorú z nich by mohli dať do poriadku v rekordnom čase. „Poďte ďalej. Jim sa ujme vašej batožiny."

„Dovoľte, aby som vám zobrala kabát," vykročila k nej Jeanette.

Hattie sa vysúkala z objemného dlhého kabáta, dole bol celý premočený.

„Ďakujem. Najmenej praktický kabát v histórii," vyhlásila, keď jej ho odovzdávala. „Spolubývajúca však trvala na tom, že ho budem potrebovať, a teraz som za to rada. Vedeli ste, že vo vrtuľníku je dosť zima? Niežeby som už v nejakom niekedy predtým letela. Než si človek zvykne, je to celkom strašidelné. No nesťažujem sa. Doviezol ma sem. Vďaka za zvezenie, zachránili ste ma. Inak by som sa sem nikdy nedostala."

Izzy sa usmiala. Hattie Carter-Jonesová sa jej okamžite zapáčila. V duchu sa trochu uvoľnila. Keď je taká priateľská a skromná, zvyšok rodiny bude určite tiež.

„Poďte si sadnúť ku kozubu. Môžem vám ponúknuť pohárik whisky na zahriatie?"

„To znie božsky. Dám si rada. Dočerta, ospravedlňte môj slovník, ale dostať sa sem bol celkom výkon. Všetko na poslednú chvíľu. Zmeškala som priamy let do Edinburghu, mala som tu byť už včera. Chcela som sa stretnúť s rodinou v hoteli a potom sem ísť s nimi, ale keď som začula, ako sa Fliss a Jason bavia v kaviarni s pilotom vrtuľníka, nemohla som uveriť, aké mám šťastie – zvlášť keď posledných niekoľko dní bolo všetko naprd –, a drzo som požiadala o zvezenie."

Izzy ju zaviedla k veľkej koženej pohovke vedľa kozuba a vyzvala Fliss a Jasona, aby sa k nim pripojili.

Duncan zdvihol karafu z podnosu a nalial do troch pohárikov whisky.

„Páni, toto miesto je úžasné. Ten meč tam hore je skutočný?" spýtala sa Hattie, keď sa uvelebila na gauči a zadívala sa na *claymore*.

„Samozrejme," pritakal Duncan s krvilačným nadšením a podal jej pohár. „Použili ho v bitke pri Cullodene. Je na ňom veľa krvi."

Izzy mu venovala rýchly pohľad a uvedomila si, že sa už vžil do roly hradného služobníctva.

Hattie vyvalila oči. „Ešte povedzte, že na hrade straší."

„Keď ste o tom začali…" ozvala sa Xanthe.

„Nie sú tu žiadne strašidlá," upokojila Izzy mamu pevným pohľadom. Tá si povzdychla a pošepkala Alicii: „Nie je s ňou žiadna zábava." Obe odišli do obývačky.

„Takže, Hattie, vy ste dcéra Carter-Jonesovcov?"

„Preboha, nie! Nie som vôbec ako Gabby." Potom si uvedomila, že je to možno trochu indiskrétne. „Som ich neter. Alexander je otcov brat." Usmiala sa, ale v očiach sa jej objavil náznak zúfalstva.

„Zľutovali sa nado mnou a pozvali ma, pretože… som mala byť na Vianoce sama," dokončila s krehkým úsmevom.

„Radšej im napíšem a zistím, kde sú."

Stiesnený pocit sa pomaly vrátil. Izzy si odpila z whisky a cítila, ako ju páli v hrdle. Aspoňže mala teraz vo svojom tíme Fliss a Jasona, aj keď netušila, kam ich uloží. Možno sa budú musieť podeliť o dvojlôžkovú izbu v jednej z vežičiek, ktorá už zažila lepšie časy a nebola tak dobre vykurovaná. O Jasona sa toľko nebála, bol tvrdý ako diamant, ale Fliss bola zvyknutá na lepšie. Kvôli jej vycibrenému prízvuku mala Izzy odjakživa podozrenie, že pochádza z celkom bohatého prostredia. S Carter-Jonesovcami mala pravdepodobne spoločného viac než ktokoľvek iný tu.

„Čo keby som vám ukázala izbu?" navrhla Izzy. „A potom sa môžete zabývať."

Jim, ktorý nechal jej kufor pod schodmi, sa ako mávnutím čarovného prútika znovu objavil.

„Môžeš Hattie odniesť kufor hore do ružovej izby." Rozhodla sa, že Hattie si zaslúži jednu z tých lepších miestností.

23. kapitola

„Čo budeme robiť?" bedákala Xanthe, zatiaľ čo sa ponáhľala do kuchyne. „Nemáme pri stole dosť miesta pre všetkých. Aj keby som tam natlačila niekoľko ďalších prestieraní, máme len šestnásť stoličiek. Celé by to vyzeralo príšerne, pretože rovnaký porcelán je k dispozícii iba pre šestnásť ľudí."

„Nejako to zvládneme," uistila ju Izzy, čím ďalej, tým viac vďačná za príchod kuchárskej kavalérie.

„Hovorila som si, že by sa tvoji noví priatelia Jeanette, Jim a Duncan mohli najesť tu."

Izzy bola veľmi vystresovaná z toho, ako sa snažila vymyslieť, kam všetkých usadiť. Otočila sa k mame: „*Ty* si pozvala Aliciu a Grahama, nie sú to platiaci hostia. Prečo by mali dostať prednosť?"

„Nemôžeš od niekoho, ako je Alicia, chcieť, aby jedol v kuchyni. Okrem toho, Ross platí a bude očakávať, že jeho mama a otec budú sedieť s ním."

„Preboha!" Izzy bola podráždená a strácala cit pre diplomaciu. „Fliss a Jason sú moji priatelia a prišli mi pomôcť, takže budú sedieť v jedálni, rovnako ako Jeanette, Jim a Duncan, ktorí tu bývajú."

„Nekomplikuj nám to, drahá."

„Nekomplikujem nám to."

„Ale áno."

„Nie!" Izzy naštvane pleskla utierku a otvorila dvere chladničky. „Si nemožná, mami. Pozvať toľko ľudí. Carter-Jonesovci mali byť štyria, potom ich bolo šesť, ďalej osem a teraz je ich desať, možno jedenásť. Nie som si istá, kam do toho zapadá Hattie. Potom si pozvala Aliciu a Grahama. Čudujem sa, že si nezavolala pani McPhersonovú. A vieš ty čo? Prečo nie celú tú nepodarenú dedinu?"

„No tak, upokoj sa! Myslím si, že začínaš byť trochu unavená a podráždená, Isabela McBrideová." A než Izzy stačila povedať slovo, jej mama, rozochvená od rozhorčenia, odkráčala.

Izzy klesla na jednu zo stoličiek a vložila si hlavu do dlaní. Málokedy sa jej stávalo, že by na Xanthe vyletela, obyčajne preto, lebo to bolo úplne zbytočné, ale už toho mala naozaj dosť. Okrem dnešného jedla, ktoré musela uvariť, ju ešte čakalo zabaliť všetky darčeky do pančúch. Rozhodla sa, že ich všetky nechá pod vianočným stromčekom v obývačke, aby si tam Carter-Jonesovci mohli po raňajkách posedieť. V duchu si prechádzala, čo všetko nakúpila, a snažila sa niektoré darčeky prerozdeliť novo prichádzajúcim, aby každý dostal nejakú maličkosť. Našťastie mala kopu pančúch, mama jej ako dieťaťu kupovala každý rok novú a tie staré vešali po byte ako dekoráciu.

„Je všetko v poriadku?"

Izzy sa pozrela do Rossovej súcitnej tváre.

„Počul som krik."

Izzy skrivila tvár a dúfala, že nepočul, čo povedala. Nechcela, aby si myslel, že jeho rodičia nie sú vítaní. „Prepáč. Potrebovala som vypustiť paru. Mama je niekedy úplne hrozná. Ignoruje všetko, čo nechce počuť."

„To si viem predstaviť, moja mama je úplne rovnaká. Myslíš si, že ich rozdelili pri pôrode?"

„To je dosť dobre možné." Izzy si trela sánku. „A po Carter-Jonesovcoch nikde ani stopy. Bojím sa, že sa niekde zasekli."

„To by nám uľahčilo život, však?"

Ťažko si povzdychla. „Svojím spôsobom áno, ale vieš, ako veľmi sa spolieham na ich peniaze. Nemôžem im naúčtovať pobyt, keď tu nie sú."

„To je pravda." Pozrel sa na hodinky.

„Počkám s večerou do pol ôsmej, možno sa dovtedy ukážu."

Vtom sa vo dverách váhavo objavila Hattie. „Môžem na slovíčko?"

„Samozrejme, že môžete. Je s izbou všetko v poriadku?"

„Isteže. Je to nádherná izba! Tá tapeta je úchvatná. Ide o… ehm." Zahryzla si do pery a mimovoľne rozrušene gestikulovala. „Ozvala sa mi mama. Rozhodli sa, že neprídu," povedala rýchlo.

„Prepáčte?" dala Izzy zdvorilo najavo svoj úplný zmätok. Nebola si úplne istá, či zle nepočula. „Uviazli v snehovej búrke?"

„Nie. Vlastne… ani nevyrazili. Obedovali v Edinburghu. Veľa pili. Rozhodli sa tam zostať. Je mi to veľmi ľúto."

„Čože?" Izzy to vyrazilo dych.

„Rozhodli sa zostať v Edinburghu na Štedrý deň, aj na prvý sviatok vianočný. Je mi to veľmi ľúto." Hattie rozpačito prešľapovala z jednej nohy na druhú.

„Neprídu," zopakovala Izzy.

Hattie zavrtela hlavou. „Mrzí ma to."

„Nie je to vaša vina," uistila ju Izzy a usilovala sa spamätať. Dočerta, na tie peniaze sa spoliehala. Záloha už bola dávno preč. Začínala cítiť nevoľnosť. A trochu sa jej točila hlava. Chytila sa rohu príborníka, aby sa udržala na nohách. Ross sa presunul k nej a položil jej ruku na chrbát. Za jedlo a víno utratila hotové imanie.

„Je to neskutočná nevychovanosť," rozčúlila sa náhle Hattie. „Veľmi sa hanbím. Zabila by som ich. Toto sa na nich podobá. Neviem, čo sa stalo."

„Žiaden strach," povedala Izzy a nasadila žiarivý úsmev, zatiaľ čo vnútri sa tak trochu rútila. Vrhla rýchly pohľad na Rossa a ten jej venoval upokojujúci úsmev.

„Nebude vám prekážať, ak tu zostanem?" spýtala sa Hattie potichu.

„Panebože, je mi to tak ľúto," vyhŕkla Izzy, keď jej došlo, že tú chudinku opustila celá jej rodina. „Samozrejme, že môžete."

„Nerobte si so mnou starosti, zamiešam sa medzi ostatných hostí," odvetila Hattie s nútenou veselosťou.

Izzy sa chvíľu pozerala na svoje ruky. „Vlastne nemáme žiadnych ďalších hostí."

„Ale nie! Kto sú všetci tí ľudia? To sú príbuzní? Ach, bože! Práve som sa vám vnútila!“

„Nebláznite. Vôbec ste sa nevnútili. Popravde ste jediný človek, ktorý sa tu objavil a bol očakávaný. Zdá sa, že som skončila s domom plným ľudí, z ktorých polovicu aj tak nikto nepozýval.“

„Ja som prvý z nich,“ zaškeril sa Ross a ukázal na seba oboma palcami.

„Takže to vôbec nebude problém, pokiaľ vám neprekáža zapadnúť medzi ostatných a ísť s prúdom. Niežeby som nemala dosť jedla. Aspoň to nevyhodíme.“

„Vážne?“ Hattie znepokojene zvraštila obočie.

„Nuž, vitajte v blázinci. Nečakala som ani Fliss a Jasona, teda niežeby som ich nevidela rada.“

„A sú tu moji rodičia,“ podotkol Ross.

„Priložím ruku k dielu a pomôžem. Budem sa tak cítiť lepšie. Šúpanie zemiakov mi ide veľmi dobre. A tykajte mi.“

„Tak to tu máš prácu. Vlastne potrebujem ošúpať nejaké zemiaky na dnešnú večeru.“

„Ak neprekážam, čo keby som začala hneď?“

* * *

Izzy nechala Hattie s horou zemiakov na ošúpanie rozprávať sa s Rossom, ktorý zatiaľ pripravoval šálku čaju pre Xanthe a svojich rodičov, a odišla z kuchyne so žehliacou doskou. Nikto sa jej na nič nepýtal. Odniesla ju do svojej spálne a potom prerozdelila izby: presťahovala Fliss a Jasona z izby na treťom poschodí a každému dala samostatnú izbu pre hostí. Po všetkej tej námahe, ktorú za posledných niekoľko mesiacov vynaložila, by si tie krásne nové izby mal niekto užiť.

Čakala ju ešte jedna veľká práca, ale zatúžila po troche pokoja a mieru, než začne variť dnešnú večeru. Vkĺzla späť do spálne, posadila sa na hodvábnu prikrývku v jesennom hrdzavom odtieni a zložila si hlavu do dlaní. Čo bude, dočerta, robiť? Tých dvetisíc libier, ktoré utratila za jedlo a víno, Carter-Jonesovcom naúčtuje, či sa im to bude páčiť, alebo nie. Záloha bola nevratná, ale stále jej bude chýbať to, čo s Xanthe utratili za prípravy, aj zisk, na ktorý sa spoliehala. Dodávateľ strešnej krytiny bol objednaný na druhý januárový týždeň. Ako mu zaplatí? Zrazu toho na ňu bolo priveľa a po lícach sa jej rozkotúľali slzy, hoci sa ich snažila zastaviť. Nebolo to dobré. Bolo toho príliš, na čo musela myslieť, príliš veľa vecí, ktoré musela urobiť. Rozbolela ju hlava z toho, ako sa pokúšala vymyslieť, čo by mohla urobiť.

Jemné zavŕzganie dverí ju prinútilo vzhliadnuť. Stál v nich Ross.

„Si v poriadku?"

„Snažím sa."

„Robíš si starosti s peniazmi?"

Prikývla a on prešiel na druhú stranu, posadil sa vedľa nej na posteľ a objal ju okolo pliec. „Neviem, čo budem robiť. Spoliehala som sa na Carter-Jonesovcov, že nás zachránia a odporučia svojim bohatým priateľom."

„Budú ďalší hostia. Teraz ste už pripravené na všetko."

„Pokiaľ vydrží strecha."

„Pozri sa, s tým, že teraz neprídu, nič nenarobíš. No môžeš zorganizovať tú najlepšiu oslavu Vianoc a nechať Xanthe, aby to na Instagrame poriadne zhodnotila. Máš už sprevádzkovaný rezervačný systém na webových stránkach?"

„Nie," povzdychla si Izzy. „Kamarátka mi pripravila šablónu vo Wordpresse. Pustila som sa do toho, ale zatiaľ som nemala čas sa tomu venovať a nejako sa s tým popasovať."

„Poznám niekoho, kto to pre teba môže vyriešiť za večeru. Môj otec, ver tomu alebo nie, je tak trochu počítačový mág. A poskytne mu to šancu na chvíľu uniknúť mame."

„No sú Vianoce."

„Áno. Vieš, veľa ľudí sa hneď po sviatkoch rozvádza, pretože spolu strávia príliš dlhý čas. Mám podozrenie, že otec práve takto prežil tak dlho – má svoju jaskyňu a tucet záujmov, ktoré ho držia mimo domu. Jedným z nich sú počítače, takže pravdepodobne padne na kolená a bude ti ďakovať. A Xanthe a moju mamu môžeš požiadať, aby pre teba všetko nafotili, takže budeš mať zásobu snímok šťastných, usmievavých ľudí, ktorí si užívajú najlepšie chvíle života a sedia v honosnej jedálni pri tej najúžasnejšej hostine."

„Máš to všetko premyslené," potiahla nosom a hľadala vreckovku.

„Tu máš," podal jej vreckovku s monogramom.

„To vážne? Vyzerá, akoby ju nikdy nikto nepoužil. Nepoznám nikoho, kto by používal látkové vreckovky."

„Teraz už poznáš. Babička mi ich dávala do pančúch každé Vianoce. Mám ich kopu. Vždy nosím jednu pri sebe, len tak pre istotu."

„Pre prípad, že by sa nejaká dáma ocitla v problémoch."

„Úprimne povedané, je to prvý raz, čo ju niekto použije."

Izzy sa nahlas vysmrkala spôsobom, ktorý rozhodne nepripomínal dámu, a to ani v najmenšom.

„Teraz je tá vreckovka dôkladne zasvätená. Vďaka, babi."

Pripomenulo jej to, že musí začať baliť darčeky do pančúch. Dobrou správou bolo, že ich mala dosť, aby niečo dala Fliss, Jasonovi aj chudinke Hattie, ktorú rodina opustila.

„Navrhujem, aby sme oslávili veselé Vianoce, všetci si ich užili, a keď skončíme, pozrieme sa, ako by sme mohli zohnať peniaze na strechu. Mohol by som ti požičať."

„Nie! To v žiadnom prípade. To by som nemohla prijať."

„Dobre, môžeš sa popýtať v banke. Vziať si pôžičku pre drobných podnikateľov alebo také niečo. Existujú rôzne možnosti."

„Máš pravdu. Toľko som sa upínala na tie peniaze, až som mala pocit, že všetko zvrátia. Prísť o ne po tom, čo som vynaložila toľko úsilia, aby bol tento týždeň skutočne výnimočný, je pre mňa vážne rana."

„Stále máš dom plný ľudí. Nikto z nich teraz nie je hosť, s výnimkou Hattie, ktorá mi nepripadá ako ten typ, ktorý by očakával obskakovanie. Tak čo keby si sa uvoľnila, zmierila sa s tým a užila si to?"

„Máš pravdu. Pokiaľ sa už neobjaví niekto ďalší."

„Ako ti môžem pomôcť?"

„Ako ti to ide s lepiacou páskou a baliacim papierom?"

* * *

O päť minút neskôr už sedeli na podlahe v jej spálni, obklopení nákupnými taškami, a Izzy rozložila žehliacu dosku.

Ross si ju zvedavo prezeral.

„To je na balenie darčekov. Rozložíš si na ňu papier. Vieš čo? Stačí, že ju raz takto použiješ a už nikdy nebudeš chcieť baliť darčeky inak."

Vytiahla prvú tašku s darčekmi, ktoré vybrala v Edinburghu, a začala ich rozdeľovať.

„Ty balíš darčeky do pančúch?" spýtal sa.

„Áno, vždy to tak robím," prikývla Izzy. „Ďalšia rodinná tradícia. Čo hovoríš na toto pre tvoju mamu?" V ruke držala niekoľko vrecúšok čipkovaných vreckoviek. „Dám jej set a po jednej mám aj pre Hattie a Fliss. Má tvoj otec rád karamelky?"

„No jasné!" žmurkol na ňu Ross. „A ja tiež."

Prísne sa na neho pozrela, potláčala úsmev. „Toto sú darčeky od Santu, ale pre teba mi tu nič nenechal." Ďalší balíček skryla do inej tašky v skrini.

Izzy začala tvoriť malé kôpky darčekov pre každého z obyvateľov hradu. Pani Carter-Jonesová jej dala štedrý rozpočet, nebol dôvod, aby vyšiel navnivoč. Ross mal pravdu, o peniaze sa bude starať neskôr, aj keď sa to ľahšie povie, než urobí.

Keď skončila s rozbaľovaním darčekov, každý mal celkom pekný výber. Tešilo ju, že si dala tú prácu a kúpila originálne a premyslené darčeky. Všetky golfové darčeky prišli na Grahamovu kôpku, Hattie mala svoje vlastné darčeky plus ďalšie, ktoré boli určené pre jej tetu a matku. Jason a Fliss dostali všetky darčeky pani Carter-Jonesovej, ktoré sa týkali jedla. Bolo to dokonalé. Zvyšok darčekov pre Hattinu matku rovnomerne rozdelila medzi Fliss a Jeanette, takže po krátkych presunoch mali všetci rovnaký počet darčekov.

„Nie som si istý, či Duncan skutočne chce plyšového teriéra." Ross ho vzal z kopy.

„No a komu inému ho môžem dať? Má o jeden darček menej ako ostatní. Všetci musia mať rovnako."

Ross sa zasmial a pritiahol si ju, aby ju rýchlo pobozkal. „Keď to hovoríš."

„To sú pravidlá vianočných pančúch," trvala na svojom Izzy. „Moja mama sa z toho každý rok mohla zblázniť. Vždy vravela, že hneď ako mala pre mňa a pre babičku rovnaký počet vecí, našla niečo, čo babičke kúpila už dávno, takže musela ísť a zohnať niečo ďalšie pre mňa. Potom to zasa prepočítala a ja som dostala viac než babička."

„Asi si vybavujem, že som to isté počul od mamy o pančuchách pre mňa a moje sestry."

„Vidíš, je to vážna vec."

„Vieš čo? Mám čelovku navyše, ktorú som dostal od otca. Mohol by som ju pridať do Duncanovej pančuchy."

„Výborne," rozžiarila sa Izzy. „Zbehni po ňu a môžeme začať baliť."

„Budeme baliť všetko?"

„Iste, to je súčasť zábavy." Izzy sa na neho zaškerila. „Milujem vianočné ráno, keď si všetci rozbaľujú darčeky. Pančuchy rozložíme okolo kozuba a po raňajkách bude nádielka v obývačke. Už je to takmer tu, nemôžem sa dočkať. Bude to krásny deň. Poriadne Vianoce s priateľmi a rodinou. Presne tak, ako to má byť."

24. kapitola

„Už budeš hotová?" spýtala sa Xanthe, keď napochodovala do Izzinej spálne.

Izzy, ktorá si práve dokončovala mejkap, si div nevypichla oko maskarou.

„Ahoj, mami, len poď ďalej." Xanthe ten sarkazmus unikol. Vo fuksiových šatách, ktoré sa zdali byť celé z volánikov, bola oslnivá. Posadila sa na posteľ a volániky sa zachveli ako pierka. Na hlave mala zodpovedajúci klobúčik s flitrami, zladený s vlasmi čerstvo nafarbenými načerveno.

„Zlatíčko, ty si neobliekaš šaty?"

Izzy sa pozrela na svoje čierne nohavice a elegantný čipkovaný top s trochou trblietok.

„Čo je zlé na mojom oblečení?"

„Si taká nádherná žena, mala by si trochu viac ukázať svoje prednosti."

„Moje prednosti?"

„Vieš, vyzerať trochu ženskejšie."

Izzy sa zadívala na matku, ktorá bola vždy krásne upravená a mala zmysel pre módu. Kde sa vzali tieto reči o ženskosti?

„Myslela som si, že je to celkom pekné," ukázala na svoje oblečenie. „Nezabudni, že budem tráviť veľa času v kuchyni."

„Áno, ale stále môžeš byť aj kráska plesu, miláčik. Si naozaj veľmi pekná, vieš?"

„Ďakujem," odvetila Izzy s kamennou tvárou.

„A mala by si sa trochu viac snažiť. Nemladneš."

„Mám teraz iné starosti. Vianoce a dom plný ľudí, ktorí očakávajú, že ich v nasledujúcich dňoch nakŕmim a napojím."

„No Carter-Jonesovci neprídu. Môžeš si odpočinúť."

Izzy zdvihla jedno obočie a zdržala sa zmienky o finančnej stránke veci. Už na to nemohla myslieť. Ross mal pravdu, hodlala si užiť Vianoce a robiť si s tým starosti až nasledujúci týždeň. „Zabudla si na maličkosť v podobe dvanástich ľudí, ktorým je počas nasledujúcich niekoľkých dní potrebné zaistiť raňajky, obed a večeru?"

Xanthe pokrčila plecami. „Zvládneš to. Vždy to zvládaš. Napadlo mi, že by sme si dnes pred večerou mohli dať v salóne pohárik. Presne o šiestej. Príď včas a obleč si šaty, miláčik." S týmito slovami odplávala.

Izzy zavrtela hlavou a skúmala sa v zrkadle. Možno by nezaškodilo vziať si pre zmenu šaty. Niežeby ich nemala celkom dosť. Šaty mala rada, ale v poslednom čase neboli práve najpraktickejšie.

* * *

Zlatko, si krásna! Pripravila som, alebo som skôr nechala pripraviť Grahama, ktorý so šejkrom dokáže divy, pornstar martini. Primäla som tých milých chlapcov z farmárskeho obchodu, aby doviezli nejakú mučenku. John bol veľmi sklamaný, že ťa nevidel, však, Alicie?"

„Iste," potvrdila Alicia tým prehnane iskrivým spôsobom, ktorý naznačoval, že hrá svoju rolu. Nebola to žiadna herečka. „Vyzeráš nádherne, Izzy. Však že, Ross?" štuchla Alicia do syna.

„Vyzerá veľmi *pekne*," odvetil Ross.

„Pekne. Toto nie je žiadny kompliment," zavrtela Alicia hlavou.

Izzy a Ross si potajomky vymenili úsmevy.

„Tu máte." Graham postavil pred Izzy široký pohár perlivej tekutiny, v ktorej plávala polovica mučenky.

„Ďakujem."

„Nie sú tieto poháre jednoducho fantastické?" pridržala Xanthe pohár proti svetlu.

„To sú. Vieš, že som premýšľala o vytvorení setu pohárov? Tieto sú super. Sú staré?"

„Áno. V príborníku je kopa pohárov z bohvieakého obdobia. Je úžasné, že som ich všetky objavila. Je to ako nachádzať každý deň poklad, aj keď ten pravý sme ešte nenašli. A to sme hľadali všade."

„Skutočný poklad?" Alicia sa takmer triasla od očividného vzrušenia.

„Áno!" vykríkla Xanthe. „Niekde na hrade je ukryté bohatstvo v zafíroch. Pátrali sme po nich všade, ale ešte sme na ne nenatrafili."

„Počul si to, Graham?" štuchla Alicia do manžela prstom a potom sa otočila späť ku Xanthe. „Má detektor kovov. Mohli by sme ti pomôcť hľadať."

„Detektor kovov je doma," odvetil.

„Áno, ale používaš ho. Vieš, ako hľadať veci."

„Samozrejme, že viem, drahá."

Jeho mierny hlas prinútil Izzy v duchu sa zasmiať, keď sa na seba s Rossom znova pozreli.

Nie, už nie. Izzy dúfala, že matka to hľadanie vzdala a konečne sa zmierila s tým, že zafíry sú dávno preč.

„To by bolo úžasné. Niekto s dobrým zrakom by si mohol všimnúť niečo, čo nám nepadlo do oka. Prehľadali sme dom zhora dole. Dokonca som pozvala odborníka, ale ten ich tiež nenašiel. Niekde tu však musia byť."

Alicia si založila ruky na hrudi. „Nebolo by úžasné, keby sme ich objavili? Graham, zajtra začneme hľadať. Medzitým by som sa rada pozrela na tie poháre. Môžeš mi ich ukázať?"

„Pravdaže." Obe ženy boli na polceste ku dverám, ale Xanthe sa otočila. „Graham, tiež by si mal ísť."

„Áno, to by si mal," súhlasila Alicia, vrátila sa a zavesila sa do neho. „Ross a Izzy si zatiaľ môžu robiť spoločnosť." Zdržanlivo zdvihla kútiky úst. „Nerobte nič, čo by sme neurobili aj my."

Obe sa s Xanthe zachichotali ako dvojica školáčok.

O chvíľu zostali Ross a Izzy sami a vyprskli do smiechu.

„Čo to bolo?" spýtala sa Izzy.

„Sú bláznivé ako Klobučník," zavrtel Ross zúfalo hlavou. „Som presvedčený, že otec to zvláda len vďaka tomu, že sa mama zašije do ateliéru a ponorí sa do umenia. Potom je pokoj, aj keď zasa zabúda na jedlo. Keď ju pobozká múza, pokojne tam ostane celú noc. Otec sa o seba postará sám a nosí jej sendviče. Im to funguje. Ja si nedokážem predstaviť nič horšie."

„Myslíš si, že tie dve majú niečo za lubom?" chcela vedieť Izzy.

„Tie dve budú mať vždy niečo za lubom. Sú ako dvojčatá. Pustím sa do nejakej práce, kým môžem."

„Ja tiež."

„Keby si potrebovala pomoc, tak zakrič."

„Žartuješ? Nie som si istá, či sa bude dať v kuchyni hýbať. Keď sú tu Jason a Fliss, môžem si vyložiť nohy. Obaja sú úžasní kuchári."

*   *   *

Izzy s trochou obradnosti položila lesknúci sa rozbif doprostred jedálenského stola, zatiaľ čo Fliss uložila misu zlatistých navrstvených zemiakov a misu zelených fazuliek posypaných opečenými plátkami mandlí. Všetci sa tisli okolo stola a sedeli na rozličných stoličkách.

Jason si doniesol vlastné, veľmi drahé nože a začal krájať plátky hovädzieho mäsa, ktoré bolo zvonku chrumkavé a skaramelizované, vnútri šťavnaté a uprostred zľahka ružové. Na každý tanier položil plátok a Fliss ho pred podávaním preliala hodvábne hladkou omáčkou s červeným vínom, ktorú pripravila.

Izzy sa usadila, počúvala veselé štebotanie a cinkanie príborov a riadu, ako si všetci nakladali, posielali si s úsmevom taniere okolo stola a pomáhali jeden druhému.

Xanthe zdvihla pohár na stopke naplnený austrálskym shirazom, ktorý odporučil Ross k jedlu.

„Na Izzy, tú najlepšiu hostiteľku!"

„Na Izzy!" ozvalo sa zborovo miestnosťou. Všetci sa pustili do jedla a tichá vrava ustala. Miestnosť zapĺňali len tiché vzdychy a uznanlivé pohmkávanie. Izzy sa v duchu usmiala – nebolo nič lepšie než hostiť ľudí. A o chvíľku neskôr, s ústami plnými hovädzieho a lahodnej výdatnej omáčky, si pomyslela, že nie je nič lepšie než jesť dobré jedlo. Rozhliadla sa a so zábleskom pýchy a uspokojenia si vychutnávala očividnú radosť a uznanie na tvárach všetkých stolovníkov. O tomto bol život. Konzumácia a delenie sa o jedlo, niečo, o čom jej mentorka Adrienne veľa hovorila, a teraz, keď bola *jej* kuchyňa plná pestrej zmesi ľudí, z ktorých väčšinu pred príchodom na hrad nikdy nestretla, to pochopila. Toto bolo to, čo chcela robiť. Starať sa o ľudí a o to, aby sa na hrade cítili vítaní, dopriať im odpočinok od ich skutočných životov. Čas na načerpanie síl a zregenerovanie sa.

„Tieto yorkshirské pudingy sú vynikajúce," pochválil ich Graham, nabral si ďalší a držal ho na vidličke ako cennú trofej.

„To je tvoj tretí?" spýtala sa Alicia, natiahla sa ponad Jeanette, ktorá sedela vedľa nej, a potľapkala ho po brušku.

„Sú predsa Vianoce," ohradil sa.

„Pokiaľ ide o teba a yorkshirské pudingy, Vianoce sú každý deň," zasmiala sa Alicia.

„Sú veľmi dobré, Izzy," pridala sa Xanthe, akoby ju to prekvapilo. „Raz z teba bude fantastická manželka. Máš rád yorkshirský puding, Ross?"

Izzy takmer vyprskla víno. Vážne jej mama niečo také povedala?

„Áno, mám ho celkom rád." Napil sa vína a jeho tvár náhle stratila akýkoľvek výraz.

„Počula si, Izzy? Ross má rád yorkshirský puding."

Izzy zagúľala očami. „Tiež má rád plnené koláčiky."

„Robíš skvelé plnené koláčiky, však, Jeanette?"

„Hm," hlesla Jeanette a vyzerala zmätene. „Je veľmi dobrá kuchárka."

„Mohla by si o mne prestať rozprávať, akoby si sa ma snažila predať tomu, kto ponúkne za mňa najviac?" precedila Izzy pomedzi zuby. „Ešteže nie sme na Blízkom východe. Zaujímalo by ma, koľko tiav by si za mňa bola ochotná prijať."

„Tiav? O čom to hovoríš, Izzy? Alicia dostala rozkošný nápad. Chystá sa vyrobiť poháre inšpirované tými našimi a nazvať ich kolekcia Kinlochleven. Nie je to fantastický nápad? Môžeme spolu urobiť kopu fotiek na Instagram. Videli ste už Aliciinu stránku? Je úžasná."

„Nemôžem sa dočkať, až sa do toho pustím," zajasala Alicia a už sa s Xanthe bavili o plánoch a nápadoch. Boli veľmi kreatívne a skutočne sa navzájom dopĺňali.

Jeanette si nabrala plnú vidličku francúzskych zemiakov a zavzdychala, keď nasala vôňu cesnaku a masla. „Tie sú také dobré, Izzy. Myslíš si, že by si ma mohla naučiť, ako správne upiecť rozbif? Som v kuchyni taká neschopná. Rada by som sa to naučila poriadne. A nie preto," vrhla prísny pohľad na Jima, „aby som potešila manžela, ale pre vlastné uspokojenie."

Izzy sa páčil jej prístup, na hony vzdialený od staromódnych poznámok Xanthe, ktoré sa jej, úprimne povedané, nepodobali. Premerala si prižmúrenými očami matku a potom sa obrátila k Jeanette.

„Samozrejme, naučím ťa to. Upiecť mäso je ľahké, ide len o načasovanie. Ty iba všetko strčíš do rúry."

Jason vyprskol. „Ešteže ťa nepočuje Adrienne. A čo *slow food*? Dobré ingrediencie?"

„Všetky suroviny tu sú dobré," uistila ho Izzy. „Dala som si záležať, aby som hlavné suroviny kúpila v miestnom farmárskom obchode."

„Musím povedať, že to hovädzie je vynikajúce," ocenila Fliss. „A upiekla si ho dokonale. Pekne ružové uprostred a také krehké."

* * *

„Nemohla by byť tvoja matka ešte trochu nápadnejšia?" spýtal sa Ross pri dreze, keď naberal omáčku a ona vykladala z príborníka dezertné tanieriky.

„Moja matka?" Potichu sa zasmiala, otočila sa a pozrela sa na stôl plný ľudí zabraných do rozhovoru. „Myslím si, že ona a tvoja matka sú v tom až po uši, nezdá sa ti?"

„Bohužiaľ, áno," zamračil sa. „Vyvoláva to vo mne všetky tie hrozné spomienky na dospievanie. Bola to tá najtrápnejšia matka na celej škole. Vždy dokázala predviesť divadlo. Poznamenalo ma to na celý život." Napriek suchému tónu mala Izzy pocit, že v jeho slovách o dospievaní je semienko pravdy. Xanthe bola kedysi rovnako trápna, ale Izzy to niesla statočne a so cťou. Všetky jej kamarátky Xanthe zbožňovali a považovali ju za najúžasnejšiu mamu v meste.

„V tom veku som jej nevravel nič o dievčatách, a urobil som správne. Raz to však skutočne rozbalila. Chodil som s jedným dievčaťom zo školy, ktoré sa mi veľmi páčilo. Bohužiaľ, mama si zobrala do hlavy, že sa dokonale hodím k dcére jednej z jej kamarátok a donútila ma sa s tým druhým dievčaťom stretnúť. Stále ho pozývala na večeru a než som sa nazdal, kvôli mame sa po celom okolí rozkríklo, že je to moje dievča. Dievča číslo jeden sa veľmi naštvalo a obvinilo ma, že som ho podvádzal, a dievča číslo dva uverilo maminej propagande a myslelo si, že s ním mám vážne úmysly, takže nebralo nie ako odpoveď. Nakoniec sa spojili, obe mi dali kopačky a postarali sa, aby všetci vedeli, aký som neverný hajzel. Bol som najmenej obľúbený chalan v škole. Odvtedy som jej už nikdy nič nepovedal ani som jej nedovolil, aby sa mi ešte niekedy plietla do milostného života. Dnes mám pocit, že história sa opakuje."

Na rozdiel od Rossa sa v tom rozhodla hľadať tú zábavnú stránku. „Je to ako v jednej z tých historických romancí, kde sú ovdovené vojvodkyne, matky najlepších kamarátov, rozhodnuté dohodnúť svojim potomkom svadbu."

„O dôvod viac, prečo im o nás nehovoriť. V žiadnom prípade nedovolím svojej matke, aby mi vyberala budúcu manželku, a už vôbec nie, aby rozhodovala o akomkoľvek inom vzťahu. Teraz už iste chápeš, prečo jej nevravím o svojich knihách. Desím sa myšlienky, čo by s tou informáciou urobila. Pravdepodobne by vytvorila sklenené interpretácie obálok. Všade potoky krvi." Zachvel sa.

Povznes sa nad to, Izzy, mala na jazyku, ale videla na jeho tvári podráždenie, takže sa rozhodla radšej mlčať. Otočila sa a sledovala, ako otrávene kráča späť na svoje miesto, trochu smutná z toho, že mal pocit, že sa o svoj úspech nemôže podeliť s matkou a že mu pripadá taká ťažko znesiteľná. Xanthe mala svoje chyby, ale Izzy nikdy nepochybovala, že za ňou mama stopercentne stojí. Už dlho boli samy dve proti celému svetu.

Dezert hostia privítali s patričným uznaním a Izzy sa usmievala. Dobre vedela, že Pavlova torta, ktorú našľahala, je vlastne veľmi ľahká na prípravu, ale to nebude nikomu hovoriť. Použiť mučenku bol geniálny ťah. Vďaka, Jason.

„Jedlo bolo skvelé, Izzy. Ďakujem. Iste ste výborná kuchárka!"
Alicia si potľapkala jemne zaguľatené bruško. „Budete..."

Ak povie, že z nej bude výborná manželka, Izzy ju capne najbližšou panvičkou po hlave.

„... skvelá manažérka hradu, tým som si istá." Alicia si to zjavne rozmyslela, aj keď pohľadom zamyslene spočinula na synovi. Ten sa na ňu pozrel varovne, akoby čakal na ďalší komentár.

„Ross je ako jeho otec, zabúda jesť, keď sa do niečoho zaberie."

„Myslím si, že Izzy nikdy nezabudla jesť, čo je dobre, pretože ja som v kuchyni na nič, však, miláčik? Na prípravu vianočného obeda sa podujala rok po tom, čo sme mali fazuľu s hriankami. Verila by si, že som zabudla vytiahnuť moriaka z mrazničky?" Xanthe vyprskla do smiechu a odľahčila to, čo bola pôvodne katastrofa.

„Jeden rok som zabudla zapnúť rúru," vyhlásila Alicia so širokým úsmevom. „Strčila som toho vtáka dovnútra a všetci sme išli na prechádzku. Keď sme sa vrátili, čakali sme, že sa z kuchyne bude vinúť krásna vôňa. Nič. *Nada.* Spomínaš si, Ross? Bol si taký naštvaný. Pamätaj si, Izzy, že keď je hladný, tak sa nepozná."

Ross zaťal čeľusť a potom sa s výrazným cvaknutím zubov zahryzol do jednej z mätových čokoládok podávaných k večeri.

„Na Štedrý deň sme vždy chodievali do Toby Carvery. Moja mama vôbec nevie variť," vyhŕkla na Izzinu úľavu Jeanette. Nebola si však istá, či si to napätie uvedomuje, alebo nie.

„My tiež," pridal sa Jason. „Ja, mama a moje sestry."

„Chcem vôbec vedieť, čo je to Toby Carvery?" spýtala sa Fliss a šibalský úsmev jej slovám obrúsil hrany.

„Chceš mi povedať, že si nikdy nezažila *roastmas* v Toby Carvery?" začudoval sa Jason, div nevyprskol ležiak. „Fíha! Na to, že si nóbl dievča, asi nechodíš často von."

„Chodím von často, ďakujem za opýtanie," štuchla ho s úsmevom do rebier.

„Nič si nezažila. Keď sa vrátime, hneď ťa tam zoberiem. Pozor, budeš musieť trochu trénovať. Chce to cvik, však že, Jeanette?"

„Chce," potvrdila. „Jim je skvelý, zvládne si dať na tanier viac než ktokoľvek iný, koho poznám."

„Vôbec netuším, o čom tu hovoríte," zavrtela Fliss nechápavo hlavou.

„Je to bufetová večera s pečeným mäsom. Zješ, koľko vládzeš," vysvetlil Jason. „Musíš si to poriadne užiť. Dám na kopu pečené mäso, na to zeleninu, navrch ešte mäso, prelejem to omáčkou a na to vyrovnám yorkshirské pudingy. Tie sa musia pridržať bradou."

„Na to ani nepomysli, Graham. Nezabúdaj na cholesterol," zapojila sa do rozhovoru Alicia.

„Nie, drahá," dušoval sa a v modrých očiach mu tancovali šibalské iskričky.

„Chce niekto syr?" spýtala sa Izzy a chystala sa postaviť.

„Ostaň sedieť," zastavila ju Jeanette. „Dokonca aj ja dokážem doniesť na stôl syr a sušienky. Jim mi potom pomôže vložiť riad do umývačky."

„Dovoľ, aby som ti pomohla," vyhlásila rozhodne Hattie. „Poukladám riad do umývačky, zatiaľ čo ty sa postaráš o syr."

„Ak si dáme syr, musíme si vypiť portské. Kúpila si nejaké, Izzy?" spýtala sa Xanthe.

Našťastie kúpila a bolo v pivnici, keďže ho plánovala až na Štedrý deň, ale keď Carter-Jonesovci neprídu, už na tom toľko nezáležalo.

„Zájdem poň dole."

„Pivnice bývajú strašidelné," podotkla Alicia. „Ross, mal by si ísť s Izzy a ochrániť ju pred duchmi."

„Čo keby sme pozvali nejakých lovcov duchov?" navrhla Xanthe. „Stavím sa, že tu zomrelo veľa ľudí. Zvlášť v pivnici. Kedysi sa tam pravdepodobne nachádzali kobky. Mohli by sme organizovať strašidelné prehliadky, to by sem prilákalo ľudí. Každý má rád dobré duchárske historky."

„Ja nie," odvetila Izzy a hneď sa otriasla, pretože sa jej teraz do pivnice veľmi nechcelo.

„Ja pôjdem," zdvihol sa Ross.

„Nie je také ľahké nájsť regál s vínom, je to tam trochu bludisko. Pôjdem tam ja."

„Tak to budem musieť ísť s tebou," pripustil rezignovane a uprel pohľad na matku, akoby chcel povedať, že to robí skôr z povinnosti než na jej podnet.

* * *

Pivnicu slabo osvetľovala prastará žiarovka, ktorá vrhala viac tieňov než svetla, a Izzy mrzelo, že si z jedálne nepriniesla silnú baterku. Ross ju tesne nasledoval, ale odkedy vyšli z kuchyne, neprehovoril ani slovo.

„Si v poriadku?" spýtala sa a kľučkovala pivnicou s klenutými stropmi a skláňala sa pod oblúky medzi jednotlivými malými miestnosťami. Duncan jej prvé dva týždne pobytu na hrade pomáhal sa tu dole orientovať. Cesta k regálu s vínom sa hľadala ľahko: vľavo, vľavo, vpravo, vpravo.

„Je mi fajn," vyhlásil tým svojím chladným, pokojným tónom, ktorý neprezrádzal vôbec nič.

Mala pocit, že mu vôbec nie je fajn, ten chaos spôsobený spojením jeho matky a Xanthe na neho zjavne doliehal. Rozhodol sa utiecť pred matkinou autoritatívnou osobnosťou, zatiaľ čo ona sa naučila žiť s hlasitým a dramatickým životným štýlom tej svojej.

Došli k regálu s vínom a Ross zahvízdal.

„Nespomenula si mi, že tu dole máte toto všetko."

„Úprimne povedané, bojím sa, že to víno je také staré, že bude chutiť ako ocot. Na tieto zásoby sa nespoliehaj."

Ross sa natiahol dopredu, vybral zaprášenú fľašu a v slabom svetle zažmúril na etiketu.

„Francúzske Bordeaux, 1959."

„To je dobrý ročník?"

„Nemám tušenia. No stojí za to zistiť to. Nikdy nevieš, môže to byť cenné."

„Musela by som niekomu zaplatiť, aby sa naň prišiel pozrieť."

„Mohla by si každú fľašu odfotiť a trochu popátrať na internete."

„To nie je zlý nápad." Z nejakého dôvodu si všimla tú druhú osobu. V posledných týždňoch často používal *my*.

„Dobre, tak kde je to portské?"

„Tam hore vpravo. Dve fľaše. Mohli by sme ich vziať obe."

Vrátili sa k schodom, ale keď v polotme vyšli po nich ku dverám, boli zatvorené. Izzy chytila kľučku, aby ich otvorila. Domnievala sa, že sa zabuchli, ale na jej prekvapenie pevne držali.

Skúsila to znovu, tentoraz do nich strčila plecom, ale dvere sa ani nepohli.

„Dočerta, zasekli sa."

„Ukáž, skúsim to."

Ross položil portské na poličku na stene vedľa nich, postavil sa pred ňu, chytil kľučku a zatiahol. Niekoľko sekúnd s dvermi rachotil, potom vytiahol z vrecka telefón a posvietil baterkou na rám dverí. „Doriti!" zvolal. „Nie sú zaseknuté, sú zamknuté."

„To nie je možné. Kto by nás tu zamykal? Všetci vedia, že sme tu dole."

Pátravo sa na ňu zadívala. „Čo myslíš, kto asi?"

„Čože? Niekto to urobil naschvál?" spýtala sa Izzy neveriacky.

„Nie som detektív, ale mám silný pocit, že tie dve dohadzovačky, ktoré sa spolu chichotali, chceli, aby sme spolu strávili trochu času. Toto je presne to, čo by urobili."

„Čo spravíme?"

„Zavoláme im." Ťukol na displej mobilu. „Dočerta, nemôžem chytiť signál. A ty?"

Mala na telefóne jednu čiarku, čo však nestačilo na to, aby sa spojila s mamou. „Tiež nemám signál. Čo teraz?"

„Predpokladám, že budeme musieť počkať, kým sa rozhodnú pustiť nás von."

Izzy znova zabúchala na dvere a zajačala: „Haló? Je tam niekto? Xanthe!" Čakala a počúvala. Nič. Žiadne chichotanie sa alebo kroky. Opäť zabúchala a zavolala ešte hlasnejšie.

„Márniš čas," upozornil ju Ross a vydal sa dole schodmi.

„Kam ideš?"

„Po fľašu vína."

„Čože? Teraz?"

„Áno. Myslím si, že nás pustia von v tom ich ‚pravom čase'. Dúfajme, že prídu k rozumu skôr než zajtra ráno, pretože skutočne tu nemienim stráviť celú noc. Zatiaľ si dám pohárik a aspoň si odpočinieme od ich komentárov."

„Nemám žiadne poháre."

Pozrel sa na ňu. „Priamo z fľaše bude chutiť rovnako."

„Bože, čo sú zač?"

Zbehla po schodoch za ním. Možno práve dnes konečne uškrtí

svoju matku. Toto bol úplne jasne jeden z jej za vlasy pritiahnutých nápadov.

Ross na ňu čakal a prešiel pivničnými miestnosťami späť k regálu s vínom, kde pomocou baterky na telefóne vybral fľašu so skrutkovacím uzáverom. Potom napochodoval späť doprostred miestnosti, ktorá mala v jednom rohu niekoľko starých kožených kresiel. Nasledovala ho a posadila sa do kresla vedľa neho. Odpil si z fľaše, ale neponúkol jej, či chce tiež. A ona si takmer nevypýtala. Jeho kamenná tvár nepôsobila práve vľúdne.

„Rozdelíš sa?"

S úškrnom k nej natiahol ruku s fľašou, no rozhodla sa, že nechce.

„Máš pravdu. Dúfajme, že nás skoro pustia von. Aspoň si máme kam sadnúť a čo piť," usmiala sa na neho povzbudivo. „Mohlo to byť oveľa horšie."

Pozrel sa na ňu. „Vážne?"

„Áno," potvrdila Izzy. „Vieme, že to nie je nastálo, nakoniec prídu. Neumrieme na podchladenie alebo také niečo. Rúrky s teplou vodou vedú pod stropom, takže toto je v pohode," snažila sa byť praktická a pozitívna. Nemrzlo tu, ale ani tu nebolo teplo. Načiahla sa k nemu a pohladila ho po ruke. „Vždy sa môžeme zahrievať navzájom."

Uhol sa. Bože, bol naštvaný viac, než si uvedomovala. Ich situácia bola nepríjemná, ale dočasná.

„Budeme v poriadku."

Díval sa na ňu pochybovačne, chvíľu nič nevravel a potom zavrtel hlavou. „Prepáč, Izzy. Toto nie je v poriadku. Pripadá mi to, akoby s nami niekto manipuloval, akoby nám viedol ruku. Veď vieš, robia z toho niečo viac, ešte než to vieme my sami. Zatiaľ sa tak dobre nepoznáme a už sa bavia o svadbe. Videla si, aké sú."

„Viem, že to nie je v poriadku, ale čoskoro sa odtiaľto dostaneme a potom si s nimi vážne pohovoríme."

Zdvihol jedno obočie. „Vážne pohovoríme. S tvojou a mojou matkou?" Rýchlo do seba obrátil fľašu s vínom. „Asi by sme to mali odpískať, než to zájde príliš ďaleko. Kým to ešte ide a kým môžeme zostať priatelia. Skôr než sa nechajú uniesť, začnú plánovať svadbu a uveria vlastnej fantázii. Som veľký chlapec, niežeby som si nedokázal dupnúť a povedať nie, ale nie som pripravený znášať tú drámu, ich miešanie sa do toho a pocit, že všetko vedia najlepšie. Momentálne si myslím, že by sme mali byť len priatelia. Možno to môžeme skúsiť neskôr..."

„Priatelia," prikývla Izzy a mala ten známy pocit, akoby jej niekto vytiahol koberec spod nôh. Priatelia. Kde toto už počula? Prehltla a zamrzelo ju, že si nezobrala vlastnú fľašu. Touto cestou už raz išla a premárnila príliš veľa času dúfaním, že by to mohlo byť aj inak. Keď nič nehovorila, Ross pokračoval.

Jedným prstom hladila látku šiat napnutú cez koleno. Nedôverovala svojim hlasivkám, ktoré sa stiahli ako brečtanové úponky okolo stromu.

Pokrčila plecami. „Ak je toto to, čo naozaj chceš..." povedala mdlo.

„Myslím si, že vzhľadom na situáciu to tak bude najlepšie."

Prikývla. Zaplavilo ju sklamanie, nasledované rýchlym návalom hnevu. Jedinou jeho záchranou bolo, že aspoň prišiel s vetou o „priateľoch" po niekoľkých mesiacoch namiesto toho, aby ju tri roky vodil za nos.

„Chápem to," poznamenala strnule a postavila sa.

„Chápeš..." uľavilo sa mu.

„Áno. Si zbabelec."

„Prosím?"

Ironicky sa usmiala. „Nevyhováraj sa na naše matky. Ty o vzťah so mnou jednoducho nestojíš. Beriem to, ale ich z toho neobviňuj."

„Neobviňujem ich."

„Nie, neobviňuješ, ale používaš ich ako ospravedlnenie pre svoje rozhodnutie. Mal by si si to priznať. Bojíš sa mať so mnou vzťah."

„To je nezmysel. Samozrejme, že sa nebojím."

„Ale bojíš. Sám si to povedal. Vtedy, keď sme sa prvý raz pobozkali, si spomenul, že ťa to vydesilo."

Zovrel pery. „To neznamená, že sa bojím."

„Ale áno, znamená. Bojíš sa nadbytku emócií. Vravel si to aj predtým."

„Nebojím sa emócií. Ako som už povedal, videl som ich príliš veľa u svojej matky bez toho, aby to niečo znamenalo. Len samý hluk a hnev, žiadna podstata. Na tieto pocity sa nedá spoľahnúť, menia sa. Ja nerobím drámu."

„Nebudem sa s tebou dohadovať," vyhlásila Izzy. Kedysi sa ponížila pred Philipom. Ak Ross chcel byť kamarát, bolo to jeho rozhodnutie. Keď vycúval, ona to akceptovala. Tentoraz sa už neponíži.

Odišla a vzdialila sa od neho so vztýčenou hlavou. Keď vyšla po schodoch, na jej úľavu sa dvere záhadne otvorili. Aké prekvapenie.

Kuchyňu našla prázdnu, ale upratanú. Zastavila sa na chodbe a začula matkin zvonivý smiech prichádzajúci z obývačky. Pevne stisla pery a príliš rozladená na to, aby dnes večer znovu čelila Xanthe, prešla po chodbe, vbehla do svojej spálne, zavrela dvere a zamkla ich.

25. kapitola

Odmietla sa dať Rossom nahnevať. S priateľstvom bola *v pohode*.

Svižným úderom šikovne rozbila vajíčko o hranu misky, zlatistý žĺtok nabrala a vložila do druhej misy a bielok do tretej.

Môžu byť *priatelia*.

Ďalší ostrý úder. Bola za kamarátku neuveriteľné tri roky. Druhý žĺtok sa pripojil k prvému.

Ďalší úder. Bola neuveriteľne dobrá *kamarátka*.

Taká skvelá, že ani nebude vedieť, čo ho trafilo. Ukáže mu, došľaka, poriadne *priateľstvo*.

Rozbila štvrté vajce. Dohája! Úplne ho rozmlátila, oranžový žĺtok sa rozlial do bielka, takže sa nedal použiť na sneh, ktorý pripravovala.

Pozerala sa na ten neporiadok. Bola taká hlúpa. Ross už urobil krok vpred a zasa dozadu, stiahol sa. Naozaj sa nič nenaučila? Mala sa riadiť inštinktom a držať si od neho odstup. To hlúpe iskrenie sexuálnej príťažlivosti ju zviedlo z cesty. Sex bol zodpovedný za veľa vecí.

„To vajce ťa nejako naštvalo?"

Izzy sa otočila a zistila, že vo dverách stojí Hattie. Keď si uvedomila, že hľadí na obsah misky ako pomätená, trochu sa zasmiala.

„Nie, vzala som to trochu zhurta. Hnevala som sa na seba. Ako sa máš? Vyspala si sa dobre?"

„Áno, vyspala som sa najlepšie od…" Hlas sa jej zadrhol, než ticho povedala: „Je to už celú večnosť." Pozrela sa z okna. „Ťažko uveriť, že včera zúrila snehová búrka. Dnes to vonku vyzerá nádherne."

Izzy sledovala jej pohľad na modrú oblohu a žiarivé slnečné lúče, ktoré sa odrážali od čistej bielej farby pokrývajúcej obrysy krajiny. Nový deň. Úplne iný než včera. V duchu sa ironicky usmiala. Deň pre nový začiatok.

„Dáš si na raňajky praženicu?" spýtala sa jej.

Hattie sa zasmiala. „Prečo nie? Vyzeráš, že máš veľa práce, tak čo keby som ju pripravila ja?"

„Si si istá? Nepoviem nie, chcem dokončiť toto." Ukázala jej, kde nájde riad, a bola vďačná, že môže pokračovať.

„Čo to chystáš?"

„Robím na zajtrajšok vianočnú bezé roládu, ktorú ozdobím ostružinami, čučoriedkami, malinami a semiačkami granátového jablka. Bude to pre všetkých, ktorí nemajú radi vianočný puding a maslo s brandy."

Hattie s úprimným nadšením zastonala: „Hmm, znie to výborne." Potom sa s úsmevom opýtala: „Smiem si dať trochu z oboch?"

Izzy sa zasmiala. „Je Štedrý deň, môžeš si dať, čo chceš." Skúmavo si prezerala jej až príliš štíhlu postavu. „Môžeš si tie kalórie dovoliť."

„Áno. Povedzme, že trápenie je tá najlepšia diéta na svete," usmiala sa smutne Hattie. „Ale neľutuj ma. Som v pohode. Nechcem sa o tom baviť."

„To je fér," uznala Izzy. „Chápem to." Úplne to chápala. Posledné, čo si teraz želala, bolo hovoriť s niekým o Rossovi. Vlastne nechcela hovoriť ani s ním.

Zatiaľ čo Hattie pripravovala raňajky, schmatla Izzy fľašu whisky a naliala veľkorysý dúšok na zmrznuté maliny na panvici, zatiaľ čo na druhej panvici ohrievala med.

Hattie zo svojej strany sporáka nakukovala. „Vyzerá to zaujímavo, čo to robíš?"

„Zo zvyšných žĺtkov som pripravovala zmrzlinu *cranachan*. Maliny povarím v panáku whisky."

„V panáku?" usmiala sa Hattie. „Skôr v niekoľkých panákoch. A čo je to *cranachan*? Nezabudni, že som *sassenach*."

„No jasné," poznamenala Izzy s výrazným prízvukom a zasmiala sa. „*Cranachan* je tradičný škótsky dezert z vločiek, malín, medu a zo smotany, takže toto je jeho variácia. Ušĺahala som žĺtky, pomaly do nich vmiešam med a zmiešam to so šľahačkou a s trochou whisky a v rúre opražím ovsené vločky. Budem vrstviť vaječnú zmes so smotanou a s malinami, pričom začnem vrstvou opražených ovsených vločiek. A potom to celé vložím do mrazničky vo forme na biskupský chlebíček. Je to príjemný ľahký dezert a napadlo mi, že by sme si ho mohli dať na Prvý sviatok vianočný po pikantnom morčacom karí."

„Máš to všetko naplánované."

„Naplánované až na entú úroveň." A pretože mala všetko jedlo pripravené, nemalo zmysel sa od toho odchyľovať. Izzy sa zaškerila. „S malou pomocou mojich priateľov. Fliss a Jason mi už týždne posielajú nápady na recepty. Som im veľmi vďačná, že mi prišli pomôcť. Aj keď sa tu tvoji príbuzní neukážu, bude to dobrý tréning na to, keď otvoríme."

Hattie posmutnela. „Je mi to tak ľúto. Úprimne povedané, sú to milí ľudia. Viem, že teta Jessie sa sem veľmi tešila, ale asi ju vydesil ten sneh. Býva trochu úzkostlivá. No vôbec sa na ňu nepodobá nechať…"

„Pozrite sa, čo sme našli na povale!" Do kuchyne vtrhli Xanthe a Alicia, každá v safari klobúku. A i keď Izzy ani k jednej z nich necítila zvláštnu vľúdnosť, nemohla sa pri pohľade na ne ubrániť smiechu.

„Nie sú skvelé?" vyhŕkla Xanthe a kývala hlavou zo strany na stranu. „Matne si spomínam, ako sa Bill zmienil, že jeden z jeho predkov bol priateľom doktora Livingstona. Predstav si napríklad, že jeden z nich mohol nosiť."

„Kto? Bill?" spýtala sa Izzy.

„Nie, doktor Livingstone." Xanthe netrpezlivo zavrtela hlavou, div jej nespadol klobúk.

Izzy civela na tie dve v rovnakých praktických kaki kombinézach, obe nádherne nalíčené. Keď opomenieme maskaru a rúž, vyzerali, akoby sa chystali na expedíciu k Amazonke.

Izzy zagúľala očami. „Čo máte za lubom?" Skutočne to chcela vedieť?

„Ideme na lov zafírov. Budeme postupovať zhora dole," oznámila Xanthe. „Mysleli sme si, že sa na to náležite oblečieme."

„No iste," zamumlala Izzy.

„Najprv však potrebujeme kávu." Xanthe sa presunula ku kávovaru a vložila doň kapsulu. Ani si nevšimla, že sa Hattie práve chystala uvariť si kávu. „Bude to dlhý deň, ale budeme postupovať systematicky a prehľadáme všetky miestnosti. Jednu po druhej."

„Áno," potvrdila Alicia.

Izzy považovala za príznačné, že sa ani jedna nezmienila o predchádzajúcom večeri, a to jasne dokazovalo, že v tých hlúpostiach so zamknutými dverami mali prsty.

„Aká bola včerajšia noc?" spýtala sa Xanthe so šibalským úsmevom. „Zmizla si skoro v noci, však?"

Izzy prižmúrila oči, nechcela dať nič najavo. „Nič moc. Chceš raňajky? Mám tu trochu peknej údenej slaniny z farmárskeho obchodu."

„Ach, Graham by si slaninu s vajcami vychutnal," ozvala sa Alicia. „Dám mu vedieť."

„Čo keby som ich pripravila ja?" navrhla Hattie, ktorá vyzerala trochu pobavená Aliciou a Xanthe.

Alicia už zmizla, pravdepodobne preto, aby to oznámila manželovi, a Xanthe ju ako poslušné šteňa nasledovala.

„Si si istá?" Izzy si utrela ruky do utierky a prešla k chladničke, aby vybrala údenú slaninu, ktorú kúpila vo farmárskom obchode.

„Samozrejme, určite máš veľa práce. Dáš si tiež?"

„Nie, vďaka." Zdalo sa, že jej chuť do jedla sa scvrkla a odumrela. Jediné, čo dnes ráno zvládla, bola silná čierna káva.

Ani vôňa smažiacej sa slaniny ju neprinútila zmeniť názor, hoci prilákala Jima a Jeanette. Potom sa objavili Duncan a Graham spolu s Fliss a kuchyňa bola znova plná ľudí. Izzy si s náhlym hrejivým pocitom v hrudi pomyslela, že takto to má rada. Všetci tí ľudia pre ňu v takom krátkom čase veľa znamenali. Tak to dopadne, keď sa všetci spoja v snahe dosiahnuť spoločný cieľ. Toľko toho dokázali a hrad bol pripravený na prevádzku.

Toto posledné sklamanie ju utvrdilo v názore, že nie je ten typ ženy, ktorú by muži niekedy brali vážne, ale tentoraz mala niečo, na čo sa mohla zamerať.

* * *

Do dvoch hodín bol moriak naplnený, zemiaky ošúpané a uvarené. Jason si vzal na starosť vianočný puding, ktorý sa teraz varil v pare požadovaných osem hodín. Kuchyňou sa šírila lahodná zmes sušeného ovocia, cukru a muškátového orieška.

„Vyskúšaj toto, Izzy," ponúkol jej maslo s brandy, ktoré pripravil.

„Páni, vynikajúce."

„Tajné ingrediencie. Pomarančová kôra a zázvor."

„Zaujímavé, môžem ochutnať?" spýtala sa Fliss a bez toho, aby počkala na jeho odpoveď, zalovila v miske lyžičkou. „Hmm, je to veľmi dobré. To si musím zapamätať." Vytiahla z vrecka zástery zápisník a rýchlo si urobila poznámku.

„Nezabudni, že za toto chcem priznať zásluhy," upozornil ju Jason.

„Áno, iste. Ty chceš vždy zásluhy. Dovolíš, musím to dať variť." Fliss robila maličké bagely – cesto stočila do malých šišiek pripravených na smaženie. A hoci neboli vyložene škótske, zhodli sa, že sa budú dokonale hodiť k miestnemu údenému lososovi a syru *crowdie*, ktorý Izzy plánovala podávať k raňajkám.

Zatiaľ čo tí traja varili, preplietali sa medzi sebou sem a tam, vymieňali si rady a Jason s Fliss aj svoje obvyklé urážky a vtipy. Tí dvaja boli na pohľad nečakaní priatelia, keďže Fliss hovorila s vybrúseným anglickým prízvukom, zatiaľ čo Jason bol čistokrvný Londýnčan z East Endu, ale keď boli v Írsku na kurze, spojila ich láska k jedlu a vareniu.

„Je od vás oboch také pekné, že ste sa vzdali Vianoc a prišli sem," poznamenala Izzy. „Ani neviem, ako vám dosť poďakovať."

„To nič, Iz," upokojil ju Jason. „Moja mama a mladšie sestry sú u mojej staršej sestry a hrajú sa na babičku a tety s mojou novou neterou." Otriasol sa. „Na môj vkus je tam až príliš estrogénu."

„Jason, také veci sa nehovoria," namietla Fliss.

„Práve som to urobil. Okrem toho, prečo si tu ty?"

Fliss sa na neho zaškerila. „Nemala som náladu na trojitú dávku testosterónu na rodinnom lyžiarskom výlete. Lyžovanie nie je žiadna zábava, keď sa berie tak veľmi súťaživo. Moji traja bratia by sa stále len rútili po čiernych zjazdovkách, pili pivo a bili sa do pŕs.

A ten ďalší je niekde pri Amazonke a skúma dažďový prales. Toto nie je zábava podľa mojich predstáv."

„A varenie na domácej oslave azda áno?" doberala si ju Izzy.

„Na hrade? V Škótsku? Bez príbuzných? To teda, dočerta, áno!" zvolal Jason. „Okrem toho som ešte ani nenakúpil darčeky."

„Jason!" vykríkla Fliss rozhorčene. „Ty si fakt nanič."

„Čože? Ja predsa neviem, čo sa páči dievčatám. Čo si kúpila svojim bratom?"

Fliss sa zaškerila. „Pivo a futbalové tričká. Pohodička."

Izzy sa v duchu usmiala. Vo svojej zásobe náplní do pančúch mala pre Jasona aj Fliss presne tie pravé darčeky. Užije si to, až sa bude pozerať, ako si všetci rozbaľujú pančuchy.

Dovnútra napochodoval Duncan. „Nejaká polievka, dievča? Tie nepodarené ženské budú moja smrť."

„Niečo ti donesiem, Duncan." Fliss si utrela ruky do zástery. „Ráno som trochu uvarila. Francúzsku cibuľačku." Fliss si starého muža hneď obľúbila a počas niekoľkých minút sa okolo neho motala. Nachystala mu misku horúcej polievky a niekoľko čerstvo upečených rožkov s makom.

„Ako pokračuje hľadanie pokladu?" spýtala sa Izzy, zatiaľ čo pod Jasonovým dohľadom skúsene vaľkala cesto. Pripravovala Wellington zo zveriny na nasledujúci deň a on urobil hubovú paštétu. Počkala, kým vychladne, a potom ju natrela na cesto, pridala plátky prosciutta a obtočila ich okolo zverinovej pečene, ktorú Jason práve zatiahol na veľkej panvici.

„Ale!" Duncan si strčil do úst lyžicu polievky. „Búchajú a klepú vo všetkých miestnostiach. Aj tak nič nenájdu. Myslím si, že Bill ich už dávno strelil. Vždy hovorieval, že vie, kde sú zafíry. Keby ich ešte mal, nechal by ti ich na údržbu tohto miesta. Nebol to žiadny hlupák."

„Aspoň ich to drží ďalej a nerobia problémy," skonštatovala Izzy.

„Tie dve problémy vynašli," usúdil Duncan. „Mimochodom, kde je dnes Ross? Nevidel som ho."

Izzy zaškrípala zubami a sústredila sa na cesto.

„Je to fešák," vyhlásila Fliss. „Je zadaný?"

Duncan sa na ňu zahľadel. „Mám dojem, že sa zaujíma tuto o našu Izzy."

Zdvihla ruky. „Dobre, dávam spiatočku!"

„Nezaujíma," odsekla Izzy.

Duncan si ju znepokojivo prezeral.

„Zdalo sa, že Xanthe a Alicia by vás dvoch celkom rady dali dokopy," podotkla Fliss.

„Xanthe a Alicia žijú v ríši fantázie," zašomrala Izzy. „Ross a ja sme len priatelia."

„Áno, iste," prikývla Fliss. „Len priatelia – starý známy scenár."

„To nie je žiadny scenár. Tak to jednoducho je." Izzy vystrčila bradu, len nech niekto skúsi ešte niečo povedať. Našťastie sa v tej chvíli znova objavili Alicia a Xanthe.

Xanthe unavene klesla na stoličku pri stole. „Som v koncoch. Hľadali sme všade."

„Všade nie." V bledomodrých Aliciiných očiach sa bojovne zablyslo. „Nehľadali sme tu ani v pivniciach."

„Dávala by som si pozor, aby ste neskončili zatvorené v pivnici," utrúsila Izzy trochu jedovato. „Tie dvere sú dosť ošemetné." Významne sa zadívala na mamu. „Bola by som nerada, keby si tam uviazla a zmeškala Štedrý večer."

Obe ženy sa na seba znepokojene pozreli.

„Videli ste dnes Rossa?" spýtala sa Alicia s omračujúcim nedostatkom pokory.

Izzy tú otázku ignorovala.

„Nie-e," zavrtel hlavou Duncan. „Ten chlapec musí makať, aj keď som mal pocit, že si chce cez sviatky odpočinúť."

„Chudák chalan. Pracuje tak tvrdo. Takmer ho nevídam." Tvár jej posmutnela a zadívala sa z okna. „Myslím si, že ho vytiahnem na čerstvý vzduch, aby sa prešiel so svojou starou matkou."

„To je dobrý nápad," súhlasila Xanthe. „Izzy, si trochu bledá. Bola si dnes vonku?"

„Nie, nebola!" vyštekla Izzy a zazrela na matku. „A zabudni na to. Ross a ja nemáme o seba záujem, jasné?"

Jej mama sa urazene napriamila a zatvárila sa dotknuto. „Neviem, čo tým myslíš."

„Presne vieš, čo mám na mysli. Nepotrebujem, aby si sa mi plietla do milostného života."

„Ale miláčik, ty žiadny milostný život nemáš."

„A Ross by bol ideálny," dodala Alicia.

Izzy si založila ruky vbok a uprela pohľad na obe ženy. Dívali sa na ňu s takým vážnym výrazom, až vyprskla do smiechu, aj keď na srdci cítila ťažobu. „Vy dve ste nenapraviteľné. Nechajte to tak. A už o tom nechcem nič počuť."

„Netuším, o čom vravíš," odfrkla si Xanthe ukrivdene. „A ak o seba nemáte záujem, prečo je problém ísť na prechádzku?"

„Nie je to problém, ale mám prácu."

„Mala by si si dať pauzu." Jason ignoroval Flissino štuchnutie do rebier. „Sme celkom zohratí. Dnes už nám toho veľa nezostáva."

„*Aye*, dievča, je tam fajn. Nádherný deň. Nechceš predsa trčať vnútri."

„Na čej strane si?" Izzy sa otočila k Duncanovi, ktorý tam sedel s pokojným úsmevom na tvári.

„Jasné, že na tvojej. No potrebuješ trochu vzduchu. Toto miesto ťa zbaví všetkej energie, keď to dovolíš. Bill predsa vždy vravel, že toto miesto je tak o pôde, ako aj o stavbe. Aby si tu prežila, musíš mať rada pôdu."

Izzy si starého muža premerala. Kedy sa z neho stal filozof?

Vec sa mala tak, že teraz, keď o tom hovorili, zatúžila vyjsť von a prejsť sa po vŕzgajúcom snehu, kým ešte svietilo slnko. „Pôjdem von, keď dokončím toto. Rozložila si servírovacie príbory na stôl v jedálni, Xanthe?"

„Urobím to po návrate z prechádzky."

„Ja nejdem na prechádzku."

„Ach, miláčik, nikdy sa nevidíme. Môžeme si užiť trochu času ako matka s dcérou."

„Ja ťa vídam každý deň."

„Vieš, ako to myslím. Okrem toho chcem s tebou hovoriť. Už dlho sme sa poriadne neporozprávali." Xanthe sa úprimne a veselo usmiala.

Izzy si povzdychla. „Dobre, pôjdem sa s *tebou* prejsť."

Jej matka sa rozžiarila. „Fantastické, zbehnem si po snehule a teplé ponožky."

*　*　*

Izzy, navlečená do niekoľkých vrstiev oblečenia, snehúľ a so slnečnými okuliarmi, sa s matkou stretla na prahu hradu. Uľavilo sa jej, že je sama.

Xanthe sa do Izzy zavesila. „Nie je to rozkošné? Len my dve, na prechádzke."

Izzy stisla matke ruku. „To je. A chcela som ti poďakovať za všetku tú prácu, ktorú si urobila v izbách. Vyzerajú úžasne."

„Viem," zapýrila sa Xanthe. „No ešte premýšľam, či tu ostaneme bývať."

„Vážne?" vyhŕkla Izzy prekvapene.

„Nie kvôli sebe, ale kvôli tebe. Si ešte taká mladá, aby si sa tu izolovala. Kedy sa s niekým zoznámiš?"

„Myslíš tým mužov?"

„Nedívaj sa na mňa takto. Mohla by si si najať manažéra, ktorý by to tu viedol, a vrátiť sa do Edinburghu alebo Glasgowa. Alebo by si to tu mohla predať. Mne by to nijako zvlášť neprekážalo. Uvedomujem si, že som bola trochu sebecká, keď som na teba naložila toľko zodpovednosti. Vždy som pre teba chcela niečo lepšie. Myslela som si, že bývať na hrade by bolo fantastické, ale pre mladú ženu je to príliš, keď máš toho v živote pred sebou ešte tak veľa. A nenapadlo mi, aké to bude drahé. Duncan mi povedal o tej streche. Je mi to ľúto, Izzy, miláčik. Nebola som najlepšou matkou. Mohla by som predať byt v Glasgowe."

„Nie, to by si nemohla," zamietla Izzy, dojatá matkiným vzácnym sebaspytovaním. „Je tvoj. Je to majetok do budúcna. Zvlášť keby sa všetko zvrtlo."

„Áno, ale skutočne chceš zostať tu uprostred pustatiny?"

Izzy sa na chvíľu zamyslela, zadívala sa na vzdialenú panorámu zasnežených kopcov, slnko sa trblietalo na kryštálikoch snehu, a pozorovala dravce na obzore. „Nemyslím si, že by som dokázala odísť. Milujem to tu. Mám pocit, že som našla to pravé miesto. Milujem, keď mám kuchyňu plnú ľudí. Jim, Jeanette a Duncan sú ako moja nová rodina. Viem, čo chcem robiť." Našla zmysel života, rada sa starala o ľudí.

Obe kráčali ďalej, pohrúžené do myšlienok. Svet bol tichý, zvuky tlmila vrstva snehu okolo nich. *Áno,* pomyslela si Izzy. Mohla by tu zostať. Toto bolo to, čo túžila robiť. Výlet do Edinburghu si užila, keď sa tam vybrala s Rossom, ale tu bola doma ako nikde inde.

„Pozri sa! To je Alicia. Jupí! Alicia!" A potom matka dodala: „A Ross."

Izzy na ňu vrhla vyčítavý pohľad. Matka zdvihla ruky. „Ja nič. Je to len náhoda." Potom s úprimným úsmevom dodala: „Možno to tak malo byť."

„A možno tiež nie," zavrčala Izzy.

Xanthe sa brodila snehom k Alicii a Rossovi. „Nie je to fantastické?" S Aliciou sa zdravili, akoby sa nevideli niekoľko dní, a nielen pol hodiny.

„Prekrásne," rozplývala sa Alicia. „Uvažujem o celej novej kolekcii. Mohla by som ich nazvať Kinlochleven Castle Collection."

Izzy nasledovala matku a cítila, ako ju opúšťa dobrá nálada. Nasadila rezignovaný úsmev.

„Ahoj," pozdravila Rossa, keď ich dobehla. Alicia a Xanthe ich už opustili, rozprávali sa ako párik papagájov, štebotali a bľabotali o svetle, farbách a o tom, aké je to všetko inšpirujúce. Ross stál oproti nej.

„Prepáč," povedala Izzy. „Toto asi nebolo v pláne."

„To nevadí. Ako sa máš?"

„Mám sa dobre," odsekla Izzy. Myslel si azda, že má zlomené srdce? Arogantný hajzlík. „A ty?"

„Dobre. Dnes je nádherný deň."

„To teda je."

„Pred sebou počuli živé diskutovanie tých dvoch, odrážajúce sa od pokojnej jazernej vody.

„Nikdy som nezažil, že by si matka niekoho tak obľúbila ako Xanthe."

„Ani ja nie. Xanthe má veľa priateľov, ale nikoho blízkeho. Tvoju mamu má naozaj rada."

„No sú vyčerpávajúce."

„To áno, ale nikomu tým neškodia."

Pokrčil plecami.

V rozpačitom tichu kráčali vedľa seba.

„Ako to ide s knihou?"

„Prvá verzia je hotová."

„Takže po Vianociach odídeš?"

Ross si strčil ruky do vreciek a prešiel ešte niekoľko krokov. „Bol by som rád, keby sme zostali priatelia, ale pochopím, keď budeš chcieť, aby som radšej odišiel."

Izzy prehltla. Chcela, aby zostal? Jedna jej časť áno, ale druhá si nebola istá, či to unesie.

„Musím o tom popremýšľať," pripustila nakoniec.

„Zamotal som to. Je mi to ľúto."

Pokrčila plecami. Bola to rovnako jej chyba ako jeho, zapadla do starých vzorcov. Zamilovala sa do niekoho a splietla sa v tom, čo k nej cíti, pretože nemohla uveriť, že by necítil to isté.

„Berme to ako skúsenosť," poznamenala bez horkosti. „Bol to iba úlet."

Natiahol ruku a dotkol sa jej, po tvári mu preletel bolestný výraz. „Mrzí ma to."

„Áno, to hovoríš stále." Striasla jeho ruku. Prečo to znelo, akoby to nezáležalo na ňom? Nepodarení muži.

Vykročila k jazeru. Jeho okraje boli rozpité snehom, zrak mala zakalený hlúpymi slzami sebaľútosti. Niektoré úseky boli zľadovatené a bolo ťažké rozoznať, kde sa končí voda a začína sa zem, ale chcela byť od neho ďalej. Nechcela, aby videl, že je zranená. Nič by tým nedosiahla a len by to ďalej zhoršovalo jej poníženie.

Pod nohou sa jej ozvalo hlasité zapraskanie. Zastavila sa a pozrela sa dole.

„Izzy!" zakričal Ross.

Sneh pod jej nohami sa začal rozostupovať, puklinami sa rinula čierna voda. Nohami jej prešiel ľadový chlad a príliš neskoro si uvedomila, že stúpila na ľad ukrytý pod snehom. Skôr než sa stačila otočiť, aby sa vrátila do bezpečia, povrch sa prepadol a ona sekundu balansovala na hrane. Potom už padala, telo sa vzpieralo chladu. Voda sa jej ťahala po stehnách, stúpala do pása, až jej železným stiskom obkrúžila hruď. V panike zalapala po dychu a cítila, ako jej mrznú pľúca. Kúsky ľadu ju šteklili na krku, ako sa pohojdávala vo vode, sťahovaná ťažkými vrstvami oblečenia. Ponorila sa. Voda jej natiekla do nosa aj úst, cítila zemitú príchuť rašeliny, zatiaľ čo jej trnuli zuby. Zima. Taká zima. Vyrazilo jej to dych. Celý svet bol ľadový a jej mozog tiež zamrzol. Každý sval sa jej napäl a zdalo sa, že nedokáže ovládať končatiny. Strata kontroly ju vydesila a niečo ju prinútilo pohnúť sa. V náhlom nápore paniky sa prinútila vyplávať.

„Izzy! Izzy!" Počula, ako Ross kričí, ale v hlave mala chaos. „Chyť sa tej vetvy!"

Bola len niekoľko metrov od kraja a zatiaľ čo jej voda stekala po tvári a zvieral jej ju ľadový chlad, uvidela ho, ako na ňu máva veľkou vetvou. Sotva si cítila ruky, ale natiahla sa. Vetva praskala, ako sa ju snažila uchopiť. Ruky nechceli fungovať. Zúfalo sa vzoprela a objala vetvu, ako keď koala objíma strom.

„Izzy! Izzy! Izzy!" Vzduch naplnil matkin krik, prenikavý a hysterický.

„Vydrž, McBrideová." Rossova tvár sa napínala námahou, sťažka vyťahoval vetvu. „No tak. Mám ťa."

Objala vetvu pevnejšie a Ross k sebe priťahoval jej zmáčané telo. Nohami sa dotkla dna a vyškriabala sa na breh. Ross ju chytil za jednu z mávajúcich rúk a vytiahol k sebe. Zuby jej drkotali tak silno, že si takmer zahryzla do jazyka. Necítila si ruky.

„Vyzleč ju!" prikázala Alicia a už si aj dávala dole sveter. „Musíme ju zahriať a osušiť. Xanthe, šál!"

Izzy tam stála neschopná pohybu, zatiaľ čo jej Ross stiahol kabát. Xanthe sa pustila do rozopínania zipsu na nohaviciach, zatiaľ čo Alicia jej jedným ťahom prevliekla cez hlavu sveter a tričko a začala ju sušiť šálom. O niekoľko sekúnd bola Izzy nahá, stála bosá na Rossovom šále a pri pohľade na vlastné nohy a zelený vlnený šál prežívala *déjà vu*. Obe ženy ju prudko treli, než ju zabalili do Aliciinho veľkého páperového kabáta.

„Vrátim sa do domu a zapnem na jednej z postelí elektrickú deku," napadlo Xanthe. „Musíme ju čo najrýchlejšie zahriať. Ross, myslíš si, že ju dokážeš niesť?"

Teplo Aliciinho kabáta bolo pre Izzy veľmi príjemné. Ross ju zdvihol do náručia. Zavrela oči. Už zase. Znova ju zradilo telo a uvelebilo sa mu v náručí.

„To je v poriadku, Izzy. Máme ťa."

Pozerala sa na neho, šok jej zvieral telo. Jeho modrý pohľad brázdili starosti a obavy. Začula podivné mumlanie a uvedomila si, že to ona sama sa snaží hovoriť, ale nemala poňatia, čo sa pokúša povedať. Pery mala také znecitlivené, že nedokázala sformulovať žiadne slová. Bolo to, akoby sa sama od seba oddelila. Cítila jedine chlad. Vlasy mala ťažké a mokré, do lebky jej prenikal ľad.

„Čiapku!" Alicia mu strhla z hlavy vlnenú čiapku a natiahla ju na Izzinu hlavu, stiahla ju takmer až k nosu a zakryla jej uši. Náhle teplo jej prinieslo chvíľkovú úľavu, na ktorú sa mohla sústrediť, ale nevedela zastaviť divoké trasenie zmietajúce celým jej telom.

„Izzy, o chvíľu prídeme späť dovnútra a zahrejeme ťa." Xanthe ju chytila za ruku a na trasľavé prsty jej navliekla svoje rukavice.

„Budeš v poriadku." Hlas sa jej zlomil, akoby sa o tom snažila uistiť seba rovnako ako dcéru.

Izzy sa pokúšala na matku prehovoriť, ale bola celá otupená, akoby sa predierala vatou, a usilovala sa pochopiť svoju situáciu, ale zmocnili sa jej nejaké prapôvodné reakcie a premenila sa na trasľavú trosku, schopnú iba niečo bľabotať.

26. kapitola

*I*zzy si vychutnávala príjemné teplo svojej postele. Teplo. Bolo jej teplo. Spomienka na ľadové zovretie vody jej rozpaľovala mozog. Zachumlala sa ešte viac. Hlavou sa jej preháňali nesúvislé spomienky. Alicia jej fénovala vlasy prudkým prúdom vzduchu. Xanthe jej strkala ruky a nohy do pyžama. Ross ju preniesol do postele a dôkladne ju prikryl. Zavrela oči. Elektrická dečka. Znova sa zachvela, hoci jej bolo teplo. Zima. Bola taká neúprosná. Taká desivá. Nechcela sa vôbec prebudiť. Nebola si ani istá, kde sa vlastne nachádza, ale vedela, že nemieni opustiť túto útulnú noru.

Keď sa zasa prebrala, jej myseľ zaostrila rozmazané obrysy.

Oči mala zatvorené, pretože zdvihnúť viečka bolo príliš ťažké.

„Mama bola úžasná," počula Rossa. „Úplne prevzala velenie. Vedela, čo má robiť, zatiaľ čo ja som nemal ani poňatia."

„Je to bystrá ženská," uznal Graham s jednoznačným náznakom hrdosti.

„Viem," povzdychol si Ross. „Ale..."

Nastalo ticho a Izzy čakala, inštinktívne si uvedomovala, že chce povedať niečo dôležité.

„Ako to robíš, oci?"

Jeho otec sa krátko zasmial. „Každý deň ďakujem za to, že som našiel tvoju matku. Viem, že je to pre teba ťažké, a keď si bol mladší, bolo ti to trápne. Je živel, s tým sa musí počítať, ale vieš čo? Je impozantná. Úžasná, talentovaná, vášnivá, duchaplná."

„Lenže to večné divadlo. Neprekáža ti, že je ako Ikarus? Nebojíš sa, že jedného dňa poletí príliš blízko k slnku?"

Graham sa znova zasmial. „Synak, ona dokáže lietať!"

Izzy sa rozbúchalo srdce. Ako nádherne to povedal.

Ani jeden z nich niekoľko minút neprehovoril a Izzy cítila ťažobu ticha v miestnosti. Akoby obaja premýšľali o tom prostom, srdečnom vyznaní.

Nakoniec sa Graham spýtal: „Pamätáš sa na svoju babičku, moju matku? Bola to pravá pochmúrna Škótka. Myslím si, že to slovo vymysleli pre ňu. Život bol pre ňu neradostnou záležitosťou. Nikdy nevidela to dobré, pozitívne. Bola to protivná, nešťastná žena a prisahám, že môjho otca priviedla predčasne do hrobu. Keď som spoznal tvoju matku, bola ako slnko. Závidel som jej tú schopnosť lietať, nespútane, slobodne. Nájsť radosť zo života. Zamiloval som si jej *joie de vivre*. Je to šťastná duša. Vždy nájde v každom to dobré. Zaujíma sa o ľudí, fascinujú ju veci. Život predstavuje pre ňu dobrodružstvo." Izzy začula vrznutie stoličky, ako sa Graham oprel dozadu, a šušťanie jeho oblečenia, akoby si preložil nohu cez nohu.

„Áno, je hlučná, niekedy nevníma ostatných a vrhá sa do tých najtmavších králičích nôr, takže ťa privádza do šialenstva. Sú chvíle, keď vôbec netuším, o čom hovorí alebo kam nejakým nápadom mieri, ale nikdy nie je sebecká ani nevľúdna. Prepáč, synak, viem, že ti to s ňou pripadá ťažké, ale jej umenie, vrelosť a veľkorysosť ducha prinášajú ľuďom veľkú radosť. Už dávno som sa rozhodol, že ak niekomu pripadá trápna, je to jeho problém. Nie jej.“

Naozaj je to milý človek, pomyslela si Izzy. V jeho slovách bolo toľko lásky a úprimnosti. Premýšľala, či by sa jej otec takto odvážne zastal Xanthe, keby žil. Mrzelo ju, že sa to nikdy nedozvie ani ona, ani jej mama.

„Chceš povedať môj problém,“ poznamenal Ross tlmeným hlasom.

Graham si povzdychol. „Je to problém len vtedy, keď sa rozhodneš to tak vnímať. Viem, že si sa po odchode na univerzitu držal bokom. Túžil si po nezávislosti. Nechcel si, aby sa ti matka plietla do života.“

„Bolo to také zrejmé?“

„Iba pre mňa. Tvojej matke chýbaš, ale, ako som povedal, má obrovskú schopnosť vidieť v ľuďoch to dobré a tiež verí, že každý by mal mať slobodu robiť to, čo v živote potrebuje. To je jej veľký dar – necháva ľudí byť tým, kým sú, pretože ona je tým, kým je. Si dospelý, máš vlastný život, ktorý musíš viesť.“ Graham sa odmlčal a v miestnosti bolo chvíľu ticho, než povedal tichším, vážnejším hlasom: „No zaujímalo by ma, či ešte stále vidíš matku pubertálnymi očami. Nehovorím, že si nedospel, ale hovorím, že aj keď si bol tak dlho preč, nedal si sám sebe šancu dívať sa na mamu dospelými očami.“

Izzy sa nehýbala a priala si, aby dala skôr najavo, že je hore. Toto bol vážny rozhovor medzi otcom a synom a ona si pripadala ako votrelec, ale nechcela prerušiť zjavne vzácnu chvíľu medzi tými dvoma. Tiež jej to pripadalo dôležité.

„Nikdy som o tom takto nepremýšľal." Počula, ako sa Ross posunul na stoličke, až zavŕzgala, a nohami šúchal po drevenej podlahe. „Niežeby som ju nemiloval."

„Samozrejme, že ju miluješ, je to tvoja matka, ale nevidíš v nej človeka, ktorým je, len matku, ktorou si myslíš, že ti mala byť. No zamysli sa znovu. Nikdy ťa nezanedbávala. Možno bola zahľadená do seba a pohltená svojím umením, ale vždy ťa milovala."

„A ty," povedal Ross, akoby sa náhle zobudil, „si to vzal na seba."

Izzy pootvorila viečka a uvidela, ako Ross s náhle nežným výrazom v očiach zavrtel hlavou.

„Chodili sme spolu na ryby. Často. A ty si mi vždy robieval sendviče s nátierkou a pribalil si aj niekoľko plechoviek limonády Irn Bru. Tieto výlety som miloval."

„Tvoja mama neznáša rybárčenie. Bol tam zaručený pokoj."

„Neprekáža ti ten neustály hluk a zmätok?"

„Vyvinul som si taktiku, ako si s tým poradiť. Prečo mám asi tak dobre zásobenú kôlňu? A taký nízky golfový handicap? No buď si istý, že zvládať ten hluk a zmätok, ako tomu vravíš, zatiaľ čo ja radšej hovorím spontánnosť a nadšenie, mi za to stoja kvôli všetkému ostatnému, čo mi tvoja mama do života priniesla. Jedna z najlepších vecí si ty. Miluje ťa, synak. A nie je hlúpa, vie, že ťa dráždi. Trápi ju to, ale nedokáže zmeniť to, kým je."

„Vie to. Dočerta. To je hrozné." Ross si vložil hlavu do dlaní. „Som idiot. Tam dole pri jazere, keď na to prišlo, keď bola núdza, boli s Xanthe také praktické."

„*Aye*, ani jedna z nich nie je blázon. Nie sú to moje slová, ale potreboval si, aby ti niekto otvoril oči."

„Prečo si nič nepovedal skôr?"

„Pretože som si nebol istý, či by si ma počúval. Lenže myslím si, že situácia sa zmenila."

„Nie som si istý ako, ale áno, teraz to už vidím."

„Pravdepodobne to súvisí so zamilovanosťou. Možno je rad na tebe, aby si skočil z útesu, roztiahol krídla a videl, kam ťa to zanesie."

Izzy rýchlo zažmurkala a zavrela oči. Už nechcela nič počuť. S nesúvislým mumlaním sa pretiahla a pohla, mihala viečkami, akoby sa práve prebudila.

„Hm," zamrnčala a otvorila oči. Do miestnosti prúdilo slnečné svetlo, lúče prenikali vitrážovými sklami so vzorom kosoštvorcov. S trhnutím sa zdvihla, telo mala ako z olova od prekvapivej únavy.

„Ako sa cítiš?" Ross sa nad ňu sklonil a modré oči mal plné niečoho, z čoho jej poskočilo srdce.

„Nechám vás osamote." Graham sa ticho vytratil po tom, čo im venoval láskyplný otcovský úsmev, kvôli ktorému jej z nejakého dôvodu bolo do plaču.

„Unavene." To slovo sa jej zadrhlo na jazyku, akoby bol príliš ťažký na to, aby ho zdvihla. S námahou sa posadila. Končatiny mala opuchnuté, odmietali ju poslúchať.

„Ukáž, pomôžem ti." Opatrne spoza nej vytiahol vankúše a narovnal ich, aby do nich mohla padnúť.

Natiahol sa po termosku vedľa postele a nalial do hrnčeka tekutinu, z ktorej sa parilo. „Daj si trochu čaju."

Vzala si ponúknutý nápoj, vďačne si z neho usrkla a cítila, ako jej lahodný horúci čierny čaj steká dole hrdlom. „Vďaka." Ťaživá malátnosť ju opustila a myseľ sa jej prečistila.

„Je ti dosť teplo?"

Prikývla. Zrazu si spomenula na to, ako stála pri jazere nahá, a zahanbila sa. Teraz mala na sebe flanelové pyžamo a nohy skryté v krásnych mäkkých vlnených ponožkách. Zachvela sa.

„Chceš ešte jednu deku?" spýtal sa Ross.

Zavrtela hlavou. „Nie, som v poriadku. Iba som si spomenula. Bola mi príšerná zima."

„To áno."

„Ďakujem, že si ma vytiahol." Trhla sebou pri spomienke, ako kričal, aby sa chytila tej vetvy, na hrôzu v jeho očiach. Na to, ako ju niesol. Ako ju ukladal do postele. Ten sotva znateľný bozk, ktorý jej vtisol na čelo. Nie. Zavrela oči. Nechcela si to pamätať. Možno si to len predstavovala. Nemal inú možnosť, než jej pomôcť. Nič to neznamenalo. Teraz ju pravdepodobne ľutoval a cítil sa previnilo, že ju rozrušil.

Chytil ju za ruku. „Je mi to ľúto, Izzy."

„Nie je prečo ospravedlňovať sa. Bola to moja chyba. Nepozerala som sa, kam idem."

„Chcel som sa ospravedlniť za to, že som všetko tak zamotal. Že som sa snažil poprieť, čo cítim."

Pokrčila plecami a pozrela sa z okna. Videla jazero, jeho tmavú hladinu, ktorá vyzerala pokojne a neškodne. Pri spomienke na ľadové zovretie a na šok z chladu, ktorý sa okolo nej ovíjal so silou železnej klietky, ju striaslo. Keď si pomyslela na tú úplnú bezmocnosť, zdvihol sa jej žalúdok.

„To je v poriadku, Ross." Odmietla sa na neho pozrieť. Nemohla. Nie teraz. Vedela, že keby sa mu zadívala do očí, rozplakala by sa. Milovala ho, ale nesmel ju ľutovať. Nemusel jej to hovoriť zo zlých dôvodov, len aby sa cítila lepšie.

„Nie, Izzy. Nie je to v poriadku. Zle som to pochopil a spanikáril som. Nešlo o tvoju ani moju mamu, ale o mňa. Mala si pravdu, bol som zbabelec, popieral som vlastné city. Izzy, myslím si, že sa do teba možno zamilujem."

To nestačilo. A bolo príliš neskoro. Izzy sa v hlave rozkričal hlások: *Myslím. Možno.* Nie, toto nestačilo. Musel to vedieť. Nemohla čakať, kým si to rozmyslí. Ako povedal Graham, musel skočiť z útesu.

Znova prehovoril: „Nezvládol som silu tých emócií. Zrazilo ma to na kolená, a keď si potom spadla do jazera, cítil som to opäť."

Otočila sa k nemu. Nikdy sa tomu nepodvolí naplno. Vždy vydesene utečie. Túto hru už hrala s Philipom. Zakaždým, keď sa od neho trochu odtiahla, pribehol späť. Príliš sa bál, že ju stratí, ale nebol do nej taký zamilovaný, aby prekročil hranicu a zaviazal sa. Ross bol rovnaký. Nehodlala dopustiť, aby sa jej srdce znovu a znovu zdvíhalo a zasa padalo.

„Urobil som chybu, Izzy."

S nepatrným, smutným úsmevom zavrtela hlavou a povedala: „Neurobil."

Na čele sa mu objavila vráska. „Ako to myslíš?"

„Mal si pravdu. Mali by sme byť len priatelia. Nechcem niekoho, kto sa bojí lásky, kto sa stiahne, kedykoľvek hrozí, že ho premôžu city, alebo si myslí, že je do niečoho manipulovaný. Chcem niekoho, kto ide do toho naplno. Nie niekoho, kto si myslí, že sa *možno* zamiloval. Niekoho, kto je pripravený vrhnúť sa z útesu. Ty taký človek nie si, Ross." Odvrátila hlavu. „Musím spať."

Vstal. Neodvážila sa na neho pozrieť. Namiesto toho zavrela oči, pritiahla si prikrývku až k brade a čakala, kým začuje zavretie dverí na spálni. Až potom dovolila slzám, aby sa jej skotúľali po lícach. Neklamala, keď vravela, že si to nerozmyslí. Milovala ho, ale nehodlala sa zmieriť s náhradným riešením. Tentoraz si zaslúžila viac.

27. kapitola

„To nemôžeš," zaprotestoval hlas za dverami Izzinej spálne. „Izzy to nebude prekážať," odvetila Xanthe svojím obvyklým bezstarostným spôsobom. Málokedy jej niekto dokázal zabrániť, aby si robila, čo chcela.

„Vidíš, Graham," pridala sa Alicia. „Izzy to nebude prekážať."

„Myslím si, že tá chuderka si potrebuje odpočinúť."

Izzy napriek vlastnej vôli trhlo kútikom pier. *Nenapraviteľné.* Pre tie dve to bolo slabé označenie.

„Celé včerajšie popoludnie a celé dnešné doobedie preležala v posteli. Sú Vianoce." Izzy položila telefón a zvažovala, že bude predstierať spánok, aby matke udelila lekciu, ale usúdila, že by to aj tak nepomohlo. *Čo to, preboha, chystajú?*

O niekoľko sekúnd neskôr Xanthe vplávala do izby. „Miláčik, ako sa cítiš? Napadlo nám, že ti budeme chvíľu robiť spoločnosť. Nebude ti vadiť, keď Graham skontroluje obklad a kúpeľňu?"

Graham sa ospravedlňujúco usmial a potom pevne povedal: „Alebo môžeme prísť inokedy, keď vám bude lepšie."

Usmiala sa na neho. Bol to taký milý muž a nebola to jeho vina, že emócie jeho syna boli pochované hlbšie než zemské jadro.

Alicia má veľké šťastie, že má Grahama, ktorý ju očividne zbožňuje a nehanbí sa dať to najavo i napriek jej výstredným sklonom.

Bola škoda, že Xanthe nikdy nespoznala nikoho ďalšieho. Mohol vyvážiť niektoré jej excesy.

„Nie, to je v poriadku. Len do toho." Úprimne povedané, bola rada, že vidí iných ľudí, odvádzalo ju to od premýšľania o Rossovi. Urobila správnu vec, aj keď jej to v tej chvíli tak nepripadalo.

„Aj tak si myslím, že je to bláznivý nápad," zamumlal.

„Počula som to, Graham," poznamenala Alicia, než sa hodila vedľa Izzy na posteľ. „Ako sa cítite, drahá? Máte oveľa lepšiu farbu. Všetkých ste nás dosť vyľakali. Nie som si istá, či mňa alebo vašu matku niekto takto úspešne zatienil," zasmiala sa. „No zvládli ste to veľmi dobre. Žiadny plač a krik. S Rossom sa k sebe skvele hodíte. Obaja ste takí ľadovo pokojní."

Izzy sa zamračila, keď si spomenula, že keď ju Ross ťahal von, bola to Alicia, kto úsečne vydával povely. Pokiaľ išlo o ňu, žiadne rozhadzovanie alebo zalamovanie rukami sa nekonalo.

„Viem, že sa na neho teraz hneváte, ale je to skutočne dobrý chlapec."

Izzy vyvalila oči.

„Ale nie, nebojte sa, on mi nič nehovorí." Tvár jej zmäkla. „Ibaže poznám svojho syna, aj keď on si o mne myslí, že som blázon. Mrzí ma, že sme si vás tak doberali, videla som, ako veľmi sa mu páčite, a naivne sme si s Xanthe mysleli, že keď ho postrčíme, pomôže to. Skôr sa nám to náramne vypomstilo."

„Čo vravel?" spýtala sa Izzy, šokovaná, že by Ross svojej mame niečo prezradil.

Alicia sa zadúšala od smiechu. „Miláčik, myslíte, že by sa mi zveril? Radšej by si sám vydlabal vnútornosti lyžicou na zmrzlinu. No odkedy včera vyšiel z vašej izby, má príšernú náladu. Čo ste

mu, preboha, povedali?" Uškrnula sa. „Aj keď je vždy dobré udr-
žiavať takýchto chlapcov v napätí."

Izzy stisla pery. V žiadnom prípade nehodlala Alicii nič hovoriť.
Ross by jej to nikdy neodpustil.

„Ach, no dobre, obdivujem vašu lojalitu voči nemu. Budem to
musieť z toho môjho milého hlupáčika vytiahnuť sama."

Vstala a rozvírila objemnú tuniku. „Nejaké dobré správy, Gra-
ham?"

Graham, ktorý bol v kúpeľni, vyšiel von a zavrtel hlavou.

„Tu nič nie je," ozval sa matkin tlmený hlas spod postele. Izzy
sa sklonila. „Čo tam robíš?"

„Myslela som si, že by mohli byť pod posteľou."

Izzy sa na mamu nechápavo zamračila.

„Nikdy nevieš, trebárs sú v nejakej tajnej priehradke."

„To by mohli," súhlasila Izzy vážne.

„Necháme vás už na pokoji," navrhla Alicia. „Poď, Xanthe, nie-
čo mi napadlo." Obe zmizli rovnako rýchlo, ako prišli.

„Mám akési neblahé tušenie," zašepkal Graham s úsmevom vy-
jadrujúcim dlhé utrpenie spôsobené tým, ako sa plahočil za oboma
ženami. „Uvidíme sa neskôr." Mávol rukou a odišiel.

Izzy si povzdychla a zrazu sa cítila osamelá. Dnes ráno ju navští-
vilo celkom dosť ľudí. Jason s Fliss priniesli tie najlepšie plnené
koláčiky a malé medovníčky s cukrovou polevou, ktoré vyrobili
na zavesenie na stromček, Jeanette prišla s veľkým hrnčekom čaju
a Duncan sa ukázal s podnosom s obedom. Všetci sa usilovne sna-
žili uistiť ju, že všetko je pod kontrolou. Nemusela ani ochutnávať
Jasonovu úžasnú polievku z homára či Flissine dalamánky, aby
sa o tom presvedčila. No jediný človek, ktorého by rada videla, si
držal odstup, presne ako mu povedala.

Zbabelo bola celkom rada za zámienku zostať tu hore, aj keď Ross sa pravdepodobne stiahol späť do svojej izby, preč od všetkých ostatných. Desila sa Štedrého dňa, keď bude musieť predstierať, že všetko je normálne. Svojím spôsobom si takmer priala, aby tu Fliss a Jason neboli a nepomáhali jej. V kuchyni by sa mohla lepšie skrývať a vyhýbať sa mu. Bude musieť byť veľké dievča a poradiť si s tým. Je predsa Izzy McBrideová a vie, ako na to.

* * *

O piatej hodine, keď už mala vlastnej spoločnosti plné zuby, strčila do dverí hlavu Jeanette. „Ahoj, Izzy, ako sa máš?"

„Mám toho už dosť a nudím sa."

„Dobre," vydýchla si Jeanette. „Xanthe hovorila, že máš prísť o šiestej na kokteil so šampanským. Na Štedrý deň tu nemôžeš zostať sama. Jim jej sľúbil, že ťa znesie zo schodov, keby to bolo potrebné."

„Chudák Jim."

„Má z tvojej matky strach. Neviem prečo, veď je milá. V každom prípade, myslíš si, že by si mohla zísť dole? Pomôžem ti s obliekaním."

Izzy si odfrkla. „Obliecť sa zvládnem aj sama. Som úplne v pohode. Súhlasila som, že dnes zostanem v posteli, no len preto, lebo Xanthe sa mi vyhrážala, že keď to neurobím, zavolá lekára."

Aj keď Izzy neznášala trčať v taký rušný deň hore, ďaleko od kuchyne, dosť dlho driemala, pravdepodobne v reakcii na šok zo včerajšieho dobrodružstva. Teraz už však nemala žiadnu výhovorku, prečo sa skrývať, a po všetkých tých prípravách a obavách si Vianoce nehodlala dať ujsť. A už vôbec si nenechá ujsť kokteil so šampanským.

Prehodila nohy ponad okraj postele. „Vstanem a osprchujem sa." Raz sa bude musieť Rossovi postaviť čelom a hodlala pri tom vyzerať čo najlepšie. Aby videl, o čo prichádza. Potrebovala prepnúť na režim princeznej bojovníčky.

*   *   *

O pol hodiny neskôr bola oblečená, s čerstvo umytými vlasmi a vyzerala a cítila sa zasa ako človek. Dala si záležať na vlasoch. Červené kadere si nechala pre zmenu padať na chrbát namiesto toho, aby si ich zviazala do obvyklého uzla. No dobre, celkom sa snažila. Dokonca si naniesla lesk na pery, potom ho zotrela, pretože to bolo až príliš okato snaživé. A o chvíľu si ho zase naniesla, pretože bol Štedrý večer a s Xanthe sa na štedrovečerný kokteil so šampanským vždy vyparádili. Pozrela sa na seba do zrkadla a zdvihla bradu. Pekne sa obliecť bola tradícia. Nemalo to vôbec nič spoločné s tým, aby niekomu ukázala, o čo prišiel.

„Izzy, ideš práve včas," privítala ju Fliss, ktorá práve vyťahovala z chladničky misku, „urobila som trochu cukrového rozvaru na okraje pohárov. Xanthe našla tie najúžasnejšie poháre na šampanské. Veľmi jednoduché, ale elegantné. Nie sú nádherné?" ukázala hlavou na skupinku pohárov s dlhými stopkami, ktoré stáli bokom. „Xanthe ich chce pred podávaním nafotiť na Instagram. Pripravila na fotenie stôl s borovicovými šiškami a so sviečkami. Umelecké nadanie si po nej teda nezdedila."

Izzy zavrtela hlavou. Večne si ju doberali, pretože jej prezentačné schopnosti boli príšerné.

„Kúpila si jedlé trblietky? Nemôžem ich nájsť."

„Keď som ich použila naposledy, zvyšok som skryla pred Xanthe."

„Dobrý nápad, určite by našla spôsob, ako ich využiť."

Izzy vytiahla zlaté trblietky a štedro ich nasypala do plochého tanierika s cukrom.

„Tak ideme na to." Fliss vzala prvý pohár, namočila ho do cukrového sirupu a potom ho ponorila do cukru a trblietok.

Izzy sa rozžiarila. „Vyzerá to úžasne. Všetci boli ohromení, keď som to urobila na whisky sour pri zdobení stromčeka. Nikdy by mi to neprišlo na um. Super, že si to navrhla."

„Som génius," usmiala sa Fliss samoľúbo.

„Iba ak vo vlastnej hlave," zabručal Jason, vytiahol z rúry plech so slaninovými slimákmi a presunul ich na tanier. Boli to tie najúhľadnejšie malé slimáky, aké kedy Izzy videla. Bola taká rada, že tí dvaja prišli.

„Nebudeš ich servírovať takto, však že?" podotkla.

„Dočerta, sú to slaninové slimáky. Je Štedrý večer. Hogo fogo jedlá budeme pripravovať zajtra."

„Nie," ťapla ho Fliss po ruke. „Urobíme to poriadne. Jedlo sa podáva s láskou, nezabudni."

„Podávam ho s láskou. Neuveriteľne milujem slaninové slimáky."

Fliss nesúhlasne zamľaskala.

„Vy dvaja už iní nebudete," zasmiala sa Izzy.

Jason okamžite objal Fliss okolo pliec. „My sa vážne máme radi."

„Daj preč tú ruku," zaškerila sa Fliss.

„Vidíš. Som brat, po ktorom vždy túžila."

„Ja už mám štyroch bratov. Nepotrebujem ďalšieho."

„Dobre, ženská."

Fliss sa otriasla. „Bože, Jason."

Zatváril sa smutne. „Nikto ma neocení.“

„Ocenila by som ťa oveľa viac, keby si tomu venoval patričnú starostlivosť a pozornosť: dal ich na pekný tanier, nakrájal niekoľko cherry paradajok a pridal trochu potočnice.“

„Stále musí rýpať,“ frflal Jason, ale Izzy si všimla, že urobil presne to, čo Fliss navrhla.

„Čo teda ide do tých kokteilov so šampanským?“ spýtala sa Fliss.

„Je to rodinný recept po mojej prababičke. Pripravujeme ich tak, odkedy si pamätám. Hrudka cukru na dno pohára, na ňu niekoľko kvapiek horkého bylinného likéru Angostury a potom sa tam naleje vychladené brandy a doleje sa šampanským. Keď ešte žil môj dedko, vždy to pripravoval on.“ Izzy si s úsmevom spomenula na toho tichého muža, ktorý zomrel veľmi skoro. Vždy jej čítal rozprávky, bral ju na prechádzky a upozorňoval na všetky možné vtáky. Dnes už na neho takmer nemyslela, ale Vianoce jej vždy priniesli tieto vzácne trpkosladké spomienky.

„Ach, to je krásne. Rodinné tradície sú úžasné. Maminka počas Vianoc vždy nechávala doma pre Santu tanier so sušienkami, syrom a s portským. Zakaždým som sa čudovala, prečo sme vonku nenechali plnený koláčik a chudák Rudolf nedostal mrkvu tak, ako to robili všetci ostatní. Mne a mojim bratom trvalo roky, než sme pochopili súvislosť s tým, že dedko plnené koláčiky neznášal a pred spaním si potrpel na syr a portské.“ Fliss sa zachichotala a na chvíľu sa stratila vo vlastných spomienkach.

„Mama na Štedrý deň otvorila plechovku čokoládových bonbónov od Cadbury. Mali sme šťastie, keď na ďalší deň nejaké zostali. Okrem kávového krému, ten nikto z nás nemal rád.“

„Milujem kávový krém,“ poznamenala Fliss.

„To by si mala, si nóbl.“

„Povedala by som, že je načase, aby sme si prešli plán, nemyslíte?" spýtala sa Izzy a prísne sa na oboch pozrela.

Zasmiali sa a tentoraz Fliss Jasona zo žartu buchla päsťou do rebier. „My sa vážne máme radi. Je to moja najlepšia kamoška."

* * *

Keď tam Izzy, Jason a Fliss prišli, všetci už boli zhromaždení v obývačke. Miestnosť sa trblietala v žiare zlatých svetielok natiahnutých ponad kozubovú rímsu a na všetkých okenných parapetných doskách blikali sviečky a odrážali sa v tmavom skle. Závesy zostali roztiahnuté a sneh vonku rozjasňoval večernú krajinu, takže vnútri bolo ešte útulnejšie. Xanthe odviedla krásnu prácu. Vianočný stromček žiaril, strieborné a zlaté ozdoby sa ligotali. Jednoduchosť výzdoby umocňovala celkové teplo scény.

„Veselé Vianoce všetkým!" zvolala Xanthe, keď všetci držali poháre, a podvihla ten svoj na prípitok.

„Ďakujeme, že ste nás pozvali," ozvala sa Hattie a zdvihla pohár. „Zvlášť mňa."

„Áno," pripojil sa Graham. „Ďakujeme Izzy a Xanthe, že sú také veľkorysé hostiteľky a pozvali nás k sebe."

„Je nám potešením," predniesla Xanthe tak sebaisto, až to primälo Izzy v duchu sa usmiať a automaticky sa rozhliadla, aby zachytila Rossov pohľad. Ten by tú iróniu pochopil. Nebolo po ňom ani stopy a napriek všetkému, čo si nahovárala, cítila drobné sklamanie, ako keby dostala defekt. Ako veľmi si to odporovalo? No keby k nej prechovával skutočné city, keby si myslel, že by ju mohol milovať, určite by bojoval viac. Jeho neprítomnosť dokazovala to, čo celý čas tušila: že k nej necíti to, čo cíti ona k nemu.

„Na zdravie, Izzy," povedal Jim s odhodlaným úsmevom.

„*Aye*, dievča," dodal Duncan. „Vďaka, že si tu z toho urobila skutočný domov. Privítala si ma tu, aj keď si nemusela."

Izzy sa začervenala.

„Áno, ďakujem ti, Izzy," pridala sa aj Xanthe, došla k nej a objala ju okolo pliec, „že si mi umožnila žiť môj sen. Si tá najlepšia dcéra, akú môže žena mať."

Izzy zažmurkala. Bolo vzácne, aby sa jej mama tak verejne hlásila k príbuzenským vzťahom.

„Isteže som najlepšia. Som jediná, koho máš," zažartovala Izzy a odmietala sa nechať premôcť hrčou v hrdle.

Náhle ticho ju upozornilo, že sa za ňou niečo deje, ako keď atmosférický tlak ovplyvní barometer. Otočila sa a zistila, že do miestnosti vošiel Ross. Kráčal smerom k nej a na pleci niesol *claymore*, tváril sa smrteľne vážne, pozornosť upieral zreteľne a cielene priamo na ňu. Akoby nikto iný neexistoval. Kilt mu pri chôdzi povieval okolo kolien a biela ľanová košeľa sa roztvárala, aby odhalila hladkú širokú hruď. V ústach jej vyschlo, keďže všetky jej fantázie o Jamiem Fraserovi sa pri pohľade na Rossove statné plecia a silný krk zmenili na prach. Ohromene na neho civela. Šiel ďalej. Odhodlane, neochvejne kráčal po koberci. Nespúšťal zrak z jej tváre. Pokožka jej brnela, drobné elektrické výboje jej vystreľovali do hlavy, krku aj dlaní.

Svet sa zúžil len naňho. Pokračoval v chôdzi, s ťažkým historickým mečom na pleci.

„Izzy McBrideová, potrebujem, aby si šla so mnou."

V miestnosti sa rozhostilo úplné ticho, až na praskanie plameňov za jej chrbtom. Díval sa jej do očí, uprene a neústupne. Divoko sa jej rozbúšilo srdce. Na okamih si predstavila samu seba v dlhom tmavom tuneli a uprela pohľad do jeho modrých vážnych očí. Natiahol k nej ľavú ruku a ona ju prijala. Keď mu dovolila, aby ju vyviedol z miestnosti, všetci mlčali.

* * *

Sviečky na kozubovej rímse vo veľkej sále boli zapálené, na rošte poskakovali a tancovali plamene a vrhali mäkké teplé svetlo na staré, drevom obložené steny. Ross zložil meč z pleca, špičkou k zemi, a zastavil sa pred ňou, zozadu ožiarený plameňom a sviečkami. Pootvorila pery v úžase z toho pohľadu na neho, keď ho osvetľovala žiara z plameňov, ale čakala, kým prehovorí.

Sledovala, ako sa nadychuje, s jednou rukou na meči a druhou voľne pozdĺž tela. „Izzy McBrideová, milujem ťa." Jeho zastrený hlas ju rozpaľoval. Prekvapenie, nadšenie, údiv a šok sa zrazili a vybuchli. Nespúšťal zrak z jej tváre.

„Žiadne možno ani myslím," vyhlásil. „Vrhám sa z útesu." Videla, ako sa mu pod ťarchou *claymoru* chvejú ruky. „So záťažovým batohom a bez ochrannej helmy alebo padáka."

Potom klesol na jedno koleno, stále držiac meč.

> „A aké si krásne, dievča moje,
> z duše ťa mám rád,
> skôr moria vyschnú, než by som
> ťa prestal milovať."

Ohromene prehltla.

„Ross, čo…?" To bolo všetko, na čo sa Izzy zmohla.

„Milujem ťa."

„A-ale toto…" koktala.

„Hovoril som si, že urobím veľké gesto, aby si vedela, čo k tebe cítim. Aby si o tom nikdy nepochybovala."

„Toto je dosť veľké gesto," usmiala sa rozochvene.

„Stačí to na to, aby som ťa presvedčil, že som bol idiot a už som dostal rozum?"

„Myslím si, že áno."

„To nestačí, Izzy McBrideová. Chcem niekoho, kto ide do toho naplno. Nie niekoho, kto si myslí, že by sa *možno* zamiloval. Niekoho, kto je pripravený vrhnúť sa z útesu." V očiach mu šibalsky zaiskrilo, ale bola v tom aj štipka neistoty.

Zasmiala sa, keď spoznala vlastné slová. „Dobre, tak ma teda zaveď na vrchol útesu."

„Preboha, Izzy, pobozkaj už toho rytiera!" zavolal Duncan odo dverí. Izzy aj Ross sa otočili a zistili, že všetci sa na nich pozerajú.

„Nenechávaj ho trápiť sa. Ten úbožiak po tebe slintá už týždne, len bol príliš hlúpy, aby mu to došlo."

Ross pokrčil nos. „Má pravdu."

„Áno, Izzy, nemladneš a priznajme si, že nedostávaš veľa ponúk."

Izzy sa zasmiala. „Vďaka, mami."

„Veď má pravdu," súhlasil Ross.

„A ja som hladný!" vykríkol Jim.

„Zjedol si celý plech slimákov," posťažovala sa Jeanette.

„Nemôžem sa rozhodnúť, či je to veľmi romantické, alebo veľmi neromantické," zasmiala sa Izzy a pristúpila k nemu, aby ho pohladila po tvári. Srdce jej prekypovalo pri pohľade na nehu v jeho očiach. „Nečakala som publikum."

„Ja tiež nie. Možno by si ma mohla pobozkať a potom sa rozhodnúť," navrhol. „Alebo by som ťa mohol vziať do náručia a odniesť do kuchyne, pretože skutočne nechcem publikum, keď sa na teba vrhnem. Nikdy nebudem veľký herec, ale keď bude potrebné, zvládnem aj drámu."

Naklonila sa k nemu a pobozkala ho. Keď ju objal a pritiahol si ju k svojmu veľkému tvrdému telu, meč s rachotom spadol na podlahu. Kto potreboval Jamieho Frasera, keď mal vlastného Rossa Strathallana?

„A teraz môžeme odtiaľto vypadnúť," zašepkal.

„Áno."

„Mimochodom, myslím si, že som našiel tvoje zafíry."

28. kapitola

„Ale nie!" zakvílila Izzy a potom sa začala chichotať. Dnes ju nič nerozhodí. Pustila ťažký plech na pracovnú dosku.

„Deje sa niečo?" spýtal sa tichý hlas a dve ruky ju objali okolo pása. Obrátila sa, aby Rossa pobozkala, a v jeho dychu ucítila kávu.

„Nevojde sa tam," poznamenala šibalsky.

„Včera večer som nepočul žiadne sťažnosti."

Izzy sa znovu zachichotala, smiech bublal ako šampanské. Šťastie v nej šumelo a bola takmer presvedčená, že jej z kože odlietajú malé iskričky. „Myslela som moriaka. Je príliš veľký do rúry." Napriek hroziacej katastrofe to nedokázala brať vážne.

„A dočerta." Ross sa zadíval na dvadsaťštyrikilového vtáka uloženého vo veľkom pekáči.

Nespokojne štuchla prstom do hrboľatej kože potretej maslom. Spodná pera sa jej zachvela veselosťou. „Nemôžem tomu uveriť.

Toľko plánovania, ale ani mi nenapadlo skontrolovať, či je rúra dosť veľká."

„Chceš povedať, že si si to nenapísala na zoznam?"

Laškovne štuchla do neho lakťom. „Nie, nenapísala," povzdychla si. „Budem ho musieť rozkrájať. Myslím si, že sa tak upečie rýchlejšie."

„Niečo ti poviem. Dáme si ešte jednu kávu a potom porozmýšľame o najlepšom pláne útoku."

Usmiala sa na neho. *My* znelo oveľa lepšie ako *ja*.

Posadila sa k stolu, zatiaľ čo postavil jej hrnček na kávovar Nespresso a vložil doň ďalšiu kapsulu. Počúvala známe bzučanie a hlavou sa jej preháňali rôzne možnosti. Mohla by celého moriaka naporciovať, ako sa to naučila v Írsku, a potom upiecť prsia, krídla a stehná zvlášť. Lenže Adrienne vždy trvala na tom, že pečenie s kosťou zvýrazní chuť mäsa, a ona chcela, aby to dnes bolo dokonalé.

Keď pred ňu Ross postavil kávu, opatrne sa napila a povzdychla si.

„Je tu jedna vec, ktorú môžem spraviť. Rozseknem ho na dve časti."

Ross zdvihol obočie a zľahka sa usmial. „A po upečení ho zase zlepíš dohromady?"

Prikývla. „Je to zábavné, ale mohlo by to fungovať."

„Dobre. Chceš, aby som priniesol sekeru z Duncanovej kôlne?"

„Sekeru?" Izzy sa narovnala. „Myslela som na pílu, ale sekera bude asi lepšia."

Ross sa na ňu zadíval a odkašľal si.

„Žartoval som."

„Bože, to je zábavné, však? Ako z nejakej starej situačnej komédie." Začala sa smiať. Myklo mu kútikmi úst.

„Len trochu.“

„No nenapadá mi, čo iné si počať. Keď ho rozrežem na polovicu, možno ho potom dám zasa dohromady a spoje zakryjem prúžkami slaniny, až ho ponesiem dovnútra.“

„Dokážeš to?“

„Nemám tušenia, ale čo najhoršie sa môže stať?“

„Mohla by si si odseknúť ruku.“

„Už si ukázal, že vieš sekať.“ V Izziných očiach sa znovu roztancovali plamienky. „Ty to zvládneš.“

Rýchlo ju pobozkal a potom povedal: „Takže chceš, aby som zobral sekeru na moriaka.“

„Čo iné navrhuješ? Musím ho vložiť do rúry a tiež musím začať pripravovať raňajky. Povedala som všetkým, aby boli dole o deviatej, a ešte nie som ani oblečená.“

„Robíš toľko hluku, že by si prebudila aj mŕtveho,“ poznamenal Jason, ktorý vošiel do miestnosti s krvavými očami a držal sa za čelo. „Veselé Vianoce.“

„Veselé Vianoce.“

„Ach, áno, tá whisky je silná,“ zastonal Jason.

„Len keď vypiješ polovicu fľaše,“ upozornil ho Ross a vymenil si s Izzy rýchly pohľad. Včera večer nechali Grahama, Fliss, Jasona a Jima ich osudu.

„To som nebol ja,“ posťažoval sa. „To Fliss. Ja som jej iba pomáhal.“

„Vy dvaja ste sa hádali o to, kto viac vydrží,“ pripomenul mu Ross. „Úprimne, niekoľko panákov to bolo.“

„Takí sú stále,“ zavrtela Izzy hlavou. „Nechaj ma hádať, Fliss ťa zasa spila do nemoty.“

„To si píš. Na to, že je to taká nóbl pipka, to vie poriadne rozbehnúť.“ Pozrel sa na moriaka. „Nemal by byť už v rúre?“

„Áno, ale je tu problém. Je veľký, nevojde sa do nej.“

Jason sa zachichotal. „Tak to je malér.“

„Ross ho rozsekne sekerou na polovicu.“

„Ani nápad!“ zavrtel Jason hlavou. „Vážne.“

„Tak čo navrhuješ?“ spýtala sa Izzy s náznakom útočnosti, pretože to vážne potrebovala vyriešiť už asi tak pred polhodinou.

„Samozrejme, že ho upečieme naplocho.“

„Samozrejme,“ zagúľala Izzy očami. „A čo to vôbec znamená?“

Jason sa začal prehrabávať v zásuvkách a potom s výkrikom zdvihol krátke nožničky s guľatou špičkou. „Vynikajúce! Nožnice na hydinu. Dámy a páni, dovoľte mi ukázať vám, ako pripraviť moriaka naplocho.“

Jason sa chopil nožníc a dal im rýchlu mäsiarsku lekciu, pri ktorej z moriaka vystrihol chrbticu a položil ho na väčší plech.

„Veľmi pekne ďakujem.“ Izzy bola veľmi vďačná, že tu bol a Carter-Jonesovci neprišli.

„S radosťou. A teraz by som rád vedel, či nemáš nejaký paracetamol? Strašne ma bolí hlava. Kto povedal, že whisky je živá voda, ten klamal.“

* * *

„Veselé Vianoce, Izzy!“ Jeanette zoskočila z posledných niekoľkých schodov do haly a Jim jej bol v pätách. „Pozri sa, čo mi Jim kúpil.“ Natiahla ruku, aby ukázala krásny strieborný náramok. „A mama nám poslala nejaké peniaze na svadobnú cestu ako oneskorený svadobný dar. Som taká šťastná, že mi odpustila.“ Jeanettina tvár žiarila šťastím.

„To je úžasné, Jeanette!“ Izzy ju objala. „Šťastné a veselé. Poď si dať pohárik *Bucks Fizz*.“ Ross s Jasonom trvali na tom, aby sa pred raňajkami zišli v hale na pohárik. Napriek opici Jason veselo postával uprostred miestnosti a podával Bucks Fizz každému prichádzajúcemu.

„Veselé Vianoce!"

Z ochodze nad ich hlavami sa ozval Aliciin hlas a už zostupovala po schodoch v dlhých červených šatách z tartanového taftu s čiernym živôtikom. Objala Xanthe na pozdrav a vymenili si obvyklý pokrik priateľskej náklonnosti. Potom sa Alicia obrátila k Izzy. „Šťastné Vianoce, celá si rozkvitla. Očividne si mala dobrú noc."

„Mama," namietol Ross a zagúľal očami, hoci mu mykalo kútikmi pier.

„Vďaka, Alicia," zasmiala sa Izzy rozpačito a dúfala, že sa príliš nečervená.

„Kde je Fliss?" Jeanette sa znepokojene rozhliadala a dávala indiskrétne znamenie Jimovi a Duncanovi, ktorí na ňu rovnako „nenápadne" gestikulovali.

„Som tu," ozvala sa Fliss, ktorá sa objavila v krásnych ružových hodvábnych šatách, a dala si dole zásteru.

„Dobre, sme tu všetci." Jeanette poklopala po svojom pohári a vyzerala ako horlivý škriatok.

Keď všetci stíchli, zdvihla pohár. „Rada by som si pripila na našu úžasnú hostiteľku Izzy, vďaka ktorej sa tu všetci cítime ako doma. Je veľmi láskavá, veľkorysá a pohostinná a nepoznám veľa ďalších ľudí, ktorí by sa ujali dvoch opustených a stratených duší a potom im ponúkli prácu. Nič si nenamietala ani predtým, keď sme táborili na tvojom pozemku. Povedala si, že si môžeme vziať drevo. A tak sme to urobili…"

Venovala Jimovi a Duncanovi veľmi nápadný významný pohľad *tak robte*, a keď vykĺzli z domových dverí, nastalo na niekoľko sekúnd jedno z tých trápnych mlčaní, keď nikto nevie, čo má robiť. Na okamžitú úľavu všetkých vzápätí prišli späť a niesli tú najkrajšiu drevenú lavicu s veľkou červenou stuhou uviazanou okolo opierky.

„Veselé Vianoce, Izzy!" vykríkla Jeanette. „Ďakujeme ti, že si nám poskytla domov a že si mne a Jimovi dala šancu."

Duncan s Jimom doniesli lavičku pred ňu. „To vyrobil Jim."

Izzy natiahla ruku, aby sa dotkla saténovo jemného povrchu svetlého podsedáka lavice, ktorý bol vyleštený a kontrastoval s detailmi povrchu kôry na opierke a podrúčkach. „Je nádherná." Cítila, ako sa jej do očí derú slzy. Schmatla Jeanette do náručia, až jej nápoj vyšplechol na podlahu. „Je krásna, ďakujem. Vďaka, Jim, vyzerá úžasne. Skutočne si to robil ty?"

„*Aye.*" Pristúpil bližšie a tiež ju objal.

Izzy si utrela maskaru. „Týmto tempom mi nezostane žiadny mejkap."

Všetci sa zasmiali. Potom si sadli v malých skupinkách a rozprávali sa, kým Jason, Fliss a Graham vyskúšali lavičku, obdivovali jej spracovanie a potľapkávali podsedák.

Po raňajkách, teda údenom lososovi, bageloch a smotanovom syre – hoci Duncan sa na Prvý sviatok vianočný odmietol vzdať svojej obvyklej ovsenej kaše a Jason sa rozhodol pre bagel s hranolčekmi a so slaninou, o ktorom tvrdil, že je to zaručený liek na opicu –, sa Izzy ponáhľala do kuchyne, aby začala so svojou každodennou prácou. Obyvatelia hradu sa rozišli, aby sa pripravili na hlavnú udalosť, vianočný obed.

S Jasonovou a Flissinou pomocou šli prípravy hladko a Izzy si prvý raz po dlhom čase mohla konečne oddýchnuť.

„Myslím si, že si zaslúžime ďalší pohár šampanského," navrhla Fliss pri pohľade na hodinky. Moriak vytiahnutý z rúry odpočíval prikrytý alobalom a kopou utierok, šťavu z mäsa pridali do omáčky bublajúcej na platni a zelenina v rúre aj na sporáku bola niekoľko minút pred dokončením. „Už to takmer bude."

„Už si na tie bublinky začínam zvykať," poznamenal Jason a nalial všetkým pohár. „Aj keď vždy budem mať radšej svoj ležiak."

„Ty si taký buran," doberala si ho Fliss.

„Lepšie ako byť namyslená slečinka," podpichol ju Jason.

„Chystala som sa povedať, ako som rada, že som tu," zasmiala sa Izzy. „Vďaka vám to dnes pôjde oveľa lepšie. Na troch mušketierov. Ďakujem, že ste ma zachránili."

„Je to len o cviku, nasledujúce Vianoce budeš v pohode," upokojovala ju Fliss s úsmevom.

„Nebyť vás dvoch, možno by som neprežila ani tieto Vianoce, nieto ešte tie nasledujúce," zareagovala Izzy dojato.

* * *

Izzy niesla moriaka do jedálne, akoby viedla víťaznú procesiu. Chrumkavá zlatá kôrka sa leskla na veľkom starožitnom tanieri. Okolo mäsa boli poukladané klobásky v župane – malé chipolaty zabalené v slanine – spolu s guľôčkami jej domácej plnky haggis a ďalším mäsom z klobás, voňajúcim po pomarančoch a gaštanoch. Fliss kráčajúca za ňou niesla dve misy s pečenými zemiakmi, z ktorých sa slabo parilo. Jeanette držala podnos s troma veľkými džbánmi omáčky. Vzadu sa držal Jason s paštrnákom pečeným v mede s čili, mrkvou varenou na badiáne a masle s hráškom a chrenom na bylinkách.

Xanthe zapálila všetky sviečky v miestnosti a oheň príjemne oranžovo žiaril. Stôl bol dokonale prestretý ako na *Panstve Downton*, žiara sviečok sa odrážala od naleštených strieborných príborov. V obrovských vedrách na šampanské so starobylou patinou čakali na ľade fľaše vína a pri každom prestretom mieste bol pripravený set krištáľových pohárov na vodu, červené a biele víno. Ross, ako sľúbil, sa ujal svojej čašníckej povinnosti a už plnil poháre.

Izzy zaujala miesto za vrchstolom, Ross po jej ľavici a Jeanette s Jimom po jej pravici, vedľa nich sa usadili Fliss a Jason. Z opačného konca stola na ňu mávala matka a ukázala jej zdvihnuté palce.

Jason začal porciovať moriaka, zatiaľ čo Fliss a Izzy rozdávali taniere a všetkých ponúkali, aby si naložili. „Nezabudnite, že je tam chlebová aj brusnicová omáčka, plnka, šalvia s cibuľou, haggis a klobásky."

„Hm, mňam," rozplývala sa Jeanette a potom sa pozrela na manžela. „Ak chceš ešte niekedy poriadny vianočný obed, možno tu budeme musieť zostať nastálo."

Zasmial sa.

Vo chvíli, keď mali všetci plné taniere, Xanthe vyskočila a zdvihla pohár s vínom.

„Pripíjam si na Izzy, svoju milovanú dcéru. Ďakujem ti za splnenie mojich snov. Toto sú oficiálne tie najlepšie Vianoce všetkých čias. Krásne sviatky, Izzy." Všetci okolo stola sa postavili a zdvihli svoje poháre so zborovým: „Veselé Vianoce!" Duncan, ktorého hlas bol zo všetkých najsilnejší, si utrel oči. Graham sediaci vedľa Alicie chytil svoju ženu za ruku a vymenili si dojemné pohľady. Jeanette s mľasknutím pobozkala Jima na tvár, zatiaľ čo Jason a Fliss sa na seba usmievali. Hattie sa so slabým úsmevom rozhliadala a Izzy jej úsmev odplatila s vedomím, že dievča je tu samo, a na jej radosť sa na ňu Hattie usmiala a prikývla. „Toto by mohli byť tie najlepšie Vianoce vôbec."

Izzy prehltla guču v hrdle, na všetkých sa rozžiarene usmievala a do očí sa jej drali slzy. O tomto boli Vianoce. Spoločnosť dobrých priateľov a rodiny. Delenie sa o jedlo a lásku pri spoločnom stole. Ross položil svoju ruku na tú jej a jemne ju stisol. Čosi vrúcne jej rozkvitlo v hrudi. Toto bol domov a títo ľudia boli rodina.

„Si úžasná, vieš to?" šepol Ross.

„Trochu mi pomohli priatelia," odpovedala s úsmevom a šťastie jej sálalo z každého póru.

„Áno, ale každý má priateľov, akých si zaslúži."

Fliss to začula a usmiala sa na ňu. „Dobre a výstižne povedané."

Izzy si mávala rukou pred tvárou. „Pst, začínam byť namäkko."

„Na tom nie je nič zlé," žmurkol na ňu Ross.

Pozrela sa na neho a rozosmiala sa.

„*Crackers!*" zajačala Xanthe. „Všetci si musia roztrhnúť svoje prekvapenie a nasadiť si klobúčik."

Duncan hundral, ale Izzy si všimla, že si nasadil fialovú papierovú korunu ako všetci ostatní.

*   *   *

Po dvoch hodinách radosti, keď sa všetci rozprávali, jedli, smiali sa a slávili s vynikajúcim jedlom, dobrým vínom a fantastickou spoločnosťou, Izzy dojala Alicia, keď trvala na tom, že s Xanthe a Grahamom upracú a nechajú ostatných pri stole vychutnať si pohár portského.

„Vieš o tom, že tvoja mama je vlastne veľmi praktická?" podotkla Izzy.

„Uvedomujem si to," odvetil Ross. „Dlho sme sa s otcom od srdca rozprávali, keď si dnes ráno varila ako o život. Povedal mi niekoľko vecí a možno som sa k mame nesprával veľmi férovo."

Naklonil sa dopredu, pobozkal ju a potom vyhlásil: „Keď sa človek zamiluje, zmení mu to pohľad na veci."

Izzy sa len usmiala a rozhodla sa, že mu neprezradí, že si jeho rozhovor s otcom vypočula.

* * *

„Mám byť Santa?" spýtala sa Xanthe a hlas jej prekypoval vzrušením, zatiaľ čo indigové pierko na jej fascinátore sa súhlasne chvelo. Oblečená do zladených, postavu obopínajúcich indigovomodrých zamatových šiat vyzerala úchvatne. Iné slovo na to neexistovalo.

Keď doumývala riad, napochodovala do jedálne v plameniakovoružových gumových rukaviciach zdobených perím, aby všetkých pozvala do salónika. Posadili sa na pohovky a stoličky, v kozube horel oheň a na vianočnom stromčeku blikali svetielka. Cez noc sa pod stromčekom objavili balíčky a tiež pančuchy.

„Tento je pre teba, Izzy." Xanthe zaiskrili oči. „No tak, otvor ho. Nemôžem sa dočkať, až ho uvidíš."

Izzy sa cítila trochu neisto, ako sa na ňu pri preberaní darčekov upierali všetky oči. „Tiež mám pre teba jeden."

„Už som ho videla." Xanthe siahla po balíčku od Izzy.

„Dúfam, že si nenakúkala." Izzy dala darček pod stromček až na poslednú chvíľu, pretože jej mame sa nedalo veriť, pokiaľ išlo o prekvapenie.

„Kto? Ja?" Xanthe sa zaškerila a stvárnila dramatické rozhorčenie tým, že si položila ruku na srdce. „Jeanette, poď, môžeš rozdávať darčeky. Tento je pre Aliciu. Tento pre Rossa. A tento zasa pre Grahama."

Xanthe každému kúpila malé fľaštičky likéru, ktorý sa hodil ku škótskym karamelkám *tablet*, ktoré vyrobila Izzy. Cukrovinky boli krásne zabalené v celofánových vrecúškach previazaných zlatou, striebornou a zelenou stužkou.

Hneď ako mal každý darček, Xanthe vyhlásila, že ich môžu rozbaliť. S veľkým nadšením sa pustila do úhľadného štvorcového balíčka od Izzy a vybrala škatuľu. „Ach!" vyhŕkla. „To je škatuľa na klobúky!" Zdvihla veko a vytiahla plstený klobúk v malinovej farbe s asymetrickým okrajom a ihlicou na prednej strane. „Izzy!" Zalapala po dychu a vzápätí sa rozplakala. „To je nádhera. Ty môj miláčik. Ten sa ti podaril." Dobehla k Izzy a objala ju. „Ďakujem, zlatíčko."

„Za málo, mami."

„Poznáš ma tak dobre." Xanthe sa vtisla do malého priestoru medzi Izzy a Duncana, zavrtela sa ako sliepka na vajciach a objala ju okolo pliec. „Vďaka, že to so mnou vydržíš," potiahla nosom. „Mám ťa rada."

„Ja teba tiež, mami," uistila ju Izzy a s úsmevom dodala: „Vedela som, že sa ti bude páčiť."

„Teraz otvor ten svoj. Budeš nadšená."

Izzy nepochybovala. Xanthe mala dokonalý vkus a vždy dokázala nájsť presne tú vec, o ktorej si človek nemyslel, že ju potrebuje.

Zdvihla si ťažký balík na kolená a pomaly z neho zlupovala papier, zatiaľ čo Xanthe sa celý čas sťažovala, aká je pomalá. V balíčka bola škatuľa s kompletnou sériou *Cudzinky* od Diany Gabaldonovej v plátennej väzbe.

„Mami, tie sú nádherné!" zvolala a pohladila knihy. „Kde si ich vôbec zohnala? Ďakujem."

„Rado sa stalo, miláčik. Objednala som ich z Ameriky. Viem, ako veľmi miluješ Jamieho Frasera."

Izzy sa usmiala a rýchlo sa pozrela na Rossa, ktorý jej úsmev opätoval. Možno mu o svojich fantáziách o Jamiem Fraserovi počas minulej noci povedala.

„Tak, Graham," vyhlásila Xanthe. „Pozrieme sa, čo si dostal."

S Xanthe v úlohe Santu sa darčeky a pančuchy rozdali rýchlo.

„Vďaka, Xanthe." Jeanette s predstieraným žiarivým úsmevom na tvári držala obrovský vianočný sveter s chlpatými sobími parohami a blikajúcim červeným nosom.

„A dohája!" vyštekla Xanthe nahnevane. „Ten je pre Jima. Musí mať ten tvoj."

„Žeby?" Jim sa napratal do zladeného malého svetríka a vystrčil ľavý bok v klasickej modelkovskej póze. Všetci vyprskli do smiechu.

„Mám pre všetkých ešte jeden darček," upozornila Xanthe a začala rozdávať balíčky v tvare knihy. „Toto je pre teba a Jeanette, toto je pre teba, Hattie. Prepáč, Izzy, že som jej dala tvoj, ale viem, že si ich prečítala aj tak všetky. A ešte tu mám jeden pre Aliciu a Grahama a jeden pre Duncana."

Keď rozbalili darčeky, Izzy sa neveriacky zadívala na Rossa. Xanthe dala všetkým knihu od Rossa Adaira.

„Ďakujem, nič od neho som ešte nečítal," povedal Duncan. „Mám rád dobrý krimitriler."

„Môžeš si to prečítať prvý, Jim," navrhla Jeanette, „a povedať mi, či tam nie sú nejaké desivé pasáže."

„To je také pozorné, Xanthe," usmiala sa Alicia. „Graham aj ja milujeme knihy."

„To nestojí za reč," posadila sa na päty a so samoľúbym mačacím úsmevom dodala: „A Ross vám ich môže všetky podpísať."

Izzino zábavné polohlasné štikútanie a priškrtené zaúpenie k nej pritiahlo všetky pohľady.

„Čože, miláčik? Ty si to nevedela?“

„Ako to myslíš?“ spýtala sa Alicia manžela.

„Ty si to tiež nevedela?“ Xanthe očami vyhľadala Rossa, ktorý študoval ozdobnú lištu na strope. Izzy vložila ruku do jeho dlane a podporila ho ľahkým stiskom.

„Čo nevedela?“

Graham sa rozosmial. „Je to pravda?“

Ross mimovoľne prikývol.

„Čo je pravda?“ chcela vedieť Alicia. „Mohli by ste mi povedať, čo sa deje? Prečo by mal Ross podpísať tieto knihy?“

„Ross Adair je Ross Strathallan,“ vysvetlil Graham jemne. „Náš syn.“

„Skutočne?“ Alicia sa zatvárila prekvapene. „Vážne?“ Otočila sa k Rossovi.

Prikývol.

Rozžiarila sa. „Vďakabohu za to. Predstav si, aké trápne bolo priznať, že môj syn je starý zaprášený profesor histórie. Bože, kiežby si mi to povedal skôr! Musela som znášať, ako sa Margaret Baxterová vyťahovala, že jej syn je úspešný preparátor. Spisovateľ trilerov je oveľa vzrušujúcejšie. Nemôžem sa dočkať, až jej to oznámim.“

„Ako si to zistila, Xanthe?“ zaujímalo Izzy.

„Prezradila mi to pani McPhersonová. Tá žena vie všetko, okrem dôležitosti prehliadok u zubára. Úprimne, Alicia, mala by si vidieť jej zuby. No na pošte predáva neuveriteľnú vlnu. Plánovala som, že niečo upletiem.“ Xanthe a Alicia začali akčne preberať ihlice a očká, zatiaľ čo Duncan prevzal velenie a rozdal zvyšok darčekov.

Pozornosti v pančuchách od Izzy sa všetkým páčili, hlavne Hattie, ktorá tu nemala žiadnu najbližšiu rodinu ani priateľov, ale všetci pre ňu vymysleli darčeky. Alicia jej dala set sklenených podtácok. Xanthe jej venovala toaletné taštičky, ktoré ušila z upcyklovaných látok a tmavohrdzavých strapcov, zdobiacich kedysi staré závesy v jedálni.

„To je úžasné, Xanthe. Si veľmi talentovaná," obdivovala Alicia šál, ktorý tiež ušila z upcyklovaných látok a oba konce ozdobila zmesou krásnych gombíčkov.

Xanthe sa rozžiarila. „Áno, premýšľam, že by som v jednej zo stodôl založila združenie umeleckých remesiel."

„Vážne?" zažmurkala Izzy. Matka ju neprestávala prekvapovať.

„Hneď ako bude hrad v prevádzke, nebudem mať čo robiť." Bezstarostne prehliadala prácu, ktorú bude potrebné venovať starostlivosti o hostí. „Máš Jeanette, ktorá ti pomôže, a tak mi napadlo, že Jim a Duncan by mohli pomôcť vybaviť tú krajnú stodolu a ja by som tam mohla pozvať miestnych remeselníkov, aby vystavovali a predávali svoje výrobky. Pravdepodobne by som mohla získať aj nejaký umelecký grant. Jim by tam mohol predávať svoje lavice a vyrábať ďalší nábytok."

„Máš to všetko premyslené." Izzy ju musela obdivovať. Nikdy nedovolila, aby čokoľvek stálo v ceste dobrému nápadu. A toto bol dobrý nápad.

„Nie si tu jediné šikovné dievča, miláčik."

„A my s Rossom máme posledný darček," povedala Izzy a vstala. „Teda skôr oznámenie."

„Ach, bože, Alicia. Budeme starí rodičia!"

Izzy zastonala, zatiaľ čo Ross si zakryl oči rukou a sklonil hlavu. „Nie, mami. Vieme, kde sú tie zafíry."

Xanthe vykríkla a všetci začali hovoriť naraz. „Našli ste ich!"

„Kde?"

„Ako ste ich našli?"

„Kedy?"

Ross zdvihol ruku. „Čo keby sme išli do haly?"

Všetci sa nechápavo zamračili, ale zdvihli sa a nasledovali Izzy a Rossa do haly. Tí dvaja sa postavili pred kozub, pod *claymore* na stene.

„Tak čo, dievča, kde sú?" spýtal sa Duncan s ľahkým náznakom výzvy v hlase, akoby jej neveril.

Izzy zadržiavala úsmev. „Na očiach."

„Ako to myslíš?" opýtala sa Xanthe takmer plačlivo.

„Kde je to najlepšie miesto, kam niečo skryť?"

„Všetkým na očiach," odvetil Graham a prezeral si steny haly. Izzy pomaly prikývla a všetci sa začali rozhliadať po miestnosti, zatiaľ čo Izzy s Rossom sa na seba potajomky usmiali.

„Tak kde sú?" vykríkla Xanthe, ktorá už neovládla svoju netrpezlivosť. „Prestaň nás trápiť."

Ross sa otočil a zložil *claymore* zo steny. „Hovoril som si, o čom ten idiot Gregory bľabotal, keď vravel o gombíkoch na rukoväti. Predpokladal som, že trepe svoje obvyklé nezmysly." Položil meč na dubový príborník a vyzval všetkých, aby sa k nemu priblížili. Potom ukázal na malé oválne hrudky prilepené na rukoväti.

„To sú tie zafíry!" Xanthe pokrčila nos.

„Zamaskovali ich," vysvetlil Ross. „Niekto ich prilepil a pretrel farbou."

„Bill. Ten úskočný podvodník," precedil Duncan cez zuby. „Vždy hovoril, že vie, kde sú. Predpokladal som, že sa len vyťahuje."

„To vysvetľuje, prečo opakoval, že *claymore* by nikdy nemal opustiť rodinu," pripomenula Izzy.

„No nie sú také pekné ako Isabellin náhrdelník," našpúlila Xanthe pery. „Prepáč, Izzy. Myslela som si, že to bude rozprávkový šperk. Som celkom sklamaná."

„Ja nie. Pozerám sa na novú strechu."

„Ts, ts." Xanthe nesúhlasne poskočil fascinátor. „Neviem, po kom to máš. Stále si taká praktická."

Ross objal Izzy okolo pása a zašepkal jej do ucha: „Vďakabohu!" Jemne ju pobozkal na krk. „S našimi génmi budú musieť stáť pri nás všetci svätí. Nie som si istý, či niekedy budeme mať pokojný život, ale nejako to zvládneme."

„Typické," ozvala sa Hattie. „Tomu neuveríte, moja teta a strýko chcú vedieť, či sem môžu prísť na Silvestra. Plánujú pricestovať pozajtra."

Izzy sa rozosmiala. „Samozrejme, že môžu. Čím nás bude viac, tým lepšie."

Bola si celkom istá, že im bude vedieť predviesť tú najlepšiu škótsku pohostinnosť. S rodinou a priateľmi po boku to nebude ťažké.

Poďakovanie

Táto kniha je inšpirovaná prekrásnou svadbou dvoch mojich drahých priateľov – Lesley a Richarda. Vďaka, že ste ma pozvali na ten najradostnejší, najromantickejší obrad, na akom som kedy bola. Išlo o obrad zviazania rúk, ktorý prebiehal v jasnom jarnom slnku na pláži v úchvatnej lokalite Crear v Tarber v Argylle naproti ostrovu Jura. Cesta autom pozdĺž Loch Lomond, okolo Loch Fyne do Argyllu, plná skvostných scenérií, je stále jedna z mojich najmilších. Po tom božskom výlete som jednoducho vedela, že ďalšiu knihu musím situovať do Škótska.

Je to moja dvanásta kniha a niekoľko poďakovaní som už napísala, a tak mi odpustite, pokiaľ už ste nasledujúce mená čítali, ale každé z nich predstavuje dôležitú súčasť môjho spisovateľského života. Obrovské ďakujem patrí mojej priateľke, autorke Donne Ashcroftovej, s ktorou všetko neustále rozoberáme a obvykle poznáme postavy tej druhej takmer tak dobre ako tie vlastné. Som tiež veľmi vďačná, že mám svoje zabávačky Bellu Osborneovú, Philippu Ashleyovú, Darcie Boleynovú a Sarah Bennerovú, ktoré mi poskytujú podporu a skvelé rady a pomáhajú mi udržať si psychické zdravie.

Zvláštne poďakovanie patrí mojej rodine: Nickovi, Ellie a Mattovi, ktorí vôbec nemajú pochopenie pre to, keď im poviem, že moja posledná kniha je príšerná. Počuli to už veľakrát.

Vďaka Broo Dohertyovej, mojej úžasnej supergarantke – nemohla by som mať na svojej strane nikoho lepšieho (hoci so mnou tiež nemá žiadny súcit, keď hovorím, že moja kniha je príšerná). Rovnaká vďaka patrí mojej redaktorke Charlotte Ledgerovej, oficiálne najlepšiemu človeku na planéte (tá má pochopenie, keď vravím, že moja kniha je príšerná, a potom ju pomocou svojich vynikajúcich redakčných schopností o dosť vylepší).

Veľké ďakujem vyslovujem fantastickému tímu z vydavateľstva Cosmopolis, GRADA Publishing a Cosmopolis, GRADA Slovakia, hlavne Petre, Tereze a Jane, ktoré odvádzajú vynikajúcu prácu, aby moje knihy dostali k novým čitateľom v Českej republike a na Slovensku. Vy aj vaši kolegovia ste úžasní a som vám veľmi vďačná za skvelú prácu, ktorú robíte.

A obrovské ďakujem patrí vám, všetkým čitateľom, nech už ste kdekoľvek. Bez vás by som nemohla robiť tú najlepšiu prácu na svete. Ďakujem, že kupujete moje knihy, uverejňujete recenzie a píšete mi.